Vicki Chelf Hudon

LA GRANDE CUISINE VÉGÉTARIENNE

POUR VÉGÉTARIENS AVERTIS

**

TOME 2

traduit par Francine Cadieux

Stanké

DU MÊME AUTEUR
CHEZ LE MÊME ÉDITEUR :

— La grande cuisine végétarienne (tome 1)
— Maigrir avec la cuisine végétarienne
— 150 délicieux desserts
   Recettes exclusivement naturelles

Illustrations : Sigrun Schroeter

© Éditions internationales Alain Stanké, 1985

ISBN 2-7604-0247-9

Dépôt légal : deuxième trimestre 1985

Imprimé au Canada

Table des matières

LES PETITS DÉJEUNERS

LES HORS-D'ŒUVRE, LES TREMPETTES ET LES « TARTINADES »

LES SOUPES

LES SAUCES ET LES VINAIGRETTES

LES SALADES

LES LÉGUMES

LE PAIN

LES PLATS DE RÉSISTANCE

REPAS DES « GRANDES » ET DES « PETITES » OCCASIONS

LE « PRÊT-À-MANGER » DE STYLE VÉGÉTARIEN

DESSERTS

Introduction

Cet ouvrage est destiné aux personnes déjà initiées au végétarisme, ou du moins à une cuisine basée sur l'emploi d'aliments sains. Il constitue une suite logique à mon premier livre « La grande cuisine végétarienne », une introduction à ce mode d'alimentation, écrit pour les débutants, qui cherchent une nouvelle façon de s'alimenter, plus saine et naturelle, mais ne savent par où commencer. Ce livre pose les principes de base du végétarisme, et contient maintes informations sur les produits utilisés, leur valeur nutritive et leurs modes de cuisson ; je le recommande toujours fortement aux novices dans ce domaine.

Mon second livre, « Maigrir avec la cuisine végétarienne », dont le titre traduit l'orientation, renferme d'utiles renseignements sur les valeurs protéiniques et caloriques des aliments, et donne plusieurs exemples de menus bien équilibrés. Les recettes sont faibles en calories et contiennent peu de matières grasses, simples et d'exécution facile. Cet ouvrage décrit une philosophie alimentaire, et j'y explique mon point de vue personnel sur le végétarisme et la santé en général.

Enfin, mon troisième ouvrage « 150 délicieux desserts », était le résultat des étés que j'ai passés à concocter des douceurs pour le restaurant « La terrasse du Pommier fleuri », à Val-David. Ayant constaté que les desserts constituaient, et de loin, les choix favoris sur le menu, j'ai décidé de les réunir et de les faire partager à un plus large public.

Depuis la parution de « La grande cuisine végétarienne », cependant, beaucoup de choses ont évolué dans la voie du végétarisme, ce qui se reflète dans les nouvelles recettes contenues dans ce livre. Plus particulièrement, certains produits japonais, tels que les dérivés du soya (tofu, tempeh), ainsi que les légumes de mer, maintenant plus facilement disponibles dans nos marchés québécois, font l'objet de mes recherches et de mes essais. On notera également que l'emploi des produits laitiers est considérablement réduit, et ils ont été remplacés par des substituts fort intéressants et tout aussi délicieux.

Un chapitre est également consacré à la préparation de recettes faciles et rapides d'exécution, car on accuse souvent le végétarisme d'être laborieux et de nécessiter un fort investissement de temps. Je veux donc prouver qu'il est possible de bien s'alimenter sans y sacrifier ce temps si précieux dans nos vies actives et modernes.

Finalement, la raison première d'écrire ce livre est aussi pour moi de partager le plaisir que je retire d'une nourriture à la fois saine et délicieuse, de découvrir de nouveaux plats, tout en sachant qu'on respecte et qu'on ne cause aucun préjudice à notre environnement, au diapason des besoins et de l'équilibre planétaires.

Les recettes

Demandons à dix cuisinier(e)s d'exécuter la même recette ; il en résultera dix plats différents, ne serait-ce que dans leur présentation, ou une façon particulière de « touiller » la sauce. Certains obtiendront plus de succès que d'autres, et on dira d'eux qu'ils ont le « doigté » ; suivent ici quelques suggestions, conseils, et explications qui vous permettront de réussir vos recettes, et qui font surtout appel au « gros bon sens », clef du succès de tout bon cuisinier.

• La première fois que vous réalisez une recette, suivez-en les indications à la lettre. Ceci vous permettra de jauger exactement la nature du plat qui vous est proposé. Au prochain essai, vous désirerez peut-être modifier légèrement la recette pour l'adapter à vos goûts personnels ou à vos besoins. Cependant, ne vous laissez pas rebuter au premier abord par une recette qui demande, par exemple, une épice ou herbe aromatique qui ne vous plaît pas ou dont vous êtes peu familier. Omettez-la ou remplacez-la tout simplement ; le résultat sera peut-être moins « exotique » que prévu, mais fera sûrement les délices des plus conservateurs.

• Chaque recette contenue dans ce livre peut aisément être doublée, ou coupée de moitié, et ces changements n'altéreront pas la réussite de votre plat ; rappelez-vous cependant qu'en augmentant les quantités, le temps de cuisson sera proportionnellement prolongé, et inversement abaissé, si la recette est réduite de moitié.

• Le nombre de portions servies par recette est toujours approximatif, dépendant de qui dégustera votre mets et ce qui sera présenté comme plats d'accompagnement. Il est évident qu'un marathonien de 1,85 m (6′2″) mangera aisément le double d'un employé de bureau mesurant

1,55 m (5′2″). Un plat principal accompagné d'une riche sauce au fromage servira plus de convives que s'il est servi tel quel ou avec une sauce plus légère.

• Dans le cas des plats cuisinés au four, faites toujours préchauffer celui-ci avant d'y insérer la préparation, à moins d'indications contraires. N'oubliez pas que la gradation de chaleur varie légèrement d'un fourneau à l'autre, aussi surveillez attentivement la cuisson de votre plat en faisant les ajustements nécessaires.

• Si vous n'êtes pas familier avec un ingrédient requis, référez-vous à la « Liste des ingrédients », à la page 19 , où les principales caractéristiques des aliments non habituels sont expliquées.

• Les recettes utilisant le tofu doivent souvent être ajustées pour obtenir la consistance désirée. En effet, la quantité d'eau contenue dans le tofu varie selon les producteurs, et en fait, selon chaque fournée produite. On rectifiera donc les mesures de liquide requises dans les trempettes, soupes, vinaigrettes, suivant qu'on désire une consistance épaisse ou plus claire.

• L'humidité ambiante joue un rôle important dans les quantités de farine utilisées dans une recette. Dans un climat très humide, il faudra compter un peu plus de farine pour réussir croûtes de tartes, craquelins ou pains. Brasser la farine lui donne plus de volume (de ¼ à ⅓ de plus) ; toutes les recettes contenues dans ce livre, à l'exception des recettes de pain, donnent des mesures en fonction d'une farine légèrement brassée avant d'être mesurée.

• La quantité d'huile nécessaire pour faire frire les aliments peut souvent être réduite. Pour la plupart des poêlons, 2 c. à soupe d'huile suffisent amplement pour empêcher les aliments de coller. L'utilisation d'un bon poêlon de fonte peut couper cette quantité de moitié.

• Il est important de prévoir exactement le temps de cuisson de toute préparation, car quantité de facteurs entrent ici en jeu : la fraîcheur des ingrédients, la façon de tailler les légumes et de quelle grosseur, le genre d'ustensile, de poêlon ou de marmite, le degré et la source de

15

chaleur (électricité, bois, gaz), et les préférences individuelles font que la rigueur scientifique ne peut être prati-
quée. Il est donc important de se servir de son propre
jugement et de surveiller votre marmitée, pas votre montre,
pour juger de la cuisso1 d'un plat.

• En cuisine, il faut aussi être prêt à faire face à toute
éventualité. À la dernière minute, vous réalisez qu'il manque
un ingrédient pour compléter la recette, que le four ne
fonctionne plus, que vous n'avez pas de moule de grandeur
appropriée... Le cuisinier qui reste décontracté, flexible et
capable de s'adapter aux situations les plus cocasses, sera
aussi celui le plus apte à être couronné de succès, tout en
retirant un immense plaisir de son art.

L'expérimentation est la manière la plus sûre d'apprendre et de s'améliorer. Parfois, votre recette n'aura pas
le succès escompté, mais le plus souvent, vous serez agréablement surpris en réalisant que votre version personnelle
d'un plat surpasse carrément l'original.

Surtout, ayez confiance en vos possibilités. Nous possé-
dons tous un côté créatif, plus ou moins étouffé par notre
éducation « logique et pratique » ; soyez sans crainte, et
tout à la joie de vous découvrir des talents insoupçonnés.

Un maître cuisinier renommé expliquait à une troupe
de fervents admirateurs une de ses plus célèbres recettes.
Fort impressionnés par l'exactitude de ses commentaires,
de l'importance d'un dixième de cuillerée à thé de muscade,
de la rigueur scientifique appliquée à sa profession,
plusieurs élèves prenaient scrupuleusement note de toutes
ses paroles. Puis, se penchant secrètement vers son audi-
toire avide, le grand chef ajouta : « Une fois que la préparation aura réchauffé doucement à 108°C, pendant 7
minutes et demie, versez-y une bonne grosse louchée de
mélasse ! »

Bon appétit, et surtout,
amusez-vous bien !

Les ingrédients qu'on utilise

Pendant que je travaillais à l'élaboration de ce volume, une gentille dame qui n'est pas du tout familière avec la cuisine végétarienne, m'a demandé de lui conseiller quelques recettes à base de légumes. Un souhait compréhensible, étant donné la vocation de ce livre. Voulant rendre ce service à la dame, je me mis à feuilleter mes recettes, cherchant quelque chose qu'un non-initié ne trouverait pas trop étrange. Au milieu de ma recherche, j'ai commencé à paniquer. Chaque recette contenait au moins un ingrédient avec lequel la plupart des gens n'étaient pas familiers. Heureusement, je réussis tout de même à isoler quelques recettes « normales », ce qui a atténué mon sentiment d'être une « extra-terrestre ».

Pourtant, lorsque l'on réfléchit à la question, on constate que les ingrédients constituant la base de la cuisine végétarienne sont pour la plupart fort anciens et possèdent une longue histoire, et pas seulement chez les Orientaux, mais souvent chez notre propre grand-mère ! Avec les traitements relativement nouveaux (quelques dizaines d'années) que l'on fait subir aux aliments, leur origine se perd, et ce qui est encore plus dramatique, leurs qualités et valeurs intrinsèques. Un jour que je discutais avec un professeur d'économie familiale, je fus fort surprise de constater ce qu'elle considérait comme aliments de base : farine blanche, sucre blanc, poudre à pâte, sel, etc., ce qui est fort éloigné de la cuisine traditionnelle et constitue une alimentation de subsistance plutôt pauvre.

Les Nord-Américains ont en général peu de connaissances sur ce qui constituait il n'y a pas si longtemps (et ce qui est encore en usage dans maints pays) la base de leur alimentation, et ce, depuis des siècles. Bien sûr, dans la plupart des parties du globe, l'être humain a toujours consommé un peu de viande, mais la nourriture de base, qui a permis son évolution, se résume aux céréales, légumineuses et légumes ; chaque contrée ayant ses combinaisons particulières, et différents modes de préparation. On associe le riz et le soya à l'Orient, le millet et les arachides à l'Afrique, les pois chiches et le boulghour au Moyen-Orient, le maïs et les haricots typiques des Mexicains, la « soupe aux pois » et la « galette de sarrasin » des Québécois. Ce sont toutes des constantes de base traditionnelles, et surprise, elles sont toutes végétariennes !

Alors, en y réfléchissant bien, qu'est-ce qui vous paraît le plus incongru et bizarre, un bol de céréales de sarrasin entier, ou une concoction de petits bonshommes aéroformés, multi-colorés, avec addition de multi-vitamines, et suavement additionnés de sucre blanc et ultraraffiné ?

La liste des ingrédients

Si certains ingrédients employés dans les recettes contenues dans ce livre ne vous sont pas familiers ou suscitent des questions, consultez cette liste. Vous trouverez un bref résumé décrivant l'ingrédient en question, avec ses particularités et ses usages spécifiques.

ARROWROOT : ce produit provient d'une plante tropicale, dont la racine à tubercule a été séchée et broyée sous forme de poudre. L'arrowroot sert à épaissir les sauces, poudings, etc. de la même façon que la fécule de maïs. Cependant, il est préférable à celle-ci, car l'arrowroot est un aliment entier et non un dérivé appauvri, comme la fécule de maïs. On l'utilise dans les mêmes proportions et suivant les mêmes procédés que la fécule.

BEURRE D'ARACHIDE : certes, le beurre d'arachide est arachi-connu ! Aliment hautement énergétique, il occupe une place de choix dans l'alimentation végétarienne, mais il faut s'assurer qu'il ne contient que des arachides, et non pas une série d'additifs sucrés et inutiles. En plus de servir comme goûter, tartinade ou sur les rôties matinales, le beurre d'arachide permet aux croquettes, pâtés et terrines préparés sans œufs d'obtenir une texture ferme.

BEURRE DE SÉSAME : semblable au tahini, sauf qu'il est préparé avec des graines de sésame non décortiquées et légèrement rôties.

CÉRÉALES : voir p. 217, pour une explication détaillée des différentes variétés de céréales.

ÉPICES : les recettes contenues dans ce livre font un usage très modéré des épices au goût très fort, telles que le poivre noir ou les piments. En effet, la plupart des experts s'accordent pour affirmer que la forte consommation d'épices irrite le système digestif. Certaines recettes, toutefois, utilisent la cayenne ou une sauce comme le harissa préparées à base de piments rouges forts, et occasionnellement, la moutarde forte (de Dijon). Certaines autorités croient que le piment rouge est bon pour la santé tandis que d'autres le condamnent. Le plus sage est d'écouter son propre jugement et d'user de modération ; votre instinct et les réponses de votre organisme sauront vous guider dans l'usage ou l'abstinence des épices.

GLUTEN : le gluten est la partie protéinée du blé. C'est une substance élastique qui permet au pain d'obtenir cette texture légère, souple et qui ne s'émiette pas quand on le tranche.

Cet aliment est nouveau pour la plupart des Occidentaux, les Orientaux le connaissent depuis des siècles. Le gluten de blé possède une texture semblable à celle de la viande et une saveur plutôt fade, qu'on peut assaisonner suivant son goût. On utilise le gluten dans la préparation de plats qui imitent la texture de la viande. Aliment très concentré, on doit le consommer avec modération. 250 mL (1 t.) de gluten cru contient 72 g de protéines. (Voir page 233.)

HERBES (fines herbes) : la découverte des herbes aromatiques devient une source illimitée de plaisirs culinaires, tant par leurs diversités, leurs agencements possibles, et leurs propriétés bienfaisantes reconnues (certaines médecines naturelles emploient avec succès les herbes aromatiques pour soigner différentes maladies). Si vous n'avez pas l'habitude de cuisiner avec les fines herbes, faites d'abord des essais, réduisez quelque peu les quantités indiquées dans les recettes, jusqu'à ce que vous découvriez celles qui vous plaisent particulièrement. Les herbes croissent facilement à l'intérieur (même l'hiver) ou dans le jardin ; sinon, le meilleur achat, autant du point de vue économique que de la fraîcheur, consiste à se procurer les herbes en vrac dans les magasins d'aliments sains. Les herbes fraîches peuvent être utilisées en plus grande quantité que les herbes séchées (½ c. à thé d'herbes séchées correspond à 1 c. à soupe d'herbes fraîches).

HUILES : les huiles les moins raffinées possèdent un goût prononcé, une couleur foncée, ainsi qu'une valeur nutritive préservée, contrairement aux huiles commerciales, extraites chimiquement, filtrées, blanchies, désodorisées et appauvries de leurs vitamines. L'huile de tournesol, sans être trop raffinée, possède pourtant une saveur très douce et peut se prêter à un grand nombre d'usages. Conserver toujours les huiles naturelles au réfrigérateur, car elles ont tendance à rancir rapidement. Pour la cuisson, si vous pouvez couper les quantités d'huile indiquées dans les recettes, en vous servant d'un poêlon de fonte par exemple, et sans que vos aliments ne collent, bien sûr, il n'en sera que préférable et meilleur pour la santé.

Si les rôties sans beurre ou margarine vous semblent sèches et pas très appétissantes, essayez de tartiner votre pain d'un mélange d'huile d'olive et d'ail. Mettre sous le grill une minute pour dorer légèrement. Le beurre n'est jamais à conseiller parce que le « beurre, justement, c'est du beurre ! » (avec ce que cela comporte de gras et de cholestérol).

HUILE DE SÉSAME RÔTI : fabriquée à partir de graines de sésame rôties, cette huile possède un goût très prononcé et ne devrait être utilisée qu'en très petites quantités, comme assaisonnement.

LAIT DE SOYA : un lait nutritif et de saveur douce, fabriqué à partir des fèves de soya (voir recette page 48). La valeur nutritive du lait de soya est comparable à celle du lait de vache, avec quelques différences cependant. Il contient un peu plus de protéines et légèrement moins de calories, de gras et de calcium que le lait de vache, et pas de vitamine B_{12}. Facile à faire et très économique, on peut utiliser le lait de soya dans toutes les recettes contenant du lait de vache, ou le transformer en excellent yogourt, en suivant le même procédé que pour la fabrication du yogourt laitier.

MALT : un édulcorant naturel, obtenu à partir de grains d'orge germés.

MISO : pâte savoureuse fabriquée avec des fèves de soya (et/ou autres grains), du sel de mer et du koji (une bactérie).

Le miso doux est plutôt pâle et a fermenté pendant deux mois, tandis que certaines variétés, au goût plus relevé et de couleur foncée, ont fermenté jusqu'à 3 ans. Les Japonais, dont le miso constitue un aliment de base, sont de fins connaisseurs (de la même façon que les Français sont dégustateurs de fromages fins), et savent distinguer les saveurs particulières et subtiles de chaque type de miso. Les Orientaux attribuent des vertus curatives merveilleuses à cet aliment très ancien, et certains docteurs le prescrivent à leurs patients. Entre autres, le Dr Morishita avance comme théorie que le miso contient un produit appelé zybicolin, avec lequel les substances radioactives se combinent, et de ce fait, peuvent être éliminées de façon naturelle par les selles. Le miso contribuerait donc à prévenir les maladies dues aux radiations*. De plus, le miso contient quantités de « bactéries amies », semblables à celles présentes dans le yogourt et contribuant à faciliter la digestion.

Au Japon, on sert la soupe de miso au petit déjeuner. Cela peut sembler étrange au premier abord, mais l'effet est particulièrement nourrissant et réconfortant par les froides matinées hivernales. On emploie également le miso dans nombre de potages, sauces et ragoûts ; il faut toujours l'ajouter en fin de cuisson, pour ne pas en détruire les propriétés salutaires. Le miso jaune est également utilisé dans ce livre, car il possède un goût très doux et léger, et n'altère pas la couleur des préparations. On trouve le miso dans les marchés japonais et la plupart des magasins d'aliments sains.

MOCHI : fabriqué à partir de riz doux qui a été broyé jusqu'à formation d'une pâte épaisse, puis façonné en plaques minces mises à sécher (voir recette page 40). Le mochi peut être assaisonné d'herbes aromatiques ou de différentes épices, et il est généralement frit à la poêle ou cuit au four, ou encore taillé en petits cubes ajoutés à des ragoûts ou des potages mijotant (à la façon des grands-pères). Le mochi est considéré comme une excellente nourriture pour les femmes enceintes ou allaitant.

* « Soybean Diet », Herman and Cornellia Aihara, George Oshawa Macrobiotic Foundation Inc. Publishers, Oroville, California, 1977, p. 46.

NOIX et GRAINES : aliments très concentrés et riches en gras, les noix et les graines doivent être consommées avec modération. Conserver toujours les noix et les graines au réfrigérateur, car sinon elles deviennent rances très rapidement. Dans ce livre, nous remplaçons parfois l'huile par des beurres de noix ou du tahini ce qui donne le même résultat, tout en étant plus savoureux et nutritif.

OKARA : l'okara est un résidu fibreux qui provient de la fabrication du lait de soya, une étape dans la production du tofu. On peut l'utiliser dans la confection de délicieuses croquettes ou pâtés végétaux, ou l'ajouter à des recettes de granola ou de muffins. Les compagnies productrices de tofu donnent souvent gratuitement l'okara à qui en fait la demande. (Voir page 48).

SEITAN : un aliment riche en protéines et obtenu à partir du gluten de blé (la recette est expliquée à la page 236).

SEL DE MER : les recettes de ce livre utilisent avec modération le sel, et uniquement du sel de mer, sous forme granulée ou présent dans le shoyu, le tamari et le miso. Puisque l'alimentation végétarienne ne comporte pas de viande, ni d'aliments raffinés, généralement riches en sodium, des petites quantités de sel de mer ne nuiront probablement pas.

SHOYU : voir TAMARI.

SON : tous les grains entiers contiennent du son, qui consiste en la couche fibreuse du grain, juste au-dessous de l'écale, non comestible. La variété la plus commune est le son de blé, mais on peut aussi se procurer du son d'avoine, ou de riz (polissures de riz) dans les marchés d'aliments sains. Le son détient une grande popularité chez les gens qui veulent accroître leur consommation de fibres et faciliter l'élimination des aliments. Toutefois, l'alimentation végétarienne est naturellement riche en fibres, ce qui rend leur usage supplémentaire inutile.

TAHINI : pâte composée à base de graines de sésame crues et décortiquées. Excellent dans les sauces, tartinades, trempettes et vinaigrettes.

TAMARI : sauce de soya naturelle originaire du Japon, et composée de fèves de soya, d'eau et de sel de mer, qu'on laisse ensuite fermenter pendant deux ans dans des barils de bois. Le tamari possède une saveur riche et raffinée qu'aucune sauce soya bon marché vendue dans les supermarchés, bourrée de colorants et d'agents de conservation, ne pourra jamais égaler.

Ce que les Occidentaux appellent le tamari est souvent en fait du shoyu, un produit similaire, mais additionné de blé. Le tamari est plus dispendieux que le shoyu, mais dans certaines recettes (comme les plats imitant la texture de la viande), son utilisation est préférable, car il ajoute plus de couleur et de saveur à la préparation, tout en étant moins salé que le shoyu.

TEMPEH : un aliment qui nous vient de la cuisine traditionnelle indonésienne, fabriqué à partir des fèves de soya concassées, partiellement cuites et inoculées d'une certaine bactérie. Les grains sont alors fermentés à une chaleur d'environ 32°C (95°F) pendant 24 heures, durant lesquelles se développe une moisissure blanche qui fait tenir les grains ensemble. Comme tous les produits de soya, le tempeh possède une haute valeur protéinique, ne contient pas de cholestérol et à peine une trace de gras. Le procédé de fermentation le rend facile à digérer et l'aide à s'enrichir de vitamine B_{12} (la meilleure source végétarienne de vitamine B_{12} connue). Aliment délicieux et facile à préparer, même les enfants raffolent du tempeh. Le tempeh étant une denrée très périssable, conservez-le au congélateur ; il n'a pas besoin de décongeler avant d'être tranché et cuit, mais ne se consomme pas cru.

On trouve le tempeh dans la plupart des grands magasins d'aliments sains ou on peut le confectionner soi-même en achetant une culture spéciale. Si la culture bactérienne n'est pas disponible dans ces mêmes marchés, commandez-la directement à :

The Farm
Summertown, Tennessee
33483, U.S.A.

(L'empaquetage contient les instructions détaillées de fabrication du tempeh.)

TOFU : un autre produit du soya très protéiné, contenant peu de matières grasses et pas de cholestérol, ainsi que très faible en calories. Le tofu est obtenu en faisant d'abord tremper les fèves de soya entières dans l'eau de 8 à 10 heures, puis en les broyant avec de l'eau pour obtenir une purée. Celle-ci est ensuite pressée pour extraire le lait de la pulpe. Puis, on cuit le lait de soya avec du nigari (un extrait du sel de mer), du sulfate de calcium ou de magnésium, qui permettront au lait de coaguler. On presse ensuite ce lait dans un moule, d'où s'écoulera le petit-lait, pour finalement obtenir un mélange ferme, le tofu. Le tofu se conserve plus de deux semaines au réfrigérateur, recouvert d'eau froide et fraîche, qu'on changera chaque jour. Si le tofu commence à dégager une odeur sure et désagréable, et devient de couleur rosâtre ou jaunâtre, il faut alors s'en débarrasser. Pour la confection de desserts, essayez de vous procurer du tofu très frais, qui possède alors une saveur spécialement douce et presque naturellement sucrée.

On peut congeler le tofu, mais ce procédé en altère considérablement la texture, qui devient spongieuse ; cela n'a pas d'importance s'il entre dans la composition, par exemple, de pâtés imitant l'apparence de la viande (comme le « Pâté chinois végétarien », à la page 298). Dans ce cas, il n'est pas nécessaire de faire bouillir le tofu ; le laisser tout simplement décongeler, puis le presser avec les mains pour libérer l'excédent d'eau, l'émietter en petits morceaux, et l'ajouter tel qu'indiqué dans la recette.

La première compagnie à commercialiser le tofu au Québec se nomme Uni-Soya, de Prévost. La qualité de ses produits est toujours impeccable et de plus, les prix n'ont pas varié depuis l'ouverture, il y a six ans. Avec l'excellence du tofu disponible sur le marché, il n'est pas nécessaire de se lancer dans l'opération fastidieuse de fabriquer le tofu à la maison. Par ses qualités exceptionnelles, et les mille et un merveilleux plats qu'il permet de créer, du ragoût de boulettes aux pâtisseries fines et délicates, le tofu mérite grandement sa réputation d'aliment miracle.

TOFU SATINÉ (« Silken Tofu ») : une variété de tofu incroyablement douce, moelleuse et légère, dont la texture s'apparente à celle d'un flan. Généralement consommé froid, dans les salades d'été, et accompagné d'une vinaigrette au miso. Il permet également de confectionner de superbes mousses aux fruits et autres fabuleux desserts.

UMEBOSHI : prunes salées et conservées dans la saumure, à la façon des cornichons, et utilisées comme condiments. L'umeboshi rehausse agréablement la saveur des sauces et vinaigrettes ou des plats composés de riz et de légumes aquatiques. On peut acheter les prunes entières, non dénoyautées, ou se les procurer sous forme de pâte. Les médecins orientaux l'emploient comme remède, entre autres, pour soigner les parasites intestinaux, et contre les maux de tête.

VINAIGRE : aliment très controversé, certains le banissent et d'autres le bénissent ! Le Dr. D. C. Jarvis, auteur du livre « Folk Medecine » (« Médecine de campagne »), affirme que le vinaigre de cidre de pomme non filtré est bénéfique pour l'organisme. Il l'utilise d'ailleurs, mêlé à de l'eau chaude et à du miel, dans sa cure pour les malades souffrant d'arthrite. D'autres théoriciens, cependant, comparent le vinaigre à du poison. Ici encore, « la modération a bien meilleur goût », et une surconsommation d'aliments préservés dans le vinaigre reste à éviter, tandis que l'usage occasionnel et réduit de produits non raffinés, tels que les vinaigres de riz, de cidre ou de vin ne sera pas susceptible de nuire aucunement à votre santé.

Les légumes aquatiques

Lorsque l'on fait la découverte d'un aliment récemment apparu sur le marché, on imagine qu'il s'agit d'une « nouveauté ». Souvent, nous apprenons avec surprise que le produit en question révèle une longue et populaire histoire. En cuisine végétarienne toute nourriture de base provient d'aliments en fait fort anciens et éprouvés. La plus vieille encyclopédie chinoise connue, datant de plus de 300 ans avant J.C., contient des écrits célébrant les nombreuses vertus des légumes de mer. Ce sont les Japonais cependant qui ont développé l'usage extensif des plantes aquatiques et découvert des façons raffinées et originales de les servir, suivant l'imagination débordante qui fait la réputation de leur excellente cuisine. Bien que l'emploi des légumes aquatiques soit généralement associé aux Orientaux, il fait également partie des cuisines traditionnelles écossaise et galloise, ainsi que de la plupart des peuples côtiers du monde entier.

Plus on avance dans les connaissances concernant les légumes aquatiques, plus on prend conscience de leur valeur et des bienfaits que ces aliments nutritifs de haute qualité peuvent apporter à notre alimentation, et donc à notre santé en général. Les végétariens seront particulièrement attirés par les légumes aquatiques, car ils leur permettent, par exemple, de suppléer aux carences de calcium qu'une alimentation dépourvue de produits laitiers peut occasionner.

Les légumes aquatiques contiennent de 10 à 20 fois plus de minéraux que les légumes terrestres. Les animaux le savent, instinctivement, et si on lui laisse le choix, le bétail préférera consommer les légumes aquatiques plutôt que l'herbe des pâturages*. 100 g de hijiki fournit 1,400 IU de calcium, soit 14 fois plus qu'un verre de lait moyen**. Les algues, surtout le dulse, constituent également la meilleure source végétarienne et naturelle d'iode. En plus des excellents minéraux qu'ils contiennent, les légumes aquatiques sont également riches en vitamines A, C, E, B, B_2 et B_{12}. La vitamine D devient aussi disponible, car les algues renferment une substance appelée l'ergostérol qui est convertie par l'organisme en vitamine D.***

Introduire de nouveaux produits dans l'alimentation quotidienne n'est pas toujours facile. Il faut réussir à ébranler des préjugés solides et apprendre de nouvelles méthodes culinaires. Si vous commencez à inclure les légumes aquatiques dans votre alimentation, opérez très lentement et avec discrétion. Surtout, ne répétez pas l'erreur que j'ai commise la première fois que j'ai servi de l'hijiki chez moi. Avec des connaissances plutôt limitées, et n'ayant pas la moindre idée du fait que l'hijiki gonfle aussi dramatiquement au trempage, je me suis retrouvée avec une quantité suffisante d'hijiki pour nourrir une armée. Puisque la perte de toute nourriture m'attriste, j'ai donc fait cuire le tout, nature, et généreusement disposé l'énorme bol devant mon mari. Il lui a fallu trois ans, par la suite, pour pouvoir seulement considérer la possibilité de l'essayer à nouveau ! Soyez donc très parcimonieux lors de vos premiers essais, et incorporez l'hijiki dans des plats où il ne constituera pas l'ingrédient principal (par exemple, dans l'excellente tarte aux haricots, à la page 280).

Pour vous familiariser avec les légumes aquatiques, voici un lexique explicatif des différentes variétés utilisées dans ce livre.

AGAR-AGAR (kanten) : cette algue versatile, inodore, incolore et sans saveur, n'aura aucun problème à être introduite dans le régime familial. Elle constitue une gélatine naturelle, très utile dans la confection de desserts, d'aspics, de confitures, etc. Les possibilités d'emploi de l'agar-agar

* « Cooking with Sea Vegetables », Sharon Ann Rhoads, Autumn Press, Brookline, Mass., 1978, p. 12.
** *Ibid.* P. 91.
*** *Ibid.* P. 25.

sont presque illimitées et vous en trouverez fréquemment l'usage dans le livre « 150 délicieux desserts », où elle sert entre autres à préparer de merveilleuses tartes et succulents poudings ; de plus, elle ajoute du volume dans les aspics, sans apporter de calories supplémentaires (aliment idéal pour ceux qui surveillent leur poids). L'agar-agar possède aussi la faculté de faciliter la digestion et de nettoyer le système.

On peut se procurer l'agar-agar sous forme de bâtonnets ou de flocons. Un bâtonnet sera suffisant pour faire prendre 1 L (4 t.) de liquide, tandis qu'1 c. à soupe de flocons serviront pour 250 mL (1 t.). Éventuellement, vous voudrez varier ces quantités, pour obtenir la consistance que vous désirez. Notez que l'agar-agar ne peut faire prendre des aliments riches en acide oxalique, comme la rhubarbe, les épinards, et le chocolat.

ARAME : l'arame ressemble à de l'hijiki, mais avec une texture plus fine et délicate. En fait, l'arame provient d'une plante plus volumineuse que l'hijiki, mais il est taillé en fines lanières. L'arame requiert seulement 5 minutes de trempage. Lorsque vous préparez des légumes cuits à la chinoise, ajoutez-y un peu de condiment à l'arame (voir recette page 143), c'est absolument délicieux !

DULSE : le dulse est d'un usage des plus simples ; il suffit de le laver soigneusement (des coquillages minuscules y sont parfois cramponnés) et de l'ajouter dans les préparations de votre choix. Sa saveur plutôt douce lui permet d'être ajouté cru, en petites quantités, dans les salades. Son goût se marie particulièrement bien avec les plats de pommes de terre et de maïs.

HIJIKI : l'hijiki doit tremper au moins 20 minutes dans l'eau avant de pouvoir l'utiliser 75 mL (¼ t.) d'hijiki sec donnera 250 mL (1 t. ou plus) d'hijiki trempé. Rincer l'hijiki avant de s'en servir. L'hijiki convient particulièrement aux plats de haricots, et complète agréablement les aliments cuits à la chinoise (riz, carottes, oignons et tofu). Le shoyu, l'huile de sésame rôti, le vinaigre de riz ou de cidre, constituent tous d'excellents assaisonnements pour l'hijiki et l'arame.

VARECH : une des multiples variétés de légumes aquatiques faisant partie de la même famille que le kombu et l'arame. Généralement réduit sous forme de poudre, on utilise le varech comme assaisonnement et supplément nutritif. La poudre de varech peut remplacer le sel dans maintes recettes.

KOMBU : on utilise le kombu en l'épongeant d'abord d'un chiffon humide, puis en le coupant aux dimensions désirées. On peut enrichir une soupe ou un bouillon en le faisant mijoter avec un morceau de kombu de 5 cm × 10 cm (2″ × 4″), qu'on retire avant de servir. Placer un morceau de kombu au fond d'une casserole où l'on fait cuire du riz, en rehausse agréablement la saveur.

NORI : facile à utiliser, il suffit de placer les feuilles de nori quelques secondes au-dessus d'une flamme, jusqu'à ce qu'elles deviennent vertes. On coupe ensuite le nori aux ciseaux, en fines lanières, ou on l'émiette tout simplement en l'écrasant avec les mains, pour l'ajouter comme garniture dans des plats de légumes et de grains entiers. Une recette classique et délicieuse qui emploie le nori est le « Nori-Maki », décrite à la page 61 .

Les petits déjeuners

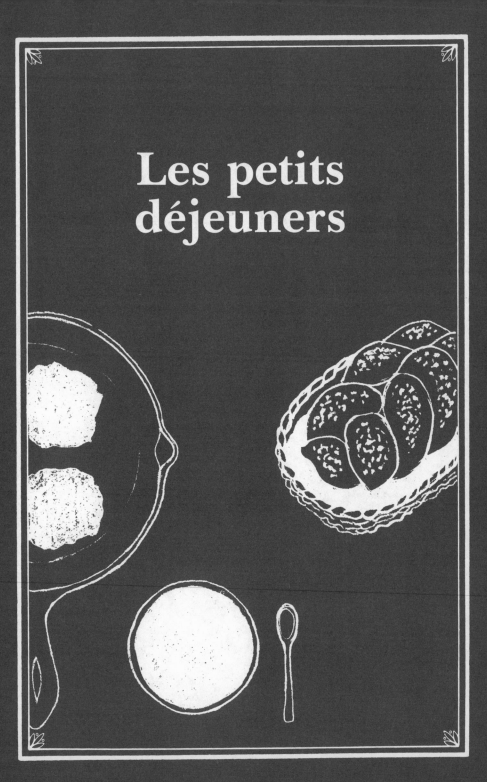

Céréales chaudes du matin

Par les froides matinées hivernales, il n'y a rien de plus nourrissant, rien qui ne réchauffe le cœur et l'esprit comme un bon bol de céréales fumantes. Et mieux que tout autre aliment, cela soutiendra pleinement vos besoins énergétiques jusqu'au prochain repas.

Quelques recettes de base sont expliquées dans ce chapitre, pour donner une idée des modes de cuisson particuliers des différentes céréales. Surtout, ne vous y sentez pas confinés, modifiez ces recettes à votre guise, suivant votre goût et au gré de votre imagination.

Il n'y a aucune règle spécifique concernant la quantité d'eau nécessaire ou les temps de cuisson des céréales. Selon la consistance désirée, on augmentera ou réduira les proportions d'eau, pour obtenir une céréale plus ou moins épaisse.

La plupart des gens apprécient leurs céréales additionnées de sucre, miel ou sirop d'érable. Une alternative, plus saine et de valeur nutritive accrue, est d'ajouter des fruits séchés pendant la cuisson de vos céréales. En plus de les sucrer naturellement, les fruits diffuseront leur saveur et donneront une texture intéressante à vos céréales du matin ; ainsi vous commencerez la journée, débordants d'énergie et l'esprit alerte !

Quelques suggestions pour sucrer chaque portion de céréales :
— 2 figues
— 2 dattes
— 4 abricots
— 3-4 pruneaux
— 2 c. à soupe de raisins secs
— 1 tranche d'ananas (séché)
— 1 tranche de papaye (séchée)

Quelques combinaisons de céréales particulièrement savoureuses :
— crème de millet et de semoule de maïs
— semoule de maïs et seigle
— avoine et semoule de maïs
— avoine et seigle
— seigle et blé
— riz et millet
— avoine, seigle et semoule de maïs

Saupoudrez vos céréales de noix hachées, de graines de tournesol, de graines de citrouille ou de sésame. Servez avec du yogourt, du lait de soya, et les fruits frais les plus appétissants sur le marché.

Bon matin !

Crème de riz

(2 portions)

125 mL (½ t.) de riz brun
500 mL (2 t.) d'eau
 75 mL (¼ t.) de raisins secs (au choix)

Laver et égoutter le riz. Mettre le riz dans une casserole non huilée et remuer au-dessus d'un feu moyennement vif jusqu'à ce qu'il devienne doré et dégage une odeur de noisette.

Moudre le riz au mélangeur, de façon à obtenir une poudre farineuse.

Mélanger le riz à l'eau et aux raisins. Amener à ébullition, tout en remuant constamment, et cuire jusqu'à ce que la préparation obtienne la consistance désirée, en remuant de temps à autre (de 3 à 5 minutes).

Vous pouvez aussi cuire lentement cette céréale au bain-marie pendant 20 minutes.

Crème de millet

Procéder de la même façon que pour la crème de riz, mais ne pas faire griller le millet. Le réchauffer seulement à la casserole, de façon à le sécher avant de le moudre.

Particulièrement délicieuse cuite avec des abricots et servie avec une banane tranchée.

Flocons d'avoine aux arachides

Ce petit déjeuner constitue un repas très nourrissant et substantiel, car malgré l'absence de produits laitiers, il contient pourtant environ 14 g de protéines, ce qui est amplement suffisant pour un repas. Servies avec 125 mL (½ t.) de yogourt, la valeur protéinique de ces céréales est augmentée à 20 g, et devient une bonne source de calcium.

Que penser de l'apport calorique alors ? Pas aussi désastreux qu'on serait porté à le croire au premier coup d'œil. On compte environ 446 calories sans le yogourt, et 521 avec celui-ci. Trois repas du même contenu donnent un total de 1 563 calories pour une journée, ce qui est suffisant pour qu'une personne perde actuellement du poids, tout en se nourrissant d'une manière satisfaisante et saine.

> **250 mL (1 t.) d'eau**
> **75 mL (¼ t.) de flocons d'avoine**
> **2 c. à soupe de flocons de seigle, de semoule de maïs ou plus de flocons d'avoine**
> **2 figues, hachées (ou raisins, dattes, pruneaux, etc.)**
> **2 c. à soupe de beurre d'arachide naturel**
> **1 petite pomme, hachée ou râpée (avec la pelure)**

Mettre l'eau, l'avoine, le seigle, la semoule et les figues dans une casserole. Amener à ébullition. Réduire la chaleur et faire mijoter environ 5 minutes. Ajouter le beurre d'arachide et bien mélanger.

Servir avec une pomme ou tout autre fruit de saison.

Flocons d'avoine, de blé ou de seigle

(2 ou 3 portions)

250 mL (1 t.) de flocons d'avoine, de blé ou de seigle (ou un mélange des trois)
500 mL (2 t.) d'eau
Fruits secs (à votre choix)

Méthode rapide : Ajouter les céréales et les fruits à l'eau froide. Amener à ébullition et cuire en brassant constamment jusqu'à l'obtention de la consistance désirée (de 3 à 5 minutes).

Méthode lente : Faire bouillir l'eau, ajouter les fruits et les céréales. Réduire la chaleur à feu doux, couvrir et cuire environ 20 minutes, en remuant de temps à autre. Si vous utilisez un bain-marie, il ne sera pas nécessaire de remuer la préparation.

« Gruau » aux pommes

(2 ou 3 portions)

250 mL (1 t.) de flocons d'avoine
500 mL (2 t.) d'eau
2 petites pommes, avec la pelure, et coupées en morceaux d'une bouchée
75 mL (¼ t.) de raisins (facultatif)
1 pincée de cannelle (facultatif)

Mettre tous les ingrédients dans une casserole. Couvrir et faire cuire très lentement à feu doux pendant 20 minutes, en remuant de temps à autre.

Succulent !

« Porridge » de maïs et de sarrasin

(2 portions)

75 mL (¼ t.) de semoule de maïs
75 mL (¼ t.) de sarrasin concassé *ou* 125 mL
(½ t.) d'un des deux
500 mL (2 t.) d'eau
De 4 à 6 figues noires, hachées

Méthode rapide : Mettre tous les ingrédients dans une casse-role. Amener à ébullition et brasser constamment jusqu'à ce que le mélange épaississe, soit de 3 à 5 minutes.

Méthode lente : Mettre tous les ingrédients dans une casse-role ou un bain-marie. Amener à ébullition, puis réduire la chaleur à feu très doux. Couvrir et faire cuire pendant 20 minutes. Remuer de temps à autre, si l'on utilise une casserole ordinaire.

Pain grillé des montagnes Rocheuses

(1 portion)

Les enfants en raffolent !

1 tranche de pain de grain entier
1 œuf
1 pincée de sel de mer (facultatif)
1-2 c. à thé d'huile

Découper un trou au centre de la tranche de pain.

Faire chauffer l'huile dans une poêle à frire. Y placer la tranche de pain ainsi que la rondelle de mie de pain décou-pée.

Briser un œuf en le disposant dans le trou de la tranche de pain. Cuire à feu moyen jusqu'à ce que l'œuf soit suffi-samment ferme pour pouvoir le retourner. Retourner à la spatule et faire cuire légèrement l'autre côté.

Pouding aux patates douces

(1 ou 2 portions)

Ce pouding est naturellement sucré et ne contient aucun produit laitier. Délicieux servi au petit déjeuner ou comme dessert léger. Excellent moyen d'utiliser les restes de patates douces cuites.

> **125 mL (½ t.) de patates douces, cuites et réduites en purée (il n'est pas nécessaire de les peler)**
>
> **100 mL (⅓ t.) de tofu « satiné » (mou)***
>
> **125 mL (½ t.) d'eau**
>
> **4 abricots secs ou 2 dattes (si les fruits sont trop secs, les faire tremper dans l'eau pendant une nuit)**

Battre tous les ingrédients au mélangeur jusqu'à l'obtention d'une crème lisse et homogène.

Servir comme garniture sur le mochi (voir recette page 40) ou dans des petits bols, recouvert de noix ou de céréale granola, et de pollen d'abeilles.

* Le tofu satiné (appelé « Silken Tofu » en anglais) est disponible dans les grands marchés d'aliments sains. À défaut, on peut le remplacer par le tofu ordinaire, mais il faudra alors mettre un peu plus d'eau.

« Mochi » facile

Cette méthode facile présuppose l'emploi du robot culinaire. Si vous n'en disposez pas vous pouvez utiliser le pilon et mortier traditionnels.

> **250 mL (1 t.) de riz doux**
> **300 mL (1¼ t.) d'eau**
> **75 mL (¼ t.) de raisins secs (facultatif)**
> **½ c. à thé de cannelle (facultatif)**
> **Un peu d'arrowroot et de farine de riz**

Laver le riz et le mettre dans une marmite à pression avec l'eau. Amener la marmite au maximum de pression (15 lb), puis réduire la chaleur et laisser le régulateur de pression se balancer doucement pendant 15 minutes. Retirer la marmite de la source de chaleur et la laisser refroidir par elle-même. L'eau devrait être tout absorbée. Sinon, faire cuire à couvert, mais sans pression, pendant quelques minutes à feu doux.

En utilisant la lame de plastique du robot culinaire, battre le riz, additionné de cannelle (au choix) jusqu'à ce que les grains soient brisés et que le riz devienne une masse collante. Nettoyer souvent les bords du robot culinaire à la spatule. Le mochi est prêt quand il devient tellement épais, que le robot culinaire ne peut plus le battre.

Ajouter les raisins si désiré.

Saupoudrer généreusement un moule à pain de farine de riz ou d'arrowroot. Étendre le mochi au fond du moule. Saupoudrer de la farine de riz sur le dessus du mochi, et presser avec les mains pour étaler également le mochi dans le moule.

Réfrigérer à découvert, de 5 à 8 heures. Retirer du moule, envelopper de papier ciré et conserver au réfrigérateur jusqu'à utilisation.

Comment servir le mochi :

1. Trancher le mochi en quatre et faire rissoler chaque

morceau dans un peu d'huile jusqu'à ce qu'il brunisse et devienne croustillant (environ 5 minutes de chaque côté). Le mochi gonfle légèrement quand il est prêt.

2. Placer les tranches de mochi sur une plaque à biscuits préalablement huilée et faire cuire de 10 à 15 minutes, jusqu'à ce qu'il soit croustillant, gonflé et bien doré.

3. Le mochi aux raisins et à la cannelle constitue un excellent petit déjeuner, nappé de « Sauce aux pommes » (recette page 47), saupoudré de pollen d'abeilles et garni de fraises fraîches (en saison, bien sûr).

4. On peut également tailler le mochi en petits cubes et les faire cuire à la façon des grands-pères, en les jetant dans une soupe ou un bouillon en train de mijoter.

Note : si vous suivez la méthode traditionnelle de confection du mochi, soit l'utilisation d'un large bol de bois et d'un pilon de bois, il faudra compter environ une heure de pilonnage. Le mochi préparé de cette façon gonfle un peu plus, mais l'usage du robot culinaire facilite grandement l'opération et donne un résultat très satisfaisant.

Crêpes de millet

(5 à 6 petites crêpes)

125 mL (½ t.) de farine de millet
1 œuf
125 mL (½ t.) de lait de beurre

Battre tous les ingrédients jusqu'à l'obtention d'une consistance crémeuse.

Verser 75 mL (¼ t.) du mélange ou moins à la fois sur une poêle chaude légèrement huilée. Cuire jusqu'à ce que des bulles apparaissent à la surface de la crêpe. Retourner et cuire l'autre côté de la même façon.

Servir avec votre sauce aux fruits préférée.

Crêpes à la cantonaise

125 mL (½ t.) de farine de riz brun
**75 mL (¼ t.) de farine de blé entier
à pâtisserie**
3 œufs moyens
125 mL (½ t.) de lait ou d'eau
½ c. à thé de vanille (facultatif)
1 c. à soupe de sirop d'érable (facultatif)

Faire le mélange des deux farines, y battre les œufs et le lait.

Ajouter la vanille et le sirop d'érable, selon le goût. Bien mêler.

Utiliser environ 2 c. à soupe de pâte pour chaque crêpe. Cuire sur une plaque légèrement huilée jusqu'à ce que le dessous de la crêpe soit cuit. Retourner et cuire l'autre côté.

Ces crêpes ont une saveur et une texture très délicate et sont absolument délicieuses avec des fruits frais ou du yogourt, ou tartinées de beurre de pomme au petit déjeuner. Pour servir comme dîner, omettre la vanille et le sirop d'érable.

Note : si vous désirez obtenir des crêpes encore plus légères, employez seulement de la farine de riz.

Crêpes de la fermière

(2 portions)

100 mL (⅓ t.) de flocons d'avoine
75 mL (¼ t.) de farine de blé entier à
pâtisserie
½ c. à thé de poudre à pâte (facultatif)
1 pincée de cannelle (facultatif)
3 petits œufs, ou 2 gros
75 mL (¼ t.) de lait
2 c. à soupe de raisins secs
1 pomme râpée

Mélanger les flocons d'avoine, la farine, la poudre à pâte et la cannelle. Y battre les œufs et le lait.

Ajouter la pomme râpée et les raisins et bien mêler.

Cette pâte semble plutôt épaisse, mais l'addition de pomme la garde légère et tendre. Si on laisse reposer la pâte avant de s'en servir, il faudra y rajouter un peu de liquide. On peut remplacer le lait par de l'eau ou du jus de pomme.

Utiliser le quart de la préparation à la fois. Cuire sur une poêle plate légèrement huilée. Étendre la pâte à la spatule jusqu'à une épaisseur d'environ 1 cm (⅓″). Cuire à feu modérément vif jusqu'à ce que des bulles se forment à la surface de la crêpe et que celle-ci commence à sécher. Retourner et cuire l'autre côté de la même façon.

« Kugel » matinal

(De 2 à 4 portions)

Un petit déjeuner nourrissant, mais tout de même assez léger, avec une texture semblable à celle d'un gâteau-pouding. Il est naturellement sucré grâce aux fruits qu'il contient.

          2 œufs
        125 mL (½ t.) de tofu, écrasé
        200 mL (¾ t.) de bananes mûres, en purée
        125 mL (½ t.) de raisins
         75 mL (¼ t.) de farine de millet*
        200 mL (¾ t.) de flocons d'avoine

Battre les œufs, le tofu et les bananes au mélangeur. Ajouter le reste des ingrédients.

Faire cuire dans un moule rond de 23 cm (9″) de diamètre, badigeonné d'huile, de 20 à 25 minutes. Le « kugel » est prêt quand il est ferme et doré, mais encore un peu humide.

Note : cette recette est inspirée d'un plat traditionnel de la cuisine juive. D'un goût incomparable, accompagné de fraises fraîches !

* On obtient la farine de millet en broyant les grains de millet crus au mélangeur.

Sauce aux pommes et au lait de beurre

(1 portion, soit 250 mL ou 1 t.)

        125 mL (½ t.) de lait de beurre
        125 mL (½ t.) de compote de pommes

Mélanger les ingrédients.

Délicieux sur du muesli ou des céréales chaudes.

« Tropicrêpes »

(8 petites crêpes)

250 mL (1 t.) de semoule de maïs
½ c. à thé de poudre à pâte
1 banane écrasée
3 œufs
100 mL (⅓ t.) de jus d'orange
Le zeste d'une orange (facultatif)
1 pincée de muscade (facultatif)

Mêler la semoule de maïs et la poudre à pâte. Cet ingrédient n'est pas indispensable ; employer si vous aimez les crêpes légères. Ajouter la banane en purée et les œufs. Battre le tout. Incorporer le reste des ingrédients et bien mélanger.

Laisser tomber 75 mL (¼ t.) du mélange à la fois sur un poêlon chaud, préalablement huilé. Faire frire jusqu'à ce que la crêpe soit d'une belle couleur dorée, retourner pour cuire l'autre côté.

Pour accentuer la note tropicale de ce plat, servir avec du miel de fleurs d'oranger.

Sauce crémeuse aux noix de cajou

(Donne 325 mL ou 1¼ t.)

125 mL (½ t.) de noix de cajou, crues
250 mL (1 t.) de jus de pomme

Faire tremper les noix de cajou toute une nuit dans le jus de pomme. Le lendemain, battre au mélangeur jusqu'à l'obtention d'une consistance crémeuse.

Servir comme substitut du lait ou du yogourt, avec des céréales ou des fruits frais.

Sauce aux prunes et aux dattes

(Donne environ 375 mL (1½ t.) de sauce)

125 mL (½ t.) d'eau
5 dattes, dénoyautées
5 prunes, dénoyautées

Faire tremper les fruits dans l'eau pendant 6 heures ou, préférablement, toute une nuit.

Battre au mélangeur jusqu'à l'obtention d'une consistance lisse et crémeuse.

Servir cette sauce sur des bananes tranchées ou autres fruits. Elle accompagne également bien le pain grillé ou les crêpes du petit déjeuner, ou le « mochi », (voir recette à la page 40).

Sauce citronnée de Marie-Hélène

(Donne 325 mL ou 1¼ t.)

100 mL (⅓ t.) de graines de tournesol
125 mL (½ t.) d'eau
2 c. à soupe de miel
2 c. à thé de zeste d'orange
125 mL (½ t.) de jus d'orange fraîchement pressé
2 c. à soupe de jus de citron

Faire tremper les graines de tournesol dans l'eau pendant au moins 6 heures ou préférablement, toute une nuit. Battre au mélangeur, de façon à obtenir une crème lisse et homogène. Ajouter un peu d'eau si nécessaire.

Incorporer le miel, le zeste d'orange, ainsi qu'un peu de jus d'orange. Mélanger. Verser graduellement le reste du jus d'orange et le jus de citron.

Note : particulièrement savoureuse sur toute salade de fruits.

Sauce aux pommes

(1 ou 2 portions)

1 **petite pomme, lavée et coupée en morceaux**
2 **dattes ou plus (suivant le goût)**
2 **c. à soupe de tahini**
75 **mL (¼ t.) d'eau, ou de jus de pomme**

Battre tous les ingrédients au mélangeur jusqu'à l'obtention d'une consistance très crémeuse.

Cette sauce est délicieuse sur pain grillé, crêpes, mochi, etc., ou comme vinaigrette pour une salade de fruits. Si vous désirez réduire votre consommation de produits laitiers, la sauce aux pommes constitue un bon substitut au yogourt dans les céréales. Saupoudrées de pollen d'abeilles, celles-ci seront un vrai régal.

Note : si les dattes sont trop dures, les faire tremper quelques heures avant de s'en servir.

Sauce aux arachides et au lait de beurre

(1 portion)

Aussi étrange que ce mélange puisse paraître, aussi surprenant sera son goût fort délicieux !

125 **mL (½ t.) de lait de beurre**
2-4 **c. à soupe de raisins secs**
2 **c. à soupe de beurre d'arachide**

Faire tremper les raisins dans le lait de beurre au réfrigérateur pendant une nuit. Égoutter une partie du lait de beurre et le mélanger au beurre d'arachide jusqu'à l'obtention d'une crème homogène.

Ajouter au reste du lait de beurre mêlé aux raisins.

Servir au petit déjeuner avec vos céréales préférées ou avec des pommes râpées ou tranchées.

Lait de soya

Il existe plusieurs méthodes pour fabriquer le lait de soya, mais mon choix s'est arrêté sur celle-ci, probablement la plus simple. Comme appareils, vous aurez besoin d'un mélangeur ou d'un robot culinaire, d'un grand bain-marie et d'une passoire tapissée d'un chiffon ou d'un égouttoir à fromage*.

(Donne environ 1,6 L (7 t.) de lait)

250 mL (1 t.) de fèves de soya
Eau (de trempage)
2,2 L (9 t.) d'eau additionnelle

Laver et trier les fèves, en enlevant les fèves brisées et les petits cailloux. Mettre les fèves dans suffisamment d'eau pour les recouvrir d'environ 5 cm (2″). Les faire tremper 8 à 10 heures ou 24 heures au réfrigérateur.

Moudre les fèves, en y mettant le tiers à la fois seulement si vous utilisez un mélangeur, et 250 mL (1 t.) d'eau pour chaque portion de fèves. Cette opération se fait en une seule étape au robot culinaire, avec 750 mL (3 t.) d'eau.

Remplir le bas du bain-marie à moitié d'eau et amener à ébullition. Verser les fèves moulues dans le haut du bain-marie et ajouter le reste de l'eau (1,5 L - 6 t.). Bien mélanger et placer la casserole directement sur la source de chaleur. Remuer constamment au-dessus d'un feu moyen jusqu'à ce que le liquide commence à mijoter.

Remettre la casserole sur celle contenant l'eau bouillante. Couvrir et faire cuire à feu modéré pendant 1 heure. Il n'est pas nécessaire de remuer le liquide, surveillez seulement le niveau d'eau du bain-marie et en rajouter au besoin.

Égoutter le lait à travers une passoire. Presser fermement le résidu des fèves soya (okara), à l'aide d'un fond de verre, pour extraire le plus de liquide possible.

Refroidir immédiatement. Le lait de soya se conserve de 5 à 7 jours au réfrigérateur, et il peut également être congelé.

Le lait de soya est excellent dans les céréales du matin ou dégusté nature comme le lait ordinaire. Relevez-en la saveur, en l'additionnant d'une c. à soupe de miel et ½ c. à thé de vanille (au goût).

* Les égouttoirs à fromage vendus accompagnés d'un support dans certains magasins d'aliments sains, se révèlent parfaits également pour la fabrication du lait de soya, et possèdent l'avantage d'être réutilisables. À défaut, utiliser un chiffon propre ou une taie d'oreiller déposée au fond de la passoire.

Lait aux noix de cajou

(Donne environ 1 L ou 4¼ t.)

Facile à préparer, ce lait tout blanc possède une riche texture et une saveur très douce. Délicieux servi avec les céréales matinales ou dans la composition de boissons aux fruits (apprêtées au mélangeur, habituellement avec du lait ordinaire). Ce délicieux lait de cajou ne doit cependant pas être considéré comme un substitut du lait de soya ou du lait de vache, car il n'en contient pas l'équivalent nutritionnel.

250 mL (1 t.) de noix de cajou crues
1 L (4 t.) d'eau
1 c. à soupe de miel
1 c. à thé de vanille

Battre tous les ingrédients au mélangeur jusqu'à l'obtention d'une consistance très lisse et crémeuse.

Note : on peut également utiliser le lait de cajou dans la préparation de potages crémeux ou de sauces. Omettre la vanille et le miel dans ce cas.

Fouetté de banane et de tofu

(1 ou 2 portions)

À l'occasion, vous pouvez remplacer le yogourt par cette délicieuse crème.

    1 banane
    2 c. à soupe de tahini
  100 mL (⅓ t.) de tofu écrasé
    4 abricots secs ou 2 dattes
       OU
    1 c. à soupe de miel
    2 c. à soupe d'eau ou de jus de pomme,
       d'orange, etc.

Battre tous les ingrédients au mélangeur jusqu'à l'obtention d'une crème lisse et homogène.

Café de pissenlit

À l'automne, quand vient le temps de nettoyer parterres et jardins, n'oubliez pas de récolter les larges racines des pissenlits pour en faire un délicieux café. Dans son livre « Back to Eden », Jethro Kloss explique les vertus diurétiques et laxatives du pissenlit. Il ajoute aussi que la consommation est bonne pour le foie, les reins, le pancréas et la rate.

Mode d'emploi :

Nettoyer les racines de pissenlits et les couper en tranches minces. Les étendre sur une plaque à biscuits et faire cuire au four à 190°C-200°C (375°F-400°F) jusqu'à ce que les racines sèchent et rôtissent. Laisser refroidir puis moudre au moulin à café.

Calculer 1 c. à thé de racines de pissenlits rôties et moulues pour 250 mL (1 t.) d'eau bouillante. Servir avec du lait et un peu de miel, selon le goût.

Les hors-d'œuvre, les trempettes et les « tartinades »

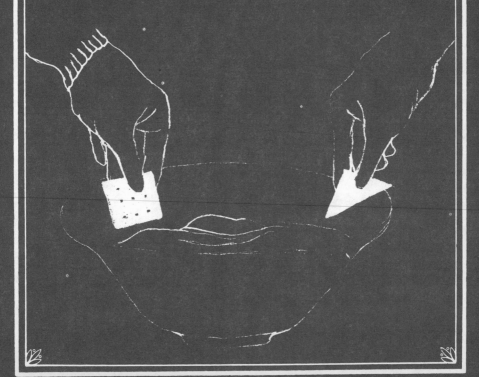

Une réception végétarienne

Organiser un buffet de réception entièrement végétarien, que vos convives soient des carnivores acharnés ou non, ne vous causera aucun problème particulier, si ce n'est l'embarras du choix devant les possibilités immenses de la cuisine végétarienne. On peut dresser des tables spectaculaires en employant uniquement des produits sains et entiers ; les légumes et les fruits possèdent des couleurs et des formes naturellement attrayantes, disposez-les de façon à rehausser leur beauté et à mettre en valeur les plats avoisinants.

Rappelez-vous le dicton « Avoir les yeux plus grands que la panse », c'est-à-dire que l'apparence agréable d'un plat importe autant que son goût ; soyez créatifs dans l'art de présenter vos mets. Une citrouille évidée se transformera, si ce n'est en carrosse, en soupière originale, un melon découpé et sculpté (en forme de panier, de bateau ou de baleine) contiendra une appétissante salade de fruits frais. Décorer la table avec des fleurs, des paniers d'osier, ou tout autre artifice jailli de l'imagination pour célébrer la richesse, la beauté et la prodigalité de Dame Nature.

Une variété de pains faits à la maison et joliment disposés sur la table, feront les délices de tous les convives ; par exemple, un impressionnant pain tressé bien gras et doré, entouré de petits pains chauds de formes variées, de bâtonnets croquants à l'ail et de croustillants craquelins, seront servis accompagnés de différentes trempettes et d'un bon choix de fromages.

N'oubliez surtout pas d'inclure à votre menu les toujours populaires pâtés en croûte et un arrangement de différentes quiches taillées en bouchées individuelles. Les salades en gelée et les aspics moulés en formes originales et fantaisistes formeront un centre d'attraction visuel remarquable.

Pour terminer en beauté, l'apothéose, un éventail de merveilleux desserts ! La réception est le moment de s'abandonner sans remords à nos caprices gustatifs ! Vous pouvez vous inspirer des quelques desserts présents dans ce livre, mais pour un choix plus abondant, référez-vous au livre « 150 délicieux desserts », également paru aux Éditions Stanké.

La preuve est faite, vous voilà convaincus qu'on peut créer d'extraordinaires buffets basés sur l'emploi unique de mets végétariens. Mais, légèrement angoissés, vous essayez d'imaginer la réaction de vos convives devant un genre de nourriture à laquelle certains n'auront jamais goûté. Fort probablement, votre réception n'en sera que plus réussie. Vous jouez sur l'effet de surprise, la nouveauté, et vos plats, sûrement dégustés avec délices et curiosité, seront le sujet de maintes conversations et questions. Confondus devant le contenu des mets qu'ils savourent pourtant avec délectation, le repas peut même se transformer en jeu amusant (découvrir les ingrédients qui entrent dans la composition d'un plat). Personnellement, je n'ai jamais rencontré encore une personne n'ayant pas apprécié un de mes nombreux buffets végétariens.

À notre époque, de plus en plus de gens prennent conscience de l'importance du maintien de la forme physique et d'une bonne santé. Les aliments trop riches, les repas lourds et saturés de gras perdent avec raison énormément de popularité. Alors, votre repas composé de mets légers, basés sur l'emploi d'ingrédients sains et non raffinés, sera susceptible d'attirer l'enthousiasme général. Et n'ayez crainte, vos invités pourront toujours satisfaire leur goût de poulet ou de jambon tout le reste de l'année, à la maison ou dans n'importe quel restaurant du coin.

Le déploiement de vos merveilleux plats raffinés et différents sera apprécié comme une heureuse diversion du régime habituel de vos convives qui se souviendront agréablement de votre réception pendant des semaines !

Biscuits minces au parmesan

(Donne environ 45 craquelins)

**375 mL (1½ t.) de farine de blé entier à
pâtisserie**
**125 mL (½ t.) de fromage parmesan râpé
finement**
  2 c. à soupe d'huile
 75 mL (¼ t.) de yogourt
  2 c. à soupe d'eau

Mélanger la farine et le parmesan. Incorporer l'huile en travaillant à la fourchette jusqu'à ce qu'elle soit également distribuée. Ajouter le yogourt et l'eau.

Pétrir environ 20 fois, de façon à ce que la pâte se tienne bien. Rouler entre deux morceaux de papier ciré jusqu'à ce que la pâte soit mince comme une feuille de papier. De temps à autre, retirer le papier du dessus et rouler directement sur la pâte quelques secondes avant de replacer le papier. Cela permettra d'obtenir une épaisseur de pâte plus égale. Les bords irréguliers peuvent être déplacés pour pouvoir former un rectangle régulier.

Couper la pâte en carrés de 5 cm (2″) de côté. Piquer chaque morceau 3 fois à la fourchette.

Retirer la grille du four et placer le papier ciré contenant les carrés directement sur la grille (ce sera plus aisé si vous obtenez l'aide d'une autre personne) et cuire à 180°C (350°F) pendant environ 20 minutes.

Les biscuits placés sur les côtés de la grille auront tendance à cuire plus rapidement. Les retirer et poursuivre la cuisson jusqu'à ce que tous les biscuits soient dorés.

Craquelins de riz

(Donne environ 50 craquelins)

250 mL (1 t.) de farine de riz brun
250 mL (1 t.) de farine de blé entier à pâtisserie
 ¼ c. à thé de bicarbonate de soude
 ¼ c. à thé de poudre à pâte
 ¼ c. à thé de sel de mer
 2 c. à soupe de graines de sésame
 75 mL (¼ t.) d'huile
125 mL (½ t.) de lait de beurre

Tamiser ensemble les farines, le bicarbonate, la poudre à pâte et le sel.

Ajouter les graines de sésame ainsi que l'huile et travailler à la fourchette jusqu'à ce que le mélange ressemble à une semoule de maïs grossière.

Ajouter le lait de beurre et bien mêler.

Pétrir environ 20 fois pour permettre au mélange de se tenir. Rouler la pâte entre deux feuilles de papier ciré (celui-ci doit avoir au moins 50,5 cm (20″) de long). Asperger le comptoir de quelques gouttes d'eau pour empêcher le papier de glisser.

Rouler la pâte le plus également possible pour former un rectangle de 30 × 48 cm (12″ × 19″). Couper les bords irréguliers et les replacer aux endroits manquants, et rouler de nouveau, de façon à obtenir un rectangle bien régulier.

Enlever le papier du dessus. Couper la pâte en carrés de 5 cm (2″) de côté. Piquer chaque carré 3 fois à la fourchette.

Retirer la grille du four et y glisser directement le papier ciré contenant la pâte. Cette manipulation sera plus facile si quelqu'un peut vous aider.

Faire cuire à 180°C (350°F) pendant 10 minutes. Les biscuits placés sur les bords de la grille auront tendance à cuire plus rapidement. Retirez-les d'abord et terminer la cuisson des autres biscuits, jusqu'à ce qu'ils soient tous bien dorés. Surveillez souvent la cuisson pour éviter qu'ils ne brûlent.

Ces craquelins accompagnent bien soupes, salades, pâtés ou trempettes.

Pâte phyllo

450 mL (1¾ t.) de farine de blé entier à
     pâtisserie
½ c. à thé de sel de mer (facultatif)
2 c. à soupe d'huile d'olive
125 mL (½ t.) d'eau

Tamiser ensemble la farine et le sel dans un grand bol. En utilisant les mains, incorporer l'huile à la farine. Verser lentement l'eau dans le mélange, en remuant constamment.

Renverser la pâte sur une surface enfarinée et pétrir jusqu'à ce que la pâte soit ferme et élastique (environ trois minutes). Il sera peut-être nécessaire d'y ajouter un peu plus de farine.

Séparer la pâte en quatre, couvrir les morceaux en attente d'un linge humide ou du bol renversé pour les empêcher de sécher. Étendre chaque morceau au rouleau sur une surface enfarinée jusqu'à ce que la pâte soit mince comme une feuille de papier.

Y placer la garniture de son choix et faire cuire selon les instructions de la recette.

Voir les recettes suivantes :
    — Croquignoles de Marie-Hélène (page 62)
    — Bouchées aux olives (page 60)
    — Bouchées au kasha et aux pommes de terre
      (page 58)

Bouchées au kasha

(6 portions)

2 c. à soupe d'huile
250 mL (1 t.) d'oignon, haché
2 branches de céleri, hachées
2 gousses d'ail, émincées
250 mL (1 t.) de kasha, lavé
500 mL (2 t.) d'eau bouillante
1 L (4 t.) de pommes de terre, coupées en cubes de 1,5 cm (½″)
1 c. à thé de thym
1 c. à thé de sarriette
75 mL (¼ t.) de shoyu
3 œufs battus
Graines de sésame
1 recette de pâte phyllo (voir page 57)

Dans une grande casserole, chauffer l'huile et y faire rissoler les oignons, le céleri et l'ail de sorte qu'ils soient tendres mais légèrement croquants.

Ajouter le kasha, remuer et cuire encore 2-3 minutes.

Retirer la casserole du feu, et verser l'eau bouillante sur le kasha. Recouvrir et remettre à cuire à feu moyen. Laisser mijoter jusqu'à absorption complète de l'eau (environ 20 minutes).

Faire bouillir les pommes de terre jusqu'à ce qu'elles soient tendres. Réserver l'eau de cuisson pour la fabrication du pain.

Opérer le mélange du kasha et des pommes de terre. Assaisonner. Battre les œufs et les incorporer au mélange. Garder un peu d'œuf battu pour badigeonner les pâtisseries.

Préparer la pâte phyllo. L'étendre en une couche très mince et couper en carrés de 10 cm (4″) de côté. Placer 1 c. à soupe comble de la préparation de kasha sur chaque carré.

Former des petites poches en pinçant les quatre coins ensemble.

Placer les pâtisseries sur une plaque à biscuits huilée. Badigeonner d'œuf battu et saupoudrer de graines de sésame.

Cuire au four à 180°C (350°F) pendant 20 minutes, jusqu'à ce que les pâtisseries prennent une belle couleur dorée.

Servir avec du yogourt, des légumes cuits et une salade. Ces bouchées peuvent être réchauffées de nouveau.

Note : servir comme hors-d'œuvre ou plat principal, avec une sauce au yogourt.

Bouchées aux olives

(Donne environ 75 petits hors-d'œuvre)

Facile à exécuter, cette recette demande tout de même un temps de préparation assez long. Toutefois, si vous avez quelques heures à y consacrer, n'hésitez pas à l'essayer. Les compliments que vous récolterez par la suite récompenseront vos efforts.

> **2** **boîtes de grosses olives noires, dénoyautées**
> **Fromage cheddar fort (facultatif)**
> **1** **recette de pâte phyllo (voir à la page 57)**
> **1** **petit œuf, battu**
> **1-2** **c. à soupe de graines de sésame**

Égoutter les olives et farcir chacune d'elles d'un petit morceau de fromage cheddar (si désiré).

Préparer la pâte phyllo. Utiliser une boule de pâte à la fois et garder les autres couvertes d'un chiffon légèrement humide. Ceci empêche la pâte de sécher.

Étendre la pâte au rouleau en suivant les instructions de la recette et couper en carrés de 5 cm (2″). Les brisures de pâte peuvent être reprises et roulées de nouveau.

Placer une olive au centre de chaque carré de pâte. Refermer en pinçant les quatre coins ensemble pour former un genre de pochette.

Placer les bouchées sur une plaque à biscuits huilée, badigeonner chacune d'elles d'œuf battu, saupoudrer de graines de sésame et faire cuire au four à 180°C (350°F) pendant 20 minutes.

Servir immédiatement à la sortie du four ou réchauffer.

Nori-Maki

Ce plat coloré et fort impressionnant est pourtant d'une facilité surprenante à confectionner !

    250 mL (1 t.) de riz brun à grain court
    600 mL (2½ t.) d'eau
      4 feuilles de nori
      2 c. à soupe de vinaigre de riz brun
      1 petite carotte, taillée en fins bâtonnets
     ½ concombre, taillé en fins bâtonnets
        Shoyu (au goût)

Mettre le riz à tremper dans l'eau pendant 30 minutes, puis le faire cuire selon la méthode usuelle.

Pendant que le riz cuit, faire griller légèrement les feuilles de nori jusqu'à ce qu'elles deviennent vertes. Pour ce faire, chauffer un élément du poêle (cuisinière) électrique à feu vif et passer les feuilles de nori au-dessus de la chaleur quelques secondes à peine. On peut aussi utiliser une chandelle.

Ajouter le vinaigre au riz cuit encore chaud.

Placer les feuilles de nori sur un chiffon propre ou un napperon de bambou. Couvrir chaque feuille de nori de riz chaud, en laissant une bordure de 5 cm (2″) sur les côtés les plus longs. Placer quelques bâtonnets de carotte et de concombre au centre du riz. Asperger de shoyu.

Rouler les feuilles de nori, en s'aidant du napperon de bambou (sans, bien sûr, rouler celui-ci avec le nori), de façon à former une sorte de cigare, en pressant pour que le roulé soit ferme. Entourer chaque rouleau ainsi formé de papier ciré et réfrigérer au moins 3 heures, ou mieux, toute une nuit. Trancher les roulés de nori en morceaux de 4 cm (1½″) à l'aide d'un couteau bien coupant.

Servir avec une trempette de votre choix ou une sauce à l'orange et au tahini (voir recette page 112).

« Croquignoles » de Marie-Hélène

(8 portions)

Ces délicieux hors-d'œuvre feront sensation parmi vos convives.

1	recette de pâte phyllo (voir page 57)
2	paquets d'épinards de 300 g (10 oz) chacun
½	c. à thé de sel de mer
350	g (¾ lb) de fromage cottage
1	œuf
1	c. à thé de basilic
½	c. à thé d'origan
2	c. à soupe d'huile d'olive

Garniture :

1	œuf
1	c. à soupe de graines de sésame

Bien laver les épinards et frotter les feuilles avec du sel. Laisser reposer pendant une heure.

Pendant ce temps, préparer la pâte phyllo.

Écraser les épinards avec les mains pour en extraire l'excès de liquide.

Hacher les épinards et mélanger avec le fromage, l'œuf, les herbes aromatiques et l'huile d'olive. Laisser reposer pendant que vous roulez la pâte. Couper celle-ci en carrés de 10 cm (4″). Les brisures de pâte peuvent être roulées de nouveau.

Placer 1 c. à soupe comble du mélange d'épinards au centre de chaque carré de pâte. Replier les quatre coins vers le centre, en pinçant les bouts avec les doigts, de façon à former un petit sac.

Mettre les pâtisseries sur une plaque à biscuits huilée. Badigeonner d'œuf battu et saupoudrer de graines de sésame.

Cuire au four à 180°C (350°F) de 25 à 35 minutes, jusqu'à ce que les bouchées soient bien dorées. Servir chaud ou à la température de la pièce.

Maïs soufflé

Contrairement à la croyance générale, le maïs soufflé ne doit pas être considéré comme une denrée pauvre et vide du point de vue nutritif et riche seulement en calories. En fait, le maïs est un grain entier complet et qui contient très peu de calories (23 calories par 250 mL - 1t.). C'est le beurre dont on l'arrose toujours trop généreusement qui en fait un aliment engraissant.

De plus, nous consommons toujours le maïs soufflé comme goûter entre les repas, au cinéma ou juste avant le coucher, habitudes pas tout à fait recommandables. Pourquoi ne pas essayer d'inclure le maïs soufflé dans votre menu du déjeuner ou du dîner ? Ne riez pas avant d'en avoir fait l'essai. Un grand bol de maïs soufflé, accompagné d'une soupe et d'une salade, transformera un repas ordinaire en événement spécial, et bien sûr, les enfants adoreront !

> **1 c. à soupe d'huile**
> **75 mL (¼ t.) de grains de maïs**

Faire chauffer l'huile. Ajouter les grains de maïs. Couvrir et agiter le récipient au-dessus d'un feu à chaleur moyenne, jusqu'à ce que tous les grains soient éclatés.

Quand le maïs est encore très chaud, on peut y ajouter un ou plusieurs des ingrédients suivants, selon le goût :

> — **75-125 mL (¼-½ t.) de fromage parmesan, provolone ou cheddar fort râpé**
> — **2 c. à soupe de levure alimentaire**
> — **1 c. à thé de poudre d'ail**

Graisse végétale

Réplique identique en texture et en saveur mais sans gras animal, bien sûr, de la « graisse de rôti » de votre mère. Réservez pour les grandes occasions.

> 500 mL (2 t.) d'eau
> 3 c. à soupe combles de flocons d'agar-agar
> 8 gousses d'ail, écrasées
> 200 mL (¾ t.) de tamari (ou moins, suivant le goût)
> 200 mL (¾ t.) de beurre de noix de coco

Dans une grande casserole, amener l'eau à ébullition. Ajouter l'agar-agar et faire cuire jusqu'à ce que l'algue soit dissoute. Quand elle est presque totalement dissoute, ajouter l'ail et le tamari.

Faire fondre le beurre de noix de coco dans une petite casserole.

Verser le mélange d'agar-agar dans un moule à gâteau carré, légèrement badigeonné d'huile. Verser doucement et lentement le beurre de noix de coco sur le dessus.

Réfrigérer au moins 2 heures pour permettre à la gelée de prendre.

Pâté aux amandes

(De 6 à 8 portions)

Facile à préparer.

- **250 mL (1 t.) d'amandes**
- **250 mL (1 t.) de chapelure de pain de grain entier**
- **125 mL (½ t.) de tofu**
- **125 mL (½ t.) de poivron rouge doux, coupé en dés**
- **1 branche de céleri, hachée**
- **1 gousse d'ail ou plus (au goût)**
- **3 c. à soupe de levure alimentaire**
- **2 c. à soupe de tamari**
- **½ c. à thé de sauge**
- **½ c. à thé de thym**

Garniture :

**tranches de poivron rouge,
petits bâtonnets de céleri,
bouquets de persil**

Moudre finement les amandes au mélangeur. Les incorporer à la chapelure de pain.

Battre le tofu, le poivron rouge, le céleri et l'ail au mélangeur.

Mêler les préparations de tofu et de noix. Ajouter la levure, le tamari et les assaisonnements. Bien battre le mélange.

Huiler légèrement un moule de grandeur appropriée. Décorer les côtés du moule de tranches de poivron, céleri et touffes de persil. Verser la préparation dans le moule et bien presser le mélange. Réfrigérer quelques heures.

Renverser le pâté sur un plat de service et accompagner de petits pains, biscottes ou galettes de riz.

On peut également servir ce pâté comme garniture de sandwiches, avec de la laitue et des germes de luzerne.

Pâté au panais

(Comme entrée, de 6 à 8 portions)

250 mL (1 t.) de panais, tranché
125 mL (½ t.) de noix de cajou
250 mL (1 t.) de millet cuit
125 mL (½ t.) de tofu, écrasé
   2 c. à soupe d'oignon, émincé
   1 c. à thé de basilic
   2 c. à soupe de persil, haché
125 mL (½ t.) de céleri, haché
   1 c. à soupe d'eau (liquide de cuisson du panais)
1½ c. à soupe de shoyu
   1 c. à soupe d'huile d'olive

Faire cuire le panais à la vapeur ou dans très peu d'eau jusqu'à ce qu'il soit tendre. Égoutter et conserver l'eau de cuisson. Réduire le panais en purée.

Moudre les noix de cajou en fine poudre au mélangeur.

Mélanger le millet, le tofu, l'oignon, le basilic et le persil. Ajouter le panais et les noix.

Au mélangeur, battre le céleri, l'eau, le shoyu et l'huile d'olive, jusqu'à l'obtention d'une purée crémeuse.

Ajouter cette crème à la préparation de millet et de panais. Bien opérer le mélange, avec les mains si nécessaire.

Disposer des feuilles de laitue sur le plateau de service. Y façonner directement le pâté, en lui donnant une forme attrayante. Garnir de bouquets de persil.

Ce pâté est délectable, servi avec des craquelins de riz au sésame (dont la recette est expliquée à la page 56), ou des biscuits minces au parmesan (voir la recette, à la page 55).

Tartinade mexicaine

(Donne 500 mL (2 t.) de garniture)

**500 mL (2 t.) de haricots Pinto ou de haricots
rouges, cuits et égouttés**
1-2 c. à soupe de tamari ou de shoyu
2 gousses d'ail (plus ou moins, au goût)
Jus d'un demi-citron (2 c. à soupe)
100 mL (⅓ t.) de pâte de tomate
1 c. à thé de basilic
½ c. à thé de poudre chili
½ c. à thé de cumin
¼ c. à thé d'origan
125 mL (½ t.) d'oignons, finement hachés

Battre tous les ingrédients, sauf les oignons, au mélangeur.
Ajouter les oignons.

Servir sur du pain ou des craquelins.

Tartinade du Moyen-Orient

(Pour 4 sandwiches moyens, ou 2 gros de pain pita)

100 mL (⅓ t.) de tahini ou de beurre de sésame
2-4 c. à soupe de jus de citron (au goût)
1 c. à soupe de shoyu
75 mL (¼ t.) de levure alimentaire
2 c. à soupe d'eau
250 mL (1 t.) de carottes, râpées
1 gousse d'ail ou plus (au goût)

Mélanger le tahini et le jus de citron. Ajouter les ingrédients suivants et bien mêler.

Quelques feuilles de laitue et des germes de luzerne
compléteront agréablement ces délicieux sandwiches.

Tartinade riche en calcium

(Pour 1 sandwich)

2 **c. à soupe de tahini**
1 **c. à soupe ou moins de miso d'orge ou de riz**
75 **mL (¼ t.) de hijiki ou d'arame, préalablement trempé et haché**
1 **c. à soupe d'eau**
1 **c. à thé de levure alimentaire**
1 **échalote, hachée**

Bien mélanger tous les ingrédients.

Cette garniture est délectable servie sur du pain de grain entier ou des chapaties (galettes indiennes) recouvertes de feuilles de laitue et de graines de luzerne germées.

Note : j'apprécie particulièrement cette garniture à sandwich ; cependant, je suis consciente que les algues de mer peuvent sembler d'un goût étrange pour qui n'en a pas l'habitude. C'est pourquoi je donne la recette pour une quantité limitée. Si le goût vous plaît, n'hésitez pas à en préparer beaucoup plus, car cette tartinade se conserve très bien au réfrigérateur.

Amandes au tamari

250 **mL (1 t.) d'amandes**
2 **c. à soupe de tamari ou de shoyu**

Asperger les amandes de tamari (ou de shoyu). Bien mélanger et laisser reposer environ 30 minutes, en remuant de temps à autre.

Faire cuire les amandes dans un four préchauffé à 180°C (350°F) pendant 20 minutes, en retournant les amandes plusieurs fois pendant la cuisson.

Tartinade au simili-fromage

(Donne environ 375 mL ou 1½ t.)

Sans produits laitiers.

>   250 mL (1 t.) de tofu, écrasé
>   1 petit poivron rouge doux (ou la moitié d'un
>   gros poivron)
>   100 mL (⅓ t.) de noix de cajou
>   2 c. à soupe de jus de citron
>   Sel de mer ou miso jaune (au goût)

Fouetter tous les ingrédients au mélangeur, jusqu'à l'obtention d'une consistance lisse et crémeuse.

Si la préparation ne semble pas assez épaisse, ajouter un peu de tofu ou de noix de cajou, sans trop charger car cette sauce épaissit en refroidissant.

Servir sur des galettes de riz et garnir de germes de luzerne. Vous pouvez également l'utiliser comme garniture de sandwiches ou comme trempette, avec des biscottes et une variété de légumes crus.

Tartinade zen de Stéphane

>   500 mL (2 t.) de haricots Adzuki, cuits
>   100 mL (⅓ t.) de tahini
>   4 c. à soupe d'huile de carthame
>   75 mL (¼ t.) de jus de citron
>   2 gousses d'ail, émincées
>   3 prunes umeboshi

Moudre tous les ingrédients ensemble au mélangeur. Si le mélange devient trop épais, ajouter un peu de l'eau de cuisson des haricots.

Tartinade traditionnelle à l'aubergine

Cette recette nous vient d'un plat du Moyen-Orient appelé « Baba Ganoui ».

       1 aubergine moyenne
      75 mL (¼ t.) de tahini
         jus d'un demi-citron
       2 gousses d'ail
      75 mL (¼ t.) de persil, haché
      ½ c. à thé de sel de mer
       2 c. à soupe d'échalotes, hachées
       1 c. à soupe d'huile d'olive

Laver l'aubergine et la piquer tout autour avec les dents d'une fourchette. Mettre l'aubergine sur une plaque et la faire cuire au four à 180°C (350°F) environ une heure, jusqu'à ce qu'elle soit très tendre. Laisser refroidir pour faciliter la manipulation.

Retirer la pulpe de l'intérieur de l'aubergine et la réduire en purée. On devrait obtenir environ 200 mL (¾ t.) de purée.

Ajouter le reste des ingrédients et bien opérer le mélange.

Note : pour obtenir une tartinade hautement vitaminée, ajouter 75 mL (¼ t.) de levure alimentaire à la recette de base.

Beurre de noix

(Donne environ 250 mL (1 t.) de tartinade)

Les arachides, bien sûr, mais aussi les amandes, les noix de cajou (un délice !), les noix de Grenoble, et les pacanes se prêtent à la confection d'excellentes tartinades. Servir sur du pain grillé, des galettes de riz, des craquelins, ou en garnir des sandwiches.

375 mL (1½ t.) de noix, crues
4 c. à soupe d'huile
Une pincée de sel de mer (facultatif)

Faire rôtir les noix dans un four préchauffé à 160°C (325°F) pendant environ 20 minutes. Remuer de temps à autre pour éviter que les noix brûlent.

Moudre environ ⅓ à ½ de la quantité de noix à la fois au mélangeur, en ajoutant un peu de sel, si désiré.

Verser lentement l'huile sur les noix tout en battant au mélangeur ; utiliser juste assez d'huile pour former une pâte épaisse et battre jusqu'à l'obtention de la consistance désirée.

Trempette épicée aux arachides

(Donne environ 250 mL ou 1 t.)

Suivre les instructions de la recette de « Sauce épicée aux arachides »*, en réduisant la quantité d'eau requise à 100 mL (⅓ t.).

Faire cuire cette sauce jusqu'à ce qu'elle soit très épaisse.

Cette trempette est délicieuse avec :
— Bâtonnets de céleri
— Fleurettes de chou-fleur ou de brocoli
— Bâtonnets de carottes
— Croustilles de maïs
— Craquelins de blé entier

* L'explication de cette recette est donnée à la page 109.

Terrine de patates douces et de tournesol

(6 portions)

Une entrée délicieuse, douce et très légère.

600 mL (2½ t.) de patates douces, râpées
600 mL (2½ t.) d'eau
  2 c. à soupe d'huile
 75 mL (¼ t.) d'oignon, haché
  1 c. à thé d'estragon
  1 c. à thé de basilic
250 mL (1 t.) de graines de tournesol
  2 c. à soupe de levure alimentaire
 75 mL (¼ t.) de tamari
125 mL (½ t.) de farine de millet*

Battre tous les ingrédients au mélangeur, à l'exception de la farine, jusqu'à l'obtention d'une consistance crémeuse. Mettre le tiers de la préparation à la fois dans la jarre du mélangeur.

Ajouter la farine. Bien mélanger. Verser dans un moule de 20 × 28 cm (7″ × 11″) bien huilé.

Cuire au four à 180°C (350°F) de 40 à 45 minutes jusqu'à ce que le mélange soit pris. Réfrigérer avant de servir. Le pâté devient encore plus ferme en refroidissant.

Démouler et servir sur du pain ou des biscottes. Excellente garniture pour sandwiches également.

* Si vous ne disposez pas de farine de millet, moudre le millet en grains au mélangeur de façon à obtenir une fine poudre.

Terrine du mont Olympe
(aux olives et aux amandes)

(6 portions)

    1 boîte de 180 g (6 oz) d'olives noires,
      dénoyautées
250 mL (1 t.) d'eau
125 mL (½ t.) d'amandes
    1 c. à soupe de shoyu
  75 mL (¼ t.) d'oignon, haché
  75 mL (¼ t.) de farine de blé entier
  ½ c. à thé de thym
  ½ c. à thé de sauge

Battre tous les ingrédients au mélangeur.

Verser dans un moule à pain préalablement huilé. Faire cuire au four à 180°C (350°F) jusqu'à ce que la préparation soit prise, environ 45 minutes.

Réfrigérer jusqu'à ce que le pâté soit ferme et se démoule facilement.

Démouler et servir avec des biscottes ou comme garniture de sandwiches.

Sandwiches et tartinades

Avec l'aide des recettes contenues dans ce livre et de l'imagination, on peut créer un sandwich différent pour chaque jour de l'année. La boîte à lunch devient une source de découvertes intéressantes et délicieuses, grâce à l'emploi de pain de grain entier délectable, nourrissant et varié dans sa composition, additionné de garnitures également innombrables. Ne soyez aucunement surpris si vos compagnons de travail ou confrères étudiants reluquent avec gourmandise du côté de votre goûter, et vous sollicitent conseils et recettes.

En complément des recettes détaillées dans ce chapitre, voici quelques idées et suggestions vous permettant de réinventer l'habituel sandwich :

— Varier la tartinade de beurre d'arachide, en l'additionnant de céleri finement haché ou de carottes râpées ; ou bien, y ajouter de l'ail, des échalotes hachées, des germes de luzerne et quelques feuilles de laitue. On peut éclaircir la tartinade avec un peu d'eau si elle est trop épaisse.

— Tartiner du pain de grain entier de beurre d'arachide, et ajouter des raisins secs ou des dattes, du pollen d'abeilles, et des tranches de bananes ou de pommes.

— Utiliser du beurre composé avec tout autre type de noix ou de grains (sésame, tournesol, noix de cajou, etc.) pour remplacer le beurre d'arachide dans les recettes ci-haut mentionnées.

— Écraser du tofu avec de la levure alimentaire, du tahini et du miso. En tartiner du pain de grain entier et garnir de grains germés ou de feuilles de laitue.

— Tartiner légèrement une tranche de pain avec du miso, étendre du tahini sur l'autre tranche. Garnir le sandwich d'une épaisse tranche de tofu, de laitue et de grains germés.

— Faire une purée composée de tofu et d'avocat, ajouter du jus de citron, du persil haché, et, si le parfum n'ennuie personne à l'école ou au travail, de l'ail écrasé ou des échalotes émincées.

— Un reste de tempeh grillé ou frit constitue une excellente garniture, accompagné d'une tranche de tomate ou de poivron rouge, de laitue ou de germes de luzerne. Délectable !

— Tout reste de terrine, de pâté ou de croquettes (hambourgeois végétariens) refroidis, peut composer de superbes sandwiches agrémentés d'un peu de mayonnaise faite à la maison ou de moutarde de Dijon. Garnir de laitue ou de cresson.

— Réduire les restes de haricots cuits en purée, et y incorporer du céleri haché, du persil émincé, un peu d'oignon et d'ail (si désiré). Tartiner généreusement cette préparation sur du pain de grain entier.

— Mélanger du fromage cottage (de type brique) à des olives noires hachées et à des noix hachées. Servir dans des sandwiches garnis de grains germés, de cresson ou de laitue.

— Tartiner une tranche de pain de moutarde de Dijon, étendre généreusement sur l'autre tranche de la purée d'avocat, ajouter une tranche de fromage, quelques feuilles de laitue, de cresson ou de grains germés.

— Un sandwich de pain de seigle au levain, garni de choucroute, d'une tranche de fromage et d'une mince tranche d'oignon doux des Bermudes, forme un goûter de choix. On peut le faire griller quelques instants pour permettre au fromage de fondre.

Le lunch ne doit pas se réduire aux seuls sandwiches. Un thermos rempli d'une bonne soupe, chaude ou froide selon les saisons, constitue une alternative appréciable, ainsi que la gamme des nombreuses et appétissantes salades qui nous est offerte. Les pommes de terre, le riz, le boulghour, les pâtes alimentaires ainsi que le tofu se prêtent merveilleusement bien à la confection de salades pour le goûter.

Des morceaux de céleri, bâtonnets de concombre ou de carottes, des tranches de poivron rouge ou vert, fleurettes de brocoli ou de chou-fleur, ou des petits paquets d'olives constituent des trouvailles intéressantes, sans compter leur apport nutritif.

De temps en temps, offrez-vous une petite douceur, en ajoutant à votre goûter des biscuits faits à la maison, un muffin, ou un mélange de fruits et de noix séchés (voir les « Truffes de millet aux fruits », à la page 379).

Si la conservation au frais de votre goûter cause un problème, vous pouvez vous procurer sur le marché des mini-glacières à prix fort économique et de dimensions pratiques et idéales pour un goûter.

Les soupes

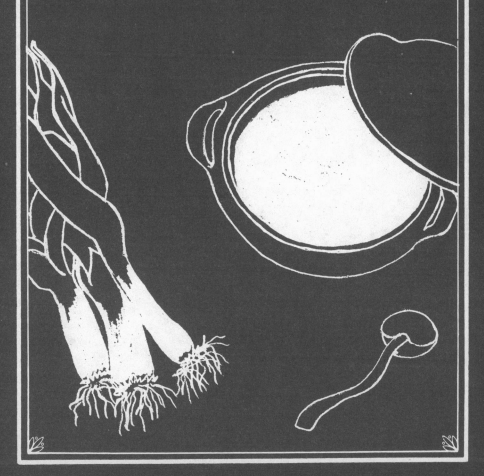

Les soupes

Quoi de plus invitant et réconfortant, particulièrement l'hiver, au début d'un repas, qu'un bol fumant de potage où baignent de délicieux légumes longuement mitonnés ? Et pour le cuisinier, novice ou expérimenté, l'assurance d'un plat apprécié et des plus simples d'exécution. En effet, la confection d'une soupe est l'occasion de disposer des ingrédients qu'on conserve au réfrigérateur sans but précis. Sincèrement, c'est ainsi que les plus grands cuisiniers opèrent et créent leurs célèbres recettes. Aussi, s'il vous manque un certain ingrédient pour réaliser une recette, ne courez pas au magasin du coin immédiatement, inspirez-vous plutôt du contenu de votre garde-manger, tout en restant, bien sûr, dans les limites du bon goût et d'un certain sens pratique. Par exemple, si vous avez choisi d'exécuter la « Crème de champignons, de carottes et de riz », décrite à la page 88 , vous pouvez aisément remplacer les champignons par des pois, du céleri ou des courgettes ; ajouter des cornichons ou des pêches serait moins judicieux et plutôt désastreux.

Si l'on adapte une recette, certains ajustements sont également à prévoir, par exemple concernant les temps de cuisson, ou l'ordre d'entrée des ingrédients dans la préparation. Dans la recette dont il est question plus haut, on peut choisir de remplacer les champignons par du céleri. Comme celui-ci cuit nettement plus lentement, il est préférable de le faire rissoler avec les oignons au tout début de la cuisson. De même, si une recette demande de faire frire d'abord certains légumes, et que vous désirez y ajouter un légume qui ne se prête pas à ce mode de cuisson, tels que les haricots verts, faites-les d'abord cuire à l'eau ou à la vapeur, pour les ajouter ensuite au potage, accompagnés de leur liquide de cuisson.

N'ayez donc aucune crainte d'expérimenter dans ce domaine, pour éventuellement créer vos recettes originales. L'unique règle qui tient est l'utilisation d'ingrédients sains et entiers, jointe à une attitude attentive et respectueuse face aux merveilles dont la nature nous gratifie. Devant une hésitation, faites appel à votre intuition. Le côté rationnel et scientifique de votre intelligence n'est peut-être pas très efficace comme cuisinier, mais l'intuition ne trompe pas, elle sait ce qui est faisable, elle connaît exactement vos besoins et vos goûts, fiez-vous à ses choix, et appréciez les résultats.

Une dernière petite note avant de clore ce sujet, un principe que vous connaissez probablement déjà, mais dont je réitère l'importance. Conservez toujours précieusement au réfrigérateur l'eau dans laquelle vous faites cuire les légumes. Ce bouillon servira de base à toutes vos soupes et fera la différence entre un potage de goût fade et médiocre et une soupe riche et délectable. Le bouillon de légumes est également saturé de vitamines et de minéraux précieux.

Soupe scandinave aux pommes

(4 portions)

  4 pommes, lavées mais non pelées
  1 L (4 t.) d'eau
  1 c. à thé de zeste de limette (ou de citron)
175 mL (⅔ t.) de raisins secs
  2 c. à soupe d'arrowroot
125 mL (½ t.) de vin blanc ou de jus de pomme
  1 c. à thé de cannelle
  3 c. à soupe de miel (plus ou moins, suivant
    le goût)

Mettre les pommes taillées en petits cubes, l'eau, le zeste de limette et les raisins secs dans une grande marmite. Faire mijoter environ 5 minutes.

Dissoudre l'arrowroot dans le vin ou le jus de pomme. Verser sur la préparation de pommes, ajouter la cannelle et poursuivre la cuisson 5 à 10 minutes.

Sucrer de miel, selon le goût, et servir cette soupe chaude ou refroidie.

Délicieuses servies chaudes, nappées d'une bonne cuillérée de yogourt, ces pommes constituent également un excellent dessert. Dans ce cas, mélanger le yogourt avec du miel et de la vanille, suivant le goût.

Variantes : pour servir comme petit déjeuner, omettre le miel, utiliser du jus de pomme pour remplacer le vin et la quantité d'eau requise.

Laisser tomber des boulettes de pâte, ou des grands-pères*, dans le bouillon mijotant, avant les 10 dernières minutes de cuisson. Façonner les boulettes assez petites pour qu'elles cuisent dans ce laps de temps. Adoucir de miel, selon le goût.

* Au choix, on peut suivre une des recettes de grands-pères contenues
  dans ce livre :
    — grands-pères au tofu (page 103)
    — grands-pères au pain (page 104)
    — grands-pères au blé entier (page 102).

Bortsch de Claire

(6 portions)

  4 pommes de terre
  4 grosses betteraves, brossées et râpées
  1 oignon, émincé
  1 c. à thé d'estragon
1,2 L (5 t.) d'eau, ou de bouillon de légumes
  2 c. à soupe de jus de citron
  1 c. à soupe de miel
  1 c. à thé de sel de mer
  1 œuf, battu

Brosser les pommes de terre, les couper en cubes et les cuire à l'eau bouillante jusqu'à ce qu'elles soient tendres.

Mettre les betteraves, l'oignon et l'estragon dans une grande marmite, avec l'eau ou le bouillon. Amener à ébullition, réduire la chaleur et faire mijoter environ 30 minutes, jusqu'à ce que les légumes soient tendres.

Ajouter le jus de citron, le miel et le sel. Poursuivre la cuisson 5 minutes de plus.

Retirer la marmite du feu, et y verser lentement l'œuf battu, tout en remuant vigoureusement le potage.

Placer des cubes de pommes de terre cuites et égouttées dans des bols individuels. Verser la soupe sur les pommes de terre et garnir généreusement de yogourt.

Cette soupe peut être servie chaude ou froide, accompagnée d'un bon pain de seigle au levain (voir recette page 191).

Du concombre râpé constitue également une excellente garniture sur le potage froid.

Bortsch au chou

500 mL (2 t.) de chou rouge, haché
500 mL (2 t.) de betteraves, coupées en cubes
500 mL (2 t.) de pommes de terre, coupées en cubes
250 mL (1 t.) d'oignons hachés
  4 feuilles de laurier
  1 c. à thé d'estragon
1½ c. à thé de sel de mer (ou moins, selon le goût)
  1 L (4 t.) d'eau
  ½ c. à thé de graines de carvi

Jeter tous les ingrédients, sauf les graines de carvi, dans une grande marmite. Couvrir, amener à ébullition, puis réduire la chaleur et faire cuire à feu doux jusqu'à ce que les betteraves soient juste tendres.

Passer la préparation au mélangeur pour obtenir une crème lisse et onctueuse. Ajouter les graines de carvi.

Servir le bortsch chaud ou froid et verser une large cuillerée de yogourt dans chaque bol.

L'été, on peut décorer joliment cette soupe en y parsemant du concombre râpé.

Variante : on peut remplacer le chou par la même quantité de feuilles de betteraves.

Soupe froide aux concombres

(6 portions)

600 mL (2½ t.) d'eau froide
jus d'un petit citron
4 concombres moyens*
3 gousses d'ail, émincées
6 échalotes, hachées
½ c. à thé de graines d'aneth
½ c. à thé de sel de mer
1 pincée de muscade
125 mL (½ t.) de noix de Grenoble ou de pacanes, finement hachées
600 mL (2½ t.) de yogourt

Battre l'eau, le jus de citron, deux des concombres et l'ail au mélangeur.

Râper les deux autres concombres. Bien mélanger tous les autres ingrédients.

Réfrigérer jusqu'à ce que la crème soit bien refroidie.

* Peler les concombres seulement s'ils ont été recouverts d'une pellicule de cire.

Gaspacho crémeuse

(De 4 à 6 portions)

Très rafraîchissante en été !

>   5 à 6 tomates mûres, coupées en gros
>   morceaux
>   125 à 250 mL (½-1 t.) de yogourt
>   jus d'une petite limette ou 2 c. à soupe de
>   jus de citron
>   2 c. à soupe d'oignon, émincé
>   1 c. à soupe de miel
>   ¼ c. à thé de sel de mer (suivant le goût)

Garniture :

>   **quelques brins de basilic ou de persil frais**

Battre tous les ingrédients au mélangeur, sauf la garniture jusqu'à l'obtention d'une crème lisse et homogène. On peut également se servir du robot culinaire, mais l'usage du mélangeur est préférable dans cette recette.

Ajouter la garniture et bien refroidir avant de servir.

Soupe glacée à l'échalote

(3 portions)

Simple et rafraîchissante !

> **250** **mL (1 t.) de lait de beurre**
> **5** **échalotes, hachées**
> **jus d'un citron (environ 75 mL ou ¼ t.)**
> **¼** **c. à thé de sel de mer**
> **125** **mL (½ t.) de germes de luzerne**
> **250** **mL (1 t.) de tofu mou ou 125 mL (½ t.) de tofu ferme**

Battre au mélangeur le lait de beurre, 3 des échalotes, le jus de citron, les germes de luzerne et assez de tofu pour obtenir une soupe crémeuse, ou à la consistance désirée. Assaisonner.

Ajouter les 2 autres échalotes comme garniture. Réfrigérer et servir avec des croûtons de pain de blé entier.

« Chili con trigo »

Absolument identique au « Chili con carne » populaire, autant en couleur qu'en saveur, préparé à base d'une des composantes du blé, le gluten.

    2   c. à soupe d'huile d'olive
    1   gros oignon, haché
    2   branches de céleri, hachées
    4   gousses d'ail, émincées
    1   poivron vert, haché
  500   mL (2 t.) de gluten moulu (voir recette
        page 235)
    1   c. à thé de basilic
  ½   c. à thé d'origan
    1   c. à thé de cumin
    1   c. à thé de poudre chili
  ¼   c. à thé de clou de girofle moulu
        poivre de cayenne ou sauce épicée (au goût)
  500   mL (2 t.) de haricots rouges cuits
  125   mL (½ t.) du liquide de cuisson des
        haricots
    1   L (4 t.) de tomates en boîte
        shoyu (au goût)

Faire chauffer l'huile dans une grande marmite. Y faire rissoler l'oignon, le céleri, l'ail et les aromates jusqu'à ce que le céleri soit presque tendre.

Ajouter le poivron vert, le gluten et faire cuire quelques minutes avant d'y incorporer les haricots, le liquide et les tomates.

Couvrir la marmite et laisser mijoter environ 10 minutes. Assaisonner de shoyu, si désiré.

Crème de champignons, de carottes et de riz

(De 4 à 6 portions)

- 2 c. à soupe d'huile
- 1 gros oignon, haché
- 1 grosse carotte, brossée et tranchée
- 1 L (4 t.) de champignons, tranchés
- 3 feuilles de laurier
- 1 c. à thé d'estragon
- 1 c. à thé de poudre de cari
- 125 mL (½ t.) de riz brun
- 500 mL (2 t.) d'eau
- 500 mL (2 t.) ou plus de lait ou d'eau
  Sel de mer ou miso jaune (au goût)

Faire chauffer l'huile dans une large marmite et y faire rissoler l'oignon et la carotte jusqu'à ce qu'ils soient tendres. Ajouter les champignons et les assaisonnements et poursuivre la cuisson jusqu'à ce que les champignons soient réduits.

Laver le riz, puis le placer dans un poêlon non graissé. Sur un feu vif, remuer jusqu'à ce que les grains soient secs. Moudre le riz en fine poudre au mélangeur.

Verser la farine de riz dans les légumes, puis graduellement, ajouter les 500 mL (2 t.) d'eau. Amener à ébullition, réduire à feu doux et laisser mijoter jusqu'à ce que la crème soit très épaisse.

Éclaircir avec du lait ou de l'eau pour obtenir la consistance désirée.

Crème de fenouil

Un pur délice !

> **500 mL (2 t.) de chou-fleur, haché**
> **500 mL (2 t.) de bulbes de fenouil, hachés**
> **500 mL (2 t.) de pommes de terre, coupées en cubes**
> **1 petit oignon, haché**
> **1 L (4 t.) d'eau**
> **1 c. à thé de sel de mer (au goût)**
> **75 mL (¼ t.) de feuilles de fenouil, hachées**

Faire cuire les légumes dans l'eau salée jusqu'à ce qu'ils soient tendres. Battre au mélangeur, en petites quantités à la fois, jusqu'à l'obtention d'une crème lisse et onctueuse.

Ajouter les feuilles de fenouil.

Crème de haricots germés

(6 portions)

750 mL (3 t.) de haricots rouges*, germés et
     cuits
  1 poivron rouge, haché
175 mL (⅔ t.) de pâte de tomate
750 mL (3 t.) d'eau (ou plus, selon le besoin)
  2 c. à soupe d'huile d'olive
  1 gros oignon, émincé
  1 c. à thé de basilic
  1 c. à thé de cumin
  1 c. à thé de poudre chili
  ½ c. à thé d'origan
 75 mL (¼ t.) de tamari

Au mélangeur ou au robot ménager, battre les haricots, le poivron et la pâte de tomate. Ajouter assez d'eau pour que la purée puisse se battre aisément. (Si l'on utilise un mélangeur, battre le tiers de la préparation à la fois pour faciliter l'opération.)

Dans une grande marmite, faire rissoler l'oignon dans l'huile chaude. Aromatiser et ajouter la purée de haricots.

Assaisonner de tamari, au goût. Ajouter de l'eau pour obtenir la consistance désirée.

* Voir la section des légumineuses pour le procédé de germination des haricots.

Crème de millet et de maïs

Sans produits laitiers.

> 1 c. à soupe d'huile d'olive
> 375 mL (1½ t.) d'oignons, hachés
> 250 mL (1 t.) de céleri, haché
> ½ poivron vert, haché
> 1 c. à thé de basilic
> 500 mL (2 t.) d'eau ou de bouillon de légumes
> 2 épis de maïs, en grains
> 125 mL (½ t.) de millet cru
> 500 mL (2 t.) d'eau
> 75 mL (¼ t.) de miso jaune ou de sel de mer, au goût

Dans une marmite épaisse, faire sauter les oignons, le céleri, le poivron vert et le basilic dans l'huile chaude.

Ajouter 500 mL (2 t.) d'eau ou le bouillon, et le maïs. Amener à ébullition. Couvrir, réduire la chaleur et laisser mijoter.

Pendant ce temps, réduire le millet en fine poudre au mélangeur, ajouter le reste de l'eau et continuer de moudre jusqu'à ce que la préparation soit homogène.

En brassant constamment, verser cette crème sur les légumes et continuer de cuire jusqu'à épaississement.

Retirer la marmite du feu. Ajouter le miso et remuer jusqu'à ce qu'il soit parfaitement fondu au mélange. Surtout, ne pas employer de tamari qui pourrait altérer la belle couleur de votre crème.

Fricot polonais

(De 6 à 8 portions)

Repas copieux et parfait pour les froides soirées d'hiver.

> 1,1 L (4½ t.) de haricots Pinto, trempés une
>   nuit et germés pendant deux jours
> 1 L (4 t.) d'eau
> 2 c. à soupe d'huile d'olive
> 250 mL (1 t.) de carottes, coupées en dés
> 1 oignon moyen, haché
> ½ c. à thé de graines de carvi
> 375 mL (1½ t.) de choucroute
> 375 mL (1½ t.) de cheddar fort, râpé
> 75 mL (¼ t.) de persil frais, émincé
> 3 échalotes, finement tranchées

Faire cuire les haricots à l'eau dans une marmite fermée pendant une heure ou plus, jusqu'à ce qu'ils soient très tendres.

Dans l'huile chaude, faire rissoler l'oignon et les carottes, jusqu'à ce que celles-ci soient presque cuites. Ajouter les graines de carvi et la choucroute, et poursuivre la cuisson environ 5 minutes, en brassant de temps à autre.

Verser les légumes cuits sur les haricots et faire mijoter quelques minutes. Ajouter le fromage et remuer jusqu'à ce qu'il soit fondu. Juste avant de servir, incorporer le persil et les échalotes.

Servir avec du pain de seigle aux oignons (voir recette page 200).

Potage crémeux aux marrons

(De 4 à 6 portions)

     30   à 40 marrons
      1   gros oignon, haché
      1   grosse pomme de terre, lavée et coupée en
          quartiers
      2   branches de céleri, hachées
    500   mL (2 t.) d'eau
      3   feuilles de laurier
      1   c. à thé de poudre de cari
      1   c. à thé de sel de mer
    500   mL (2 t.) de lait ou d'eau
          (approximativement)
     75   mL (¼ t.) de persil haché

Avec un couteau bien aiguisé, tracer une incision en forme de croix sur chaque marron. Cette précaution les empêche d'éclater à la cuisson. Couvrir d'eau et faire bouillir pendant 20 minutes. Laisser refroidir.

Débarrasser les marrons de leur coquille, sans oublier la petite peau brune et aigre qui les recouvre.

Préparer les légumes, laisser la pelure sur les pommes de terre, et les mettre dans un large chaudron avec les feuilles de laurier et l'eau. Couvrir et faire mijoter jusqu'à ce que les légumes soient tendres. Enlever les feuilles de laurier.

Ajouter la poudre de cari, le sel, les marrons et assez de lait ou d'eau pour pouvoir battre au mélangeur, jusqu'à l'obtention d'une consistance douce et crémeuse. Ajouter plus de liquide si la crème est trop épaisse.

Faire chauffer de nouveau, en ayant soin de ne pas laisser bouillir la crème.

Ajouter le persil et servir aussitôt.

Potage aux lentilles et au maïs

250 mL (1 t.) de lentilles sèches
1 L (4 t.) d'eau
1 oignon, émincé
1 poivron rouge ou vert, émincé
750 mL (3 t.) de tomates, fraîches ou en boîte, coupées en morceaux
500 mL (2 t.) de grains de maïs, frais ou congelés
1 gousse d'ail ou plus, émincée
1 c. à thé de sarriette
1 c. à thé de basilic
3 c. à soupe de tamari
2 c. à soupe d'huile d'olive, si désiré

Garniture :

fromage parmesan râpé (facultatif)

Laver les lentilles et les faire cuire dans l'eau pendant 30 à 40 minutes.

Ajouter les légumes, les herbes aromatiques et le tamari et laisser mijoter environ 20 minutes, jusqu'à ce que les légumes soient tendres. Verser le filet d'huile d'olive sur la soupe.

Pour composer un repas complet, servir avec du pain de grain entier et une salade verte. Placer un bol de parmesan râpé sur la table, à saupoudrer au goût sur la soupe.

Potage crémeux à l'oignon

(De 4 à 6 portions)

Sans produits laitiers.

>   2 c. à soupe d'huile
>   1 L (4 t.) d'oignons, hachés
>   1 c. à thé de thym
>   ½ c. à thé de muscade
>   4 feuilles de laurier
> 125 mL (½ t.) de millet, cru
> 175 mL (⅔ t.) de noix de cajou
>   1 L (4 t.) d'eau ou de bouillon de légumes
>   1 c. à thé de sel de mer

Dans une large marmite, faire rissoler lentement les oignons et les aromates dans l'huile, à feu doux, jusqu'à ce qu'ils soient tendres.

Moudre le millet cru au mélangeur pour le transformer en farine. Placer le millet dans une petite casserole et, tout en remuant, y verser lentement 250 mL (1 t.) d'eau. Amener à ébullition et continuer à remuer jusqu'à ce que la préparation épaississe. Remettre le millet cuit au mélangeur, en ajoutant 250 mL (1 t.) d'eau et les noix de cajou. Battre de façon à obtenir une consistance très crémeuse (rajouter de l'eau si nécessaire).

Verser la crème de millet sur les oignons. Ajouter l'eau ou le bouillon de légumes et amener à ébullition, en remuant constamment. Ajouter plus d'eau, si la crème est trop épaisse, et saler suivant le goût.

Variante : remplacer une partie des oignons par du céleri et des champignons.

Velouté à la courge dorée

1,1 L (4½ t.) d'eau ou de bouillon de légumes
125 mL (½ t.) de millet
1 oignon moyen, haché
1 L (4 t.) de courge d'été jaune, tranchée*
3 feuilles de laurier
1 c. à thé de basilic
une pincée de muscade
75 mL (¼ t.) de miso jaune**

Placer tous les ingrédients, à l'exception du miso, dans une large marmite. Faire mijoter jusqu'à ce que le millet soit cuit, de 20 à 30 minutes. Retirer les feuilles de laurier.

Ajouter le miso et battre au mélangeur jusqu'à consistance crémeuse. Goûter et rectifier l'assaisonnement si nécessaire.

* La courge d'été jaune, qu'on appelle en anglais « Yellow Squash » ou « Crooked Neck Squash », à cause de sa forme étranglée à une extrémité, est un légume délicieux dont la culture s'adapte très bien au climat du Québec. Cette courge est maintenant disponible dans quelques épiceries, mais à défaut d'en trouver, on peut la remplacer par la même quantité de courgettes ou environ 750 mL (3 t.) de courge d'hiver légèrement cuite.

** On peut se procurer le miso jaune dans les marchés japonais et dans quelques magasins d'aliments sains. On pourrait substituer d'autres formes de miso dans cette recette, tels que le miso d'orge ou de riz, mais cela changerait malheureusement la belle couleur dorée de la soupe. Donc, en l'absence de miso jaune, il serait préférable d'utiliser le sel de mer comme assaisonnement.

Velouté de patates douces

750 mL (3 t.) de patates douces coupées en dés
     (environ 2 patates moyennes)
  1 gros oignon, tranché
500 mL (2 t.) d'eau
  1 c. à thé de sel de mer
 ½ c. à thé de muscade
3-4 c. à thé de moutarde de Dijon (facultatif)
250 mL (1 t.) de fromage cheddar fort, râpé et
     légèrement tassé
125 mL (½ t.) de lait

Cuire les patates douces et l'oignon dans l'eau jusqu'à ce qu'ils soient tendres. Battre au mélangeur pour obtenir une crème homogène.

Ajouter le sel, la muscade, la moutarde et le fromage. Brasser le tout au-dessus d'un feu moyen jusqu'à ce que le fromage soit fondu.

Incorporer un peu de lait jusqu'à ce que la soupe ait la consistance voulue.

Soupe des Maritimes

2 c. à soupe de beurre
500 mL (2 t.) d'oignon, haché
250 mL (1 t.) de céleri, haché
1 c. à thé de basilic
1 c. à thé de sarriette
500 mL (2 t.) de champignons, tranchés
250 mL (1 t.) d'algue dulse, lavée et hachée
500 mL (2 t.) de maïs, en grains, frais ou
congelé, cuit
750 mL (3 t.) de lait
1 c. à thé de sel de mer, au goût

Faire fondre le beurre dans une marmite. Y faire revenir les oignons, le céleri et les herbes jusqu'à ce que les légumes soient tendres. Ajouter les champignons et l'algue dulse et poursuivre la cuisson quelques minutes.

Battre le maïs et le lait au mélangeur de façon à obtenir une consistance crémeuse. Mélanger aux légumes et saler.

Réchauffer la préparation en ayant soin de ne pas la laisser cuire.

Soupe aux pois germés

(4 portions)

250 mL (1 t.) de pois secs entiers
1 L (4 t.) d'eau ou de bouillon de légumes
4 feuilles de laurier
2 c. à soupe d'huile
1 oignon moyen, haché
2 carottes, taillées en tranches minces
2 branches de céleri, taillées en tranches minces
1 c. à thé de sarriette
1 c. à thé de sel de mer

Faire tremper les pois toute une nuit. Le lendemain, les égoutter, les rincer, puis les faire germer pendant 3 jours.

Dans une grande marmite, mettre les pois germés, avec l'eau et les feuilles de laurier. Amener à ébullition, puis réduire la chaleur et laisser mijoter jusqu'à ce que les pois soient tendres, environ 20 minutes.

Pendant que les pois cuisent, chauffer l'huile dans une poêle et y faire rissoler les oignons, les carottes, le céleri et la sarriette jusqu'à ce que les légumes soient presque tendres.

Retirer les feuilles de laurier de la marmite et battre les pois au mélangeur ou à l'aide du robot culinaire, en utilisant le tiers de la préparation des pois, à la fois.

Remettre la purée de pois ainsi obtenue dans la marmite, y ajouter les légumes rissolés et le sel. Faire mijoter quelques minutes pour permettre aux saveurs de bien se fondre les unes aux autres.

Si la soupe devient trop épaisse, l'éclaircir en ajoutant un peu d'eau.

Soupe à l'orge

(De 4 à 6 portions)

100 mL (⅓ t.) d'orge
1,5 L (6 t.) d'eau
500 mL (2 t.) de patates douces ou de rutabaga,
     coupés en dés
375 mL (1½ t.) de panais, tranché
250 mL (1 t.) d'oignon, haché
250 mL (1 t.) de céleri, haché
  4 feuilles de laurier
  ½ c. à thé de muscade
  ⅓ c. à thé de graines de carvi (facultatif)
  4 c. à soupe de miso d'orge

Garniture :

yogourt (facultatif)

Mettre l'orge et l'eau dans une grande casserole. Amener à ébullition, réduire la chaleur et faire cuire à feu doux pendant environ 45 minutes.

Ajouter les légumes, les feuilles de laurier, la muscade et les graines de carvi. Laisser mijoter doucement jusqu'à ce que les légumes soient tendres. Retirer la casserole de la chaleur, ajouter le miso et bien mélanger.

Servir la soupe chaude et verser une large cuillerée de yogourt froid dans chaque bol.

Variante : Pour composer une soupe plus riche et nourrissante, réduire la quantité d'eau à 1 L (4 t.) et remplacer par 500 mL (2 t.) de lait et 2 c. à soupe de beurre, ajoutés après que les légumes sont cuits. Réchauffer la préparation sans laisser bouillir.

Soupe « Terre et mer »

(1 ou 2 portions)

            1 **c. à soupe d'huile**
            1 **carotte, tranchée en fins et courts bâtonnets**
           ½ **petit oignon, haché**
            1 **gousse d'ail (ou plus, suivant le goût)**
      75-100 **mL (¼-⅓ t.) d'hijiki, lavé et trempé**
           ½ **c. à thé de thym**
          250 **mL (1 t.) d'eau**
          250 **mL (1 t.) de tofu, coupé en cubes de 1,2 cm**
              (½″)
        1-1½ **c. à soupe de miso**
            1 **c. à soupe de levure alimentaire**

Faire rissoler les carottes, l'oignon et l'ail dans l'huile quelques minutes.

Ajouter l'hijiki et le thym. Remuer, couvrir et réduire la chaleur à feu moyennement doux et cuire jusqu'à ce que les carottes soient presque tendres, en remuant fréquemment, environ 5 minutes.

Incorporer le tofu et l'eau. Amener à ébullition. Couvrir et laisser mijoter une ou deux minutes.

Retirer la marmite du feu. Ajouter le miso et la levure. Bien mélanger.

Note : cette soupe constitue un repas rapide et complet, accompagnée de pain de grain entier. Pour la rendre plus légère, omettre le tofu et la levure et ajouter plus d'eau et de miso suivant le goût.

« Grands-pères » au blé entier

(4 portions)

250 mL (1 t.) de farine de blé entier
1 c. à thé de poudre à pâte
¼ c. à thé de sel de mer
3 c. à soupe d'huile
100 mL (⅓ t.) de yogourt (approximativement)

Mélanger les ingrédients secs.

Ajouter l'huile et mêler à la fourchette. Ajouter juste assez de yogourt pour que le mélange se tienne. Il faudra pétrir la pâte 4 ou 5 fois pour obtenir ce résultat. Manipuler la pâte le moins possible et ne pas y mettre trop de yogourt.

Façonner la pâte en boulettes de la grosseur d'une noix de Grenoble.

Laisser tomber les boulettes dans une soupe, un ragoût ou une platée de haricots en train de mijoter. Couvrir et poursuivre la cuisson pendant 20 minutes.

Cette recette donne environ 14 grands-pères.

« Grands-pères » au tofu

(4 portions)

250 mL (1 t.) de tofu, écrasé
2 c. à soupe d'huile d'olive
250 mL (1 t.) de farine de blé entier, à pain ou à pâtisserie
½ c. à thé de poudre à pâte
½ c. à thé de sel de mer

Battre le tofu et l'huile au mélangeur jusqu'à l'obtention d'une crème onctueuse.

Mesurer ensemble la farine, le sel et la poudre à pâte.

En travaillant à la fourchette, incorporer la farine au mélange de tofu.

Pétrir quelques instants de façon à ce que la pâte forme une boule qui se tienne bien.

Retirer des morceaux de la grosseur d'une noix de pacane. Les laisser tomber dans une soupe ou un ragoût en train de mijoter. Couvrir et cuire à feu doux de 5 à 10 minutes.

« Grands-pères » au pain

(De 2 à 4 portions)

Cette recette simple est un bon moyen d'utiliser les restes de pain sec. Pour en varier la saveur, ajoutez-y vos propres herbes et épices.

2 œufs battus
600 mL (2½ t.) de chapelure de pain de grain entier (approximativement)

Mélanger la chapelure de pain avec les œufs. La quantité de chapelure dépendra de la grosseur des œufs et du degré d'humidité du pain. Le résultat voulu est une pâte d'une consistance ferme et qui se tienne bien.

Façonner la préparation en petites boulettes de la grosseur d'une noix de Grenoble. Les faire tomber dans une soupe, un ragoût en train de mijoter. Couvrir et poursuivre la cuisson pendant 10 minutes.

Cette recette donne environ 15 boulettes de la grosseur d'une noix de Grenoble.

Les sauces
et
les vinaigrettes

Les sauces et les vinaigrettes

Les différentes vinaigrettes et sauces contenues dans ce livre ne cherchent pas seulement à relever la saveur des aliments, mais servent aussi de complément nutritif ; elles ont été élaborées en s'en tenant au concept suivant : contenir le minimum de matières grasses et de calories mais en même temps, rester des plus savoureuses et des plus nutritives. Aussi, n'ayez aucun sentiment de culpabilité en les dégustant avec délectation !

Sauce aux champignons

D'une saveur délicate, cette sauce douce et légère possède l'avantage de ne contenir pratiquement aucune matière grasse, donc très peu de calories.

(Donne environ 600 mL (2½ t.) de sauce)

250 mL (1 t.) de bouillon de légumes
500 mL (2 t.) de champignons, tranchés
1 c. à thé d'estragon
½ c. à thé d'huile de sésame rôti
75 mL (¼ t.) d'eau froide
2 c. à soupe d'arrowroot
1-2 c. à soupe de miso ou de shoyu

Mettre le bouillon, les champignons, l'estragon et l'huile dans une casserole. Amener à ébullition, puis réduire la chaleur et laisser mijoter 5 à 10 minutes.

Dissoudre l'arrowroot dans l'eau froide et ajouter au bouillon mijotant. Remuer et cuire jusqu'à ce que la sauce épaississe.

Retirer la casserole de la chaleur et ajouter le miso ou le shoyu.

Béchamel aux noix de cajou

(Donne environ 240 mL (1 t.) de sauce)

1 c. à soupe d'huile
2 c. à soupe de farine de riz brun*
75 mL (¼ t.) de noix de cajou moulues au
    mélangeur avec 250 mL (1 t.) d'eau, jusqu'à
    l'obtention d'une crème homogène
¼ c. à thé de sel de mer

Faire chauffer l'huile dans un poêlon. Y mêler la farine. Verser lentement la crème de cajou sur la farine, tout en remuant vigoureusement.

Si la sauce devient trop épaisse, l'éclaircir avec un peu plus de lait de cajou ou avec de l'eau.

Servir sur des légumes cuits à la vapeur, brocoli ou chou-fleur, par exemple ou sur des croquettes végétariennes.

Variantes : cette sauce possède une saveur douce, que vous désirerez peut-être relever pour certaines occasions. Ajoutez-y ½ c. à thé de moutarde en poudre, 1 c. à soupe de ciboulette et 1 c. à soupe de persil pour obtenir un bon goût piquant. L'addition de 125 mL (½ t.) d'oignons ou de champignons, rissolés dans l'huile avant d'ajouter la farine, constitue également une délicieuse variation.

* On peut remplacer par de la farine de blé entier à pâtisserie.

Sauce au beurre d'arachide et au tofu

(4 portions)

400 g (14 oz) de tofu
250 mL (1 t.) d'eau ou de bouillon de légumes
    non assaisonné
75 mL (¼ t.) de beurre d'arachide
1 gousse d'ail ou plus (au goût)
3 c. à soupe de tamari

Battre tous les ingrédients au mélangeur, jusqu'à l'obtention d'une consistance lisse et crémeuse.

Cuire à feu moyen, en brassant constamment, jusqu'à ce que la sauce soit bien chaude, mais ne pas laisser bouillir.

Servir sur du riz, du millet, du sarrasin, d'autres céréales ou sur des pâtes.

Sauce épicée au beurre d'arachide

(Donne environ 75 mL (1½ t.) de sauce)

100 mL (⅓ t.) de beurre d'arachide non salé
2 c. à soupe de jus de citron
1 c. à soupe de shoyu
1 -2 gousses d'ail, écrasées
½ c. à thé de harissa ou un soupçon de
    cayenne
200 mL (¾ t.) d'eau

Mélanger tous les ingrédients ensemble, sauf l'eau.

Verser lentement l'eau sur le mélange. Faire cuire jusqu'à ce que la sauce soit bien épaisse, en brassant constamment avec un fouet métallique.

Sauce aux noix de pacanes

Cette sauce possède une saveur douce et raffinée, ainsi qu'une merveilleuse texture.

> **100 mL (⅓ t.) de noix de pacanes, coupées en deux**
>   **1 c. à soupe de farine de blé entier à pâtisserie**
> **250 mL (1 t.) d'eau ou de bouillon de légumes**
>   **2 c. à soupe de miso (le jaune convient bien à cette recette)**

Faire rôtir les noix de pacanes dans un poêlon non huilé, préalablement chauffé au-dessus d'un feu assez vif pendant quelques minutes. Ajouter la farine et remuer jusqu'à ce qu'une odeur de noisette se dégage.

Mettre les noix et la farine dans la jarre du mélangeur. Ajouter l'eau ou le bouillon et battre jusqu'à l'obtention d'une consistance crémeuse et lisse.

Verser le mélange dans une petite casserole et amener à ébullition. Réduire la chaleur et laisser mijoter une minute ou deux, en remuant fréquemment.

Retirer de la chaleur et ajouter le miso. Bien mélanger.

Note : cette sauce est particulièrement délicieuse servie sur des crêpes aux légumes. Elle accompagne également bien les plats composés de grains entiers et de légumes. L'eau dans cette recette peut être remplacée par du lait, la sauce n'en sera que plus riche et crémeuse.

Sauce à l'oignon et à la moutarde

(Donne environ 500 mL ou 2 t.)

2 c. à soupe d'huile
375 mL (1½ t.) d'oignons, hachés
1 c. à thé d'estragon
3 c. à soupe de farine de blé entier
1 c. à soupe de moutarde de Dijon
375 mL (1½ t.) d'eau ou de bouillon de légumes
1 c. à soupe de tamari

Faire rissoler les oignons très doucement dans l'huile. Ajouter l'estragon et la farine. Bien mélanger et faire cuire pendant une minute.

Mélanger ensemble la moutarde, l'eau ou le bouillon et le tamari. Élever le feu à chaleur moyenne et verser une petite quantité de ce mélange sur les oignons. Remuer vigoureusement. Ajouter lentement le reste du liquide, tout en remuant constamment, jusqu'à ce que la sauce épaississe.

Sauce rapide aux tomates

(Donne 700 mL (2¾ t.) de sauce)

Vous serez surpris et réjouis du goût raffiné de cette sauce, de sa légèreté et du peu de calories qu'elle contient, sans parler de la rapidité d'exécution qu'elle demande.

250 mL (1 t.) de pâte de tomate
450 mL (1¾ t.) de lait de beurre
1 c. à thé de basilic

Mélanger tous les ingrédients.

Réchauffer lentement, à feu doux, mais ne pas faire bouillir. Cette sauce peut être servie sur des pâtes, des plats de céréales ou des hambourgeois végétariens. On la sert également froide.

Sauce à l'orange et au tahini

(Donne environ 200 mL (¾ t.) de sauce)

    75 mL (¼ t.) de tahani
     2 c. à soupe de miso d'orge
    ½ c. à thé de gingembre râpé
   125 mL (½ t.) de jus d'orange, fraîchement
        pressé
     2 c. à soupe de persil haché

Mélanger le tahini, le miso et le gingembre. Verser lentement le jus d'orange dans ce mélange et bien remuer. Garnir de persil.

Note : cette sauce rehausse agréablement la saveur du nori-maki (voir la recette à la page 61), des légumes cuits à la vapeur ou de grains entiers cuits. Elle peut être réchauffée, mais ne doit pas bouillir.

Sauce au tahini et au miso

(Donne environ 450 mL (1¾ t.) de sauce)

     1 c. à soupe d'huile
     3 c. à soupe de farine de blé entier à
        pâtisserie
    75 mL (¼ t.) de tahini
   325 mL (1¼ t.) d'eau
     2 c. à soupe de miso

Faire chauffer l'huile dans un poêlon. Ajouter la farine et la faire griller à feu modérément vif, en remuant constamment, jusqu'à ce qu'elle dégage une odeur de noisette. Incorporer le tahini et bien mélanger.

Retirer le poêlon de la chaleur et ajouter un peu d'eau, tout en remuant, pour former une pâte lisse. Remettre sur le feu et ajouter le reste de l'eau en brassant vigoureusement. Cuire jusqu'à ce que la sauce épaississe. Retirer du feu et ajouter le miso. Bien mêler.

Sauce à la levure

(Donne environ 375 mL (1½ t.) de sauce)

2 c. à soupe d'huile
4 c. à soupe de farine de blé entier
375 mL (1½ t.) d'eau ou de bouillon de légumes
75 mL (¼ t.) de levure alimentaire
2 c. à soupe de miso ou de shoyu (au goût)

Faire chauffer l'huile dans un poêlon. Y verser la farine, et cuire à feu moyennement vif, en remuant constamment, jusqu'à ce que la farine soit rôtie.

Retirer de la chaleur et ajouter un peu d'eau ou de bouillon à la farine. Remuer vigoureusement jusqu'à ce qu'une pâte épaisse se forme.

Remettre le poêlon sur le feu et ajouter lentement le reste de l'eau ou du bouillon, en remuant constamment. Incorporer la levure, bien mélanger, et laisser mijoter jusqu'à ce que la sauce épaississe.

Retirer le poêlon du feu et ajouter le miso, en remuant pour bien le mêler à la sauce.

Servir avec un ragoût de légumes à tubercules (pommes de terre, navets, patates douces, etc.), dans un mets cuisiné de grains entiers ou encore sur des croquettes.

Vinaigrette sans fond à l'ail

Un délice pour les amateurs d'ail !

> **75 mL (¼ t.) de jus de citron, de vinaigre de vin ou de vinaigre de cidre**
> **2 c. à soupe de shoyu ou de tamari**
> **125 mL (½ t.) d'huile de tournesol**
> **2-3 bulbes d'ail (20 gousses ou plus)**

Mélanger le jus de citron ou le vinaigre, le shoyu ou le tamari et l'huile dans un pot de 1 L (4 t.) de capacité.

Éplucher l'ail en frappant chaque gousse de la lame d'un couteau à légumes japonais.

Ajouter les gousses d'ail au mélange d'huile. Couvrir et bien secouer le pot. Laisser reposer une heure avant d'utiliser pour la première fois.

Quand une partie du liquide a été utilisée, rajouter du jus de citron, du shoyu et de l'huile.

Au bout de 2 semaines environ, les gousses d'ail deviendront d'une couleur légèrement brune. Elles sont alors délicieuses, dégustées entières à la façon des cornichons, et vous serez surpris de leur douce saveur.

Remettre de nouvelles gousses d'ail dans l'huile et rajouter plus de liquide, selon le besoin.

Cette vinaigrette accompagne merveilleusement bien toute salade verte.

Vinaigrette à l'avocat et au yogourt

(Donne environ 375 mL (1½ t.) de sauce)

1 petit ou ½ d'un gros avocat
3 c. à soupe de jus de citron
125 mL (½ t.) de yogourt
¼ c. à thé de sel de mer, au goût

Réduire l'avocat et le jus de citron en purée, à l'aide du mélangeur.

Incorporer lentement le yogourt, en brassant avec une fourchette.

Saler au goût.

On peut évidemment rajouter de l'ail, de l'oignon émincé, des échalotes ou du persil, selon le goût et l'imagination.

Vinaigrette citronnée au shoyu

(Donne environ 175 mL (⅔ t.) de vinaigrette)

Cette vinaigrette est celle qui revient le plus fréquemment à notre table. En plus d'être légère et savoureuse, elle a l'avantage d'être très facile et rapide à préparer.

2 c. à soupe de shoyu
75 mL (¼ t.) de jus de citron
75 mL (¼ t.) d'huile d'olive
1 gousse d'ail ou plus, pressée
2 c. à thé de moutarde de Dijon (facultatif)

Mélanger tous les ingrédients.

Note : si le goût de la vinaigrette vous paraît trop fort, adoucir à l'aide de quelques cuillerées à soupe d'une huile douce, comme l'huile de tournesol.

Vinaigrette russe

(6 portions)

200 mL (¾ t.) d'huile d'olive
3 c. à soupe de jus de citron
3 c. à soupe de shoyu
2-3 gousses d'ail, écrasées
1-2 échalotes, hachées
2 c. à soupe de persil
1 c. à thé de basilic
2-3 feuilles de laurier
3 tomates mûres, finement hachées

Mélanger tous les ingrédients, sauf les tomates, dans un bol de verre ou de céramique. Laisser reposer pendant 30 minutes.

Ajouter les tomates hachées, et laisser en attente 30 autres minutes avant de servir.

Accompagner d'une large salade verte.

Note : pour un repas facile à préparer mais non moins délicieux, dresser les tomates marinées sur un nid de riz sur lequel vous placez les haricots cuits que vous préférez. Accompagner d'une salade verte.

Vinaigrette au tahini et umeboshi

(Donne environ 200 mL (¾ t.) de sauce)

Simple d'exécution et absolument délectable !

125 mL (½ t.) d'eau
4 prunes umeboshi
75 mL (¼ t.) de tahini

Enlever le noyau des prunes.

Battre tous les ingrédients au mélangeur. Ajouter un peu d'eau si nécessaire.

Vinaigrette au tahini et au yogourt

(Donne environ 175 mL (⅔ t.) de vinaigrette)

2 c. à soupe de tahini
2 c. à soupe de miso, préférablement doux, d'orge ou le jaune
2 c. à soupe de jus de citron
75 mL (¼ t.) de yogourt
1 gousse d'ail ou plus, au goût (facultatif)
75 mL (¼ t.) de gingembre frais râpé (facultatif)

Fouetter tous les ingrédients ensemble à la fourchette, sauf l'ail.

Goûter la préparation avant d'ajouter l'ail, certains la préféreront ainsi, d'une saveur plus douce et légère.

Cette vinaigrette rehausse agréablement la saveur du « Tofu d'été » (voir la recette à la page 131), d'une salade verte ou de « Tofu satiné »*.

* Pour plus de détails, se référer à la « Liste des ingrédients », à la page 19 .

Vinaigrette crémeuse au concombre

(Donne environ 500 mL (2 t.) de vinaigrette)

250 mL (1 t.) de tofu, écrasé
75 mL (¼ t.) de jus de limette
1 concombre moyen, tranché (ne peler que
   s'il a été enduit d'une pellicule de cire)
¼-½ c. à thé de sel de mer
100 mL (⅓ t.) de noix de cajou
2 c. à soupe d'oignon, haché
½ c. à thé de graines d'aneth (facultatif)

Battre tous les ingrédients au mélangeur, sauf les graines d'aneth, qu'on ajoute par la suite.

Cette sauce est également délicieuse comme trempette, avec des légumes ou des croustilles. Dans ce cas, ajouter environ 75 mL (¼ t.) de tofu de plus pour la rendre plus épaisse.

Vinaigrette à la tomate et au parmesan

Cette vinaigrette contient très peu de calories, et constitue un apport protéinique non négligeable. Comparez : 2 c. à soupe de cette sauce renferment 15 calories et un gramme de protéine, tandis qu'une vinaigrette traditionnelle à l'italienne s'élève à 116 calories et a à peine une faible trace de protéine pour la même quantité.

le jus d'un citron
1 tomate de grosseur moyenne
75 mL (¼ t.) de fromage parmesan râpé
75 mL (¼ t.) de tofu, écrasé en purée
1 gousse d'ail (ou plus, suivant le goût)
½ c. à thé de basilic

Battre tous les ingrédients au mélangeur.

Vinaigrette au fromage bleu et au tofu

(Donne environ 600 mL (2½ t.) de sauce)

Cette vinaigrette simple possède une texture crémeuse incomparable et a l'avantage de n'être pas trop riche.

250 mL (1 t.) de tofu, écrasé
250 mL (1 t.) de yogourt
200 mL (¾ t.) de fromage bleu, émietté
3 échalotes, hachées finement

Battre le tofu, le yogourt et 125 mL (½ t.) de fromage au mélangeur, de façon à obtenir une crème lisse et homogène.

Ajouter le reste du fromage, ainsi que les échalotes. Bien mélanger, mais ne pas battre la préparation.

Servir avec une salade verte.

Note : pour transformer cette vinaigrette en délicieuse trempette, réduire la quantité de yogourt, ou réfrigérer quelques heures.

Sauce au yogourt

(Donne 250 mL (1 t.) de sauce)

Facile à exécuter, très savoureuse et débordante de vitamine B.

250 mL (1 t.) de yogourt
2 c. à soupe de levure alimentaire (la marque Vogel's est délicieuse)
une pincée de sel de mer (selon le goût)
1 gousse d'ail, écrasée (facultatif)
2 c. à soupe de persil (facultatif)

Mélanger tous les ingrédients.

Servir cette sauce froide sur des croquettes, des curries ou des casseroles de légumes ou comme vinaigrette dans les salades.

119

Soyanaise

(Donne environ 250 mL (1 t.) de sauce)

250 mL (1 t.) de tofu, écrasé
2 c. à soupe de jus de citron
2 c. à soupe d'huile d'olive (ou d'eau)
½ c. à thé de sel de mer
1 c. à thé de moutarde de Dijon
1 gousse d'ail (plus ou moins, suivant le goût)
1 c. à thé de miel (facultatif)

Battre tous les ingrédients au mélangeur jusqu'à l'obtention d'une consistance lisse et crémeuse.

Note : une autre recette de base qui vous permet d'exercer votre créativité. Après que la crème a été battue au mélangeur, ajoutez-y :
— du céleri émincé finement
— de l'oignon
— du persil
— des cornichons
— des olives
— du poivron rouge ou vert
— vos herbes, épices et aromates préférés

Variante.

Créer une succulente sauce tartare en ajoutant les ingrédients suivants à la recette de base :

75 mL (¼ t.) de cornichons, hachés très finement
75 mL (¼ t.) d'échalotes
2 c. à soupe de persil
¼ c. à thé d'estragon

Les salades

Les salades

Vous constaterez que la plupart des mets végétariens contenus dans ce livre sont généralement accompagnés d'une large salade verte. En plus de ses qualités digestives reconnues, la salade ajoute une note colorée et appétissante au plus modeste repas. En hiver, alors que la laitue fraîche devient une denrée rare, servez plutôt une salade à base de chou, de carotte ou de choucroute. Une bonne salade ne demande pas d'être élaborée ou de préparation fastidieuse ; ayez toujours à l'esprit le précepte que les salades les plus simples sont souvent les meilleures. En appliquant les quelques conseils et suggestions qui suivent, vous pourrez par la suite créer une infinité de salades, une nouvelle pour chaque jour de l'année !

— Choisir parmi une grande variété de verdures fraîches et croustillantes. Pourquoi se limiter à la sempiternelle salade de laitue Iceberg et de tomates anémiques qu'on nous sert dans les restaurants ? Plusieurs autres possibilités s'offrent à nous : les épinards, les endives, le cresson, l'escarole, la laitue romaine ou la tendre salade Boston, le pissenlit, la chicorée, le persil et les germes de luzerne, constituent d'excellentes alternatives.

— Soyez généreux en calculant les portions : les légumes en feuilles contiennent si peu de calories qu'on peut en manger tout son soûl.

— Toujours nettoyer et assécher parfaitement votre verdure. Une essoreuse à salade est un outil idéal pour cette opération. Placer les feuilles de laitue (ou autre) nettoyées dans un bol tapissé d'un papier ou d'un chiffon qui absorbera l'excédent d'eau. Réfrigérer jusqu'au moment de servir.

— Ajouter la vinaigrette à la toute dernière minute et remuer délicatement la salade ; ayez soin de ne pas trop brasser, la salade deviendrait alors toute molle. Mes vinaigrettes favorites sont « La vinaigrette citronnée au shoyu » (voir p. 115), et la « Vinaigrette sans fond à l'ail » (voir p. 114). Les vinaigrettes crémeuses et épaisses conviennent plus spécialement dans les salades constituant un repas complet et doivent être déposées sur chaque bol de salade individuel, sans remuer la préparation.

La salade, un repas complet

Quand arrive l'été, on aime à manger des aliments frais, légers et rafraîchissants, qui demandent peu ou pas de cuisson, faciles et rapides à préparer. Laissez courir votre imagination, inventez des salades géantes et appétissantes, agencées de façon à constituer un repas complet. Pour ce faire, votre salade doit contenir tous les éléments nutritifs essentiels à un bon repas, c'est-à-dire une certaine quantité de protéines et d'hydrates de carbone, comme les haricots, les pommes de terre ou les pâtes alimentaires, ou être servie avec du bon pain de grain entier.

Voici quelques suggestions pour transformer certaines salades contenues dans ce livre en repas complets :

— SALADE NEPTUNE : servir sur un nid de verdure, arroser de yogourt et/ou couvrir d'œufs durs.

— SALADE DE RIZ À L'ARAME : ajouter quelques cubes de tofu ou servir avec les « Haricots adzuki en gelée » (voir recette p. 130) sur un nid de laitue et de germes de luzerne.

— SALADE D'AUBERGINE EXOTIQUE : disposer sur un nid de feuilles de laitue ou d'épinards, et accompagner de chapaties ou de tout autre pain de grain entier.

— SALADE AUX ŒUFS ET AU TOFU : servir sur un nid de verdure croustillante, avec des craquelins ou du pain de grain entier.

— SALADE D'INDONÉSIE : servir avec des légumes verts et du pain de grain entier.

— SALADE DE BOULGHOUR : ajouter des pois chiches cuits et servir sur un nid de laitue.

— SALADE DE TOFU : disposer la salade sur des feuilles de laitue ou de cresson et accompagner de pain de seigle au levain.

— SALADE DE MACARONI : ajouter de la verdure fraîche et croustillante, ainsi qu'un des ingrédients suivants :
- 125 mL (½ t.) de fromage râpé
- 250 mL (1 t.) de cubes de tofu
- 250 mL (1 t.) de pois chiches cuits et égouttés

Comment créer votre salade/repas en 5 étapes :

Préparer cette salade sur des assiettes individuelles et utiliser l'imagination et la créativité en disposant joliment les garnitures choisies.

1. Débutez en plaçant un nid de verdure tendre au fond de l'assiette, en utilisant une des laitues suivantes :
   - laitue romaine
   - salade Boston
   - laitue bibb ou « Buttercrunch »

2. Ajouter quelques feuilles de verdure au goût plus prononcé :
   - cresson
   - épinards
   - pissenlit
   - endive
   - escarole
   - chicorée

3. Ajouter un choix de 3 ou 4 des légumes suivants, crus ou cuits :

Crus	**Cuits**
• carottes râpées	• pois
• pois mange-tout	• haricots verts
• champignons, émincés finement	• betteraves
	• pommes de terre

- concombres, tranchés finement
- chou rouge, finement tranché
- tomates, hachées ou tranchées
- fleurettes de chou-fleur ou de brocoli
- fèves mung germées
- poivrons vert et rouge tranchés
- radis
- choucroute

coupées en dés (additionnées de persil, jus de citron et d'un peu d'huile d'olive)
- navet, taillé en cubes
- carottes tranchées
- têtes d'asperges
- cœurs d'artichauts

4. Ajouter une source de protéines parmi les suivantes :
   - N'importe quelle variété de haricots cuits. Pour en rehausser la saveur, vous pouvez les faire mariner dans une sauce citronnée au shoyu ou la « Vinaigrette sans fond à l'ail » (voir p. 114) pendant une heure ou plus avant de servir.
   - Des cubes de tofu marinés dans un mélange de shoyu, d'eau et de jus de citron (ou de vinaigre de vin, de riz ou de cidre) et égouttés.
   - Des restes de tempeh cuit.
   - Des œufs durs avec du fromage.
   - Du fromage bleu émietté.
   - Du fromage cottage, additionné d'échalotes, de persil et de céleri émincé.
   - Du fromage feta. Composez une merveilleuse salade grecque : tomates, oignons, concombre, olives, et une sauce à l'huile d'olive, basilic et origan.
   - Des tranches d'un bon fromage ferme, tel le Jarlsberg ou le gruyère.
   - Du fromage mozzarella râpé, mêlé à un peu de persil, de jus de citron, de basilic, et un soupçon d'huile d'olive.

5. Décorer finalement la salade d'une des garnitures au choix :
   - olives
   - échalotes hachées

- fines tranches d'oignons doux des Bermudes ou d'oignons espagnols
- germes de luzerne
- moitiés de noix de Grenoble ou de pacanes
- amandes au tamari (voir recette p. 68)
- des croûtons de pain de grain entier à l'ail

Dégustez maintenant votre chef-d'œuvre, arrosé d'une vinaigrette crémeuse, et accompagné de pain de grain entier amoureusement boulangé à la maison !

Salade de tofu

(1 portion)

Vous désirez un repas à la fois nourrissant, léger et rapide ? Essayez cette savoureuse salade !

250	**mL (1 t.) de tofu, émietté**
100	**mL (⅓ t.) de céleri, finement haché**
½	**poivron rouge ou vert, coupé en dés**
1	**petite carotte, râpée**
2	**échalotes, hachées**
1	**c. à soupe de shoyu**
1-2	**c. à soupe de jus de citron**
	Quelques gouttes d'huile de sésame rôti
1	**gousse d'ail, pressée (facultatif)**
1	**c. à soupe de levure alimentaire**

Mélanger tous les ingrédients.

Servir sur un nid de feuilles de laitue.

Note : cette recette est devenue un mets familier à notre table ; on ne s'en lasse pas, car sa forme varie à chaque fois, selon les légumes qui nous tombent sous la main.

Aspic crémeux au tofu

(6 portions)

> 4 c. à soupe de flocons d'agar-agar (1 bâtonnet)
> 600 mL (2½ t.) de jus de tomate
> 250 mL (1 t.) de maïs en grains, frais ou congelé
> 375 mL (1½ t.) de tofu écrasé
> 1 gousse d'ail
> 2 c. à soupe de jus de citron
> 1 poivron vert moyen, émincé finement
> 1 c. à thé de basilic

Mettre les flocons d'agar-agar, le jus de tomate et le maïs dans une casserole. Faire cuire jusqu'à ce que l'algue soit dissoute.

Mêler le tofu, l'ail et le jus de citron au mélangeur jusqu'à l'obtention d'une consistance crémeuse.

Verser la crème de tofu dans la marmite, ajouter le poivron vert et le basilic et bien remuer.

Verser dans un moule de 1,1 L (4½ t.) légèrement huilé.

Réfrigérer jusqu'à ce que la gelée soit prise, environ 2 heures. Démouler sur un nid de verdure fraîche.

Aspic royal de Céline

500 mL (2 t.) de betteraves, cuites et râpées
750 mL (3 t.) du liquide de cuisson des
betteraves
2 feuilles de laurier
1 bâton d'agar-agar, déchiré en morceaux
3 c. à soupe de jus de citron
2 c. à soupe de miel
½ c. à thé de sel de mer

Couper les betteraves (environ 4 de grosseur moyenne) en deux ou en quartiers. Les faire bouillir jusqu'à ce qu'elles soient tendres. Laisser refroidir suffisamment pour pouvoir les râper par la suite.

Mesurer l'eau de cuisson des betteraves, si nécessaire rajouter de l'eau pour avoir 750 mL (3 t.) de liquide.

Mettre l'eau, les feuilles de laurier et les morceaux d'agar-agar dans une casserole et faire cuire jusqu'à ce que l'algue soit complètement dissoute. Retirer les feuilles de laurier.

Incorporer les betteraves, le jus de citron, le miel et le sel à la préparation.

Verser dans un moule ou un bol légèrement huilé. Réfrigérer quelques heures, jusqu'à ce que la gelée soit prise.

Démouler sur un lit de verdure. Garnir avec la sauce « Soyanaise » (voir p. 120).

Haricots adzuki en gelée

(4 portions)

500 mL (2 t.) d'eau
1 bâton d'agar-agar, déchiré en 6-8 morceaux
3 feuilles de laurier
500 mL (2 t.) de haricots adzuki, cuits
2 prunes umeboshi, dénoyautées
1 c. à soupe de jus de citron
1 c. à soupe de shoyu
3 c. à soupe de persil, haché
100 mL (⅓ t.) de moitiés de pacanes

Faire bouillir l'eau, avec l'agar-agar et les feuilles de laurier. Couvrir et cuire jusqu'à ce que l'algue soit dissoute, 5 à 10 minutes. Retirer les feuilles de laurier.

Au mélangeur, battre ce liquide avec le reste des ingrédients sauf le persil et les pacanes. Ajouter le persil.

Rincer un moule de 28 × 20 cm (11″ × 7″) à l'eau froide pour prévenir l'aspic de coller aux parois du moule. Verser la préparation dans le moule et garnir de moitiés de pacanes.

Réfrigérer jusqu'à ce que la gelée soit prise, au moins une heure.

Note : composez un repas d'été à la fois nourrissant et rafraîchissant, en accompagnant d'une salade de riz à l'arame (cette recette est expliquée à la page 142).

Tofu d'été

(De 4 à 6 portions)

Succulent et d'un goût très doux.

    1 bâton d'agar-agar
500 mL (2 t.) d'eau
375 mL (1½ t.) de tofu, écrasé à la fourchette
    1 c. à soupe de miel

Briser l'agar-agar en miettes et le faire bouillir dans 500 mL (2 t.) d'eau, jusqu'à ce que l'algue soit dissoute.

Battre le tofu et le miel au mélangeur, jusqu'à l'obtention d'une consistance crémeuse.

Ajouter l'agar-agar et fouetter au mélangeur quelques instants.

Verser la préparation dans un moule rectangulaire de 19 cm × 29 cm (7½″ × 11½″) et réfrigérer jusqu'à ce que le mélange soit pris.

Couper en carrés, rectangles ou losanges.

Servir froid sur un lit de laitue ou de cresson et arrosé de sauce au tahini et au yogourt (cette recette est expliquée à la page 117).

Salade de macaroni Suprême

(De 4 à 6 portions)

500 mL (2 t.) de macaroni de blé entier, crus
500 mL (2 t.) de carottes, tranchées
175 mL (⅔ t.) de petits pois, fraîchement
     écossés (ou congelés)
125 mL (½ t.) de céleri, haché
125 mL (½ t.) d'oignon rouge espagnol, haché
  4 c. à soupe d'huile d'olive
  2 c. à soupe de shoyu
  2 c. à soupe de vinaigre de vin
  1 c. à thé de poudre de raifort (facultatif)
  1 c. à thé de basilic
  1 gousse d'ail ou plus (facultatif)
250 mL (1 t.) de yogourt (facultatif)

Faire cuire les macaroni dans une grande marmite d'eau bouillante. Égoutter et rincer sous un filet d'eau froide jusqu'à ce que les macaroni soient bien refroidis.

Cuire les carottes à la vapeur jusqu'à ce qu'elles soient presque tendres, ajouter les petits pois et poursuivre la cuisson jusqu'à ce que les légumes soient cuits.

Mélanger les macaroni aux légumes cuits et crus.

Composer la vinaigrette en mélangeant l'huile, le shoyu, le vinaigre, le raifort, l'ail et le basilic. Verser la vinaigrette sur le mélange de macaroni et de légumes. Bien mélanger et réfrigérer.

Note : Si désiré, incorporer 250 mL (1 t.) de yogourt à la salade, juste avant de servir. Dans ce cas, on peut omettre l'huile, en tout ou en partie.

Salade de boulghour

(6 portions)

Cette recette constitue une variante d'un plat traditionnel du Moyen-Orient, le tabouli. Idéal pour un pique-nique estival ou un buffet froid.

750 mL (3 t.) d'eau bouillante
375 mL (1½ t.) de boulghour
75 mL (¼ t.) d'huile d'olive
125 mL (½ t.) de jus de citron
1 c. à thé de basilic
4 gousses d'ail, écrasées
250 mL (1 t.) de persil, haché
250 mL (1 t.) de pois mange-tout, crus et coupés en morceaux, ou très légèrement cuits ou des petits pois, frais ou congelés
375 mL (1½ t.) de carottes, râpées
2 branches de céleri, finement hachées
6 échalotes, hachées
½ c. à thé de sel de mer

Verser l'eau bouillante sur le boulghour. Retirer la casserole du feu, couvrir et laisser en attente, jusqu'à ce que l'eau soit complètement absorbée, environ 30 minutes. Refroidir avant d'ajouter le reste des ingrédients au boulghour. Bien mélanger. Refroidir avant de servir.

Note : pour que cette salade devienne un repas complet, y ajouter environ 375 mL (1½ t.) de pois chiches cuits, dresser sur un nid de laitue, ou servir avec du yogourt.

Salade casaverde

600 mL (2½ t.) de haricots verts, en morceaux
de 3 cm (1″)
500 mL (2 t.) de fleurettes de brocoli

Marinade :

250 mL (1 t.) d'eau de cuisson des légumes
  1 c. à thé de basilic
125 mL (½ t.) d'oignons doux des Bermudes,
finement tranchés
  1 c. à thé de moutarde de Dijon
 75 mL (¼ t.) de shoyu
 75 mL (¼ t.) de jus de citron
  2 c. à soupe d'huile d'olive
  2 tomates mûres
125 mL (½ t.) de persil, haché finement
 75 mL (¼ t.) de menthe fraîche, hachée
finement ou 1 c. à thé de menthe séchée

Cuire les haricots à la vapeur pendant 8 minutes. Ajouter le brocoli et cuire environ 7-8 minutes, jusqu'à ce que les légumes soient attendris mais encore croustillants.

Pendant que l'eau formée à la cuisson est encore chaude, en réserver 250 mL (1 t.) et y ajouter le basilic, l'oignon, la moutarde, le shoyu et le jus de citron. Verser sur les légumes égouttés.

Faire mariner le mélange pendant quelques heures, en brassant occasionnellement. Égoutter, conserver le liquide de la marinade pour d'autres recettes (soupes, tofu mariné ou autres légumes).

Ajouter le reste des ingrédients et goûter. Rectifier l'assaisonnement si nécessaire en rajoutant 1 c. à thé de shoyu ou 1 c. à soupe de jus de citron.

Salade de concombre au yogourt

(De 4 à 6 portions)

      2 concombres moyens, coupés en bâtonnets
         très minces
     10 radis, tranchés finement
      3 échalotes, tranchées finement
    100 mL (⅓ t.) de persil, haché
    125 mL (½ t.) de noix de Grenoble, hachées
    500 mL (2 t.) de yogourt
      ½ c. à thé de sel de mer
      1 c. à thé de graines d'aneth
         le jus d'un demi-citron
      2 ou 3 gousses d'ail émincées (au goût)

Mélanger tous les ingrédients.

Réfrigérer au moins une demi-heure avant de servir.

Entrée aux champignons

    450 g (1 lb) de champignons
    500 mL (2 t.) d'huile d'olive
    175 mL (⅔ t.) de shoyu
    5-6 gousses d'ail
      1 c. à thé de basilic
      ½ c. à thé d'origan
      2 feuilles de laurier

Laver les champignons et les couper en tranches épaisses.

Mélanger le reste des ingrédients et les ajouter aux champignons. Mettre dans un bol de verre ou de céramique. Couvrir et réfrigérer aux moins 3 heures.

Note : le reste de marinade peut servir de vinaigrette à salade, en y ajoutant un peu de jus de citron.

Salade de haricots verts

(De 4 à 6 portions)

450 g (1 lb) de haricots verts, frais
  2 c. à soupe d'huile d'olive
  2 c. à soupe de tamari
  2 c. à soupe de moutarde de Dijon
  2 gousses d'ail, écrasées
100 mL (⅓ t.) d'oignons doux des Bermudes, émincés très finement
100 mL (⅓ t.) de poivron rouge doux, émincé très finement
  2 c. à soupe de persil, émincé

Laver et couper les extrémités des haricots verts, mais les laisser entiers. Les faire cuire à la vapeur quelques minutes à peine, car ils doivent rester croquants.

Placer immédiatement les haricots égouttés encore chauds dans un grand contenant peu profond. Verser la marinade sur les légumes et bien les enrober. Ajouter oignons, poivron, persil et mélanger délicatement.

Réfrigérer au moins 2 heures avant de servir.

Salade d'Indonésie

(2 portions considérées comme repas complets)

225 g (8 oz) de tempeh
75 mL (¼ t.) de tahini
2 c. à soupe d'huile d'olive
2 c. à soupe de jus de citron
2 c. à soupe de shoyu
½ c. à thé de thym
100 mL (⅓ t.) d'oignon, émincé
1 ou 2 gousses d'ail, écrasées
125 mL (½ t.) de carottes râpées
2 c. à soupe de persil, haché

Hacher le tempeh en petits morceaux et le faire cuire à la vapeur pendant environ 20 minutes.

Mélanger le tahini, l'huile, le jus de citron, le shoyu et le thym. Verser sur le tempeh et réfrigérer.

Préparer oignon, carottes, ail et persil et les incorporer à la première préparation.

Servir sur un nid de verdure ou comme garniture de sandwiches.

Salade exotique à l'aubergine

(4 portions)

875 mL (3½ t.) de pommes de terre, coupées en cubes de 1,2 cm (½″) (2 grosses)
2 c. à soupe d'huile d'olive
1 aubergine moyenne, coupée en cubes de 1,2 cm (½″)
1 c. à thé de sarriette
½ c. à thé d'origan
¼ c. à thé de graines de céleri
75 mL (¼ t.) d'eau
3 c. à soupe de jus de citron
75 mL (¼ t.) d'eau ou le liquide de cuisson des pommes de terre
100 mL (⅓ t.) de tahini
½ c. à thé de sel de mer
125 mL (½ t.) d'oignon, émincé
1 gousse d'ail, pressée (ou plus, suivant le goût)
250 mL (1 t.) de persil, finement haché

Brosser les pommes de terre et les faire cuire dans une petite quantité d'eau jusqu'à ce qu'elles soient tendres.

Pendant ce temps, faire chauffer l'huile dans une marmite, y faire revenir l'aubergine, la sarriette, l'origan et les graines de céleri. Remuer pendant quelques minutes au-dessus d'un feu moyennement vif.

Ajouter l'eau. Remuer rapidement, réduire la chaleur, couvrir la marmite et laisser mijoter jusqu'à ce que l'aubergine soit tendre, environ 5 minutes.

Égoutter les pommes de terre, et réserver 75 mL (¼ t.) du liquide de cuisson. Mélanger ensemble les pommes de terre et l'aubergine. Réfrigérer.

Dans un petit bol, battre le jus de citron avec l'eau de cuisson, le tahini et le sel. Ajouter aux légumes.

Incorporer l'oignon, l'ail et le persil et bien mélanger.

Servir sur un nid de laitue et garnir de germes de luzerne.

Variante : ajouter 100 mL (⅓ t.) de yogourt en même temps que le tahini.

Salade « Neptune »

(De 4 à 6 portions)

1,2 L (5 t.) de pommes de terre, brossées et coupées en dés
250 mL (1 t.) d'oignons, finement hachés (oignons doux des Bermudes, de préférence)
75 mL (¼ t.) d'huile d'olive
75 mL (¼ t.) de jus de citron (ou moins, suivant le goût)
1 c. à thé de moutarde de Dijon
4 gousses d'ail, émincées ou écrasées
Sel de mer, au goût
125 mL (½ t.) d'algue dulse, lavée et hachée grossièrement
375 mL (1½ t.) de cresson, lavé et haché

Faire cuire les pommes de terre, puis les égoutter. (Vous pouvez conserver l'eau de cuisson pour la confection du pain).

Mêler les pommes de terre cuites avec l'oignon.

Mélanger huile d'olive, jus de citron, moutarde, ail, et sel. Verser cette sauce sur les pommes de terre et bien mêler.

Réfrigérer. Quand la salade est bien froide, ajouter l'algue dulse et le cresson. Réserver quelques brins de cresson pour décorer le plat.

Note : cette salade reste bien fraîche pendant plusieurs jours.

Salade aux œufs et au tofu

(4 portions)

   4 œufs cuits durs
375 mL (1½ t.) de tofu, émietté
125 mL (½ t.) d'oignons doux des Bermudes, finement hachés
125 mL (½ t.) de carottes, râpées
175 mL (⅔ t.) de pois mange-tout, hachés, ou de petits pois, légèrement cuits
250 mL (1 t.) de yogourt
   2 c. à soupe de moutarde de Dijon
 ½ c. à thé de sel de mer
 ¼ à ½ c. à thé de graines d'aneth
 ½ c. à thé de curcuma
1-2 c. à soupe de jus de citron

Mélanger tous les ingrédients.

Dresser sur un nid de laitue fraîche et croquante.

Variante : ajouter 250 mL (1 t.) de blé germé à cette recette.

Salade de courgettes au yogourt

(De 4 à 6 portions)

   6 courgettes, bien lavées, brossées et coupées en fins bâtonnets
500 mL (2 t.) de yogourt
   2 gousses d'ail, écrasées
   3 c. à soupe d'huile d'olive
     une pincée de sel de mer
 ¼ c. à thé de graines d'aneth

Mélanger tous les ingrédients.

Réfrigérer au moins une heure avant de servir.

Salade pique-nique

   1 L (4 t.) de haricots verts ou jaunes, taillés
en morceaux de 3 cm (1″)
 250 mL (1 t.) de carottes, tranchées
 375 mL (1½ t.) de pois mange-tout, coupés en
morceaux
 125 mL (½ t.) d'oignon, émincé
  75 mL (¼ t.) d'huile d'olive
   2 c. à soupe de jus de citron
   2 c. à soupe de jus de limette
    ou
   4 c. à soupe d'un des deux (ou moins, selon
le goût)
   2 c. à soupe de moutarde de Dijon
 3-4 gousses d'ail, écrasées
 250 mL (1 t.) de persil, haché
 100 mL (⅓ t.) d'olives noires, tranchées
  ½ c. à thé de sel (rectifier selon le degré de
salinité des olives)

Faire cuire les haricots et les carottes à la vapeur jusqu'à
ce qu'ils soient tendres, mais encore croustillants. Ajouter
les pois mange-tout et faire cuire très peu, jusqu'à ce qu'ils
prennent une belle couleur vert clair.

Égoutter les légumes et mélanger avec l'oignon, l'huile, les
jus de citron et de limette, la moutarde et l'ail. Réfrigérer.

Ajouter le persil et les olives et servir.

Salade de riz à l'arame

(4 portions)

   1 recette d'assaisonnement à l'arame, égoutté
     (voir recette page 143)
 750 mL (3 t.) de riz brun, cuit
 375 mL (1½ t.) de carottes, râpées
 250 mL (1 t.) de pois mange-tout, hachés ou de
     petits pois, frais ou congelés, légèrement
     cuits
 250 mL (1 t.) de persil, haché
   2 c. à soupe de vinaigre de riz
   2 c. à soupe d'huile
   1 gousse d'ail, écrasée (plus ou moins,
     suivant le goût)
  ¼ c. à thé de sel de mer (facultatif)

Mélanger tous les ingrédients. Réfrigérer.

Servir sur un nid de feuilles de laitue avec des haricots adzuki en gelée (recette page 130).

Choucroute en salade

(4 portions)

 375 mL (1½ t.) de choucroute, dans son jus
 375 mL (1½ t.) de champignons, tranchés
 250 mL (1 t.) de persil, haché
   2 gousses d'ail, écrasées
  75 mL (¼ t.) d'oignon, émincé
   2 c. a soupe d'huile d'olive
  ½ c. à thé de graines de carvi

Mélanger tous les ingrédients et servir.

142

Assaisonnement à l'arame

(Donne 250 mL ou 1 t.)

250 mL (1 t.) d'arame, trempé et égoutté*
2 c. à soupe de shoyu
3 c. à soupe d'eau
1 c. à thé d'huile de sésame

Mettre tous les ingrédients dans une petite casserole et cuire à découvert sur un feu modéré pendant 5 minutes.

Usages :
— avec la salade de riz à l'arame (page 142)
— ajouter à des légumes cuits, des plats de céréales entières ou de légumineuses
— utiliser dans les salades, les soupes ou les garnitures à sandwiches

Ce condiment se conserve bien au réfrigérateur pendant au moins une semaine. Préparez-en à l'avance une bonne quantité et rehaussez la saveur et la valeur nutritive de vos plats.

* 250 mL (1 t.) d'arame trempé est égale à la même quantité d'arame sec.

Salade germée

(4 portions)

500 mL (2 t.) de germes de luzerne
250 mL (1 t.) de germes de lentilles
250 mL (1 t.) de germes de tournesol
125 mL (½ t.) de germes de radis
125 mL (½ t.) de germes de graines de céleri

Mélanger tous les germes ensemble et servir avec une vinaigrette à l'avocat et au yogourt (cette recette est expliquée à la page 115).

La germination

Grâce à la germination, nous pouvons maintenant être beaucoup plus autonomes concernant l'approvisionnement de nourriture fraîche pendant l'hiver. En effet, les germes satisfont notre besoin de verdure fraîche durant ces longs mois. Aussi, essayez de toujours avoir des graines à différents degrés de germination dans votre cuisine. La germination augmente la valeur nutritive des graines, particulièrement en vitamine C, et les rend aussi plus faciles à digérer. Mon livre précédent « La grande cuisine végétarienne » contenant un chapitre fort détaillé sur la germination, je n'en rappellerai que les grandes lignes ici, complétées des plus récentes informations dans ce domaine.

Quoi faire germer

Tout grain entier ou haricot germera, à l'exception bien entendu, des haricots brisés ou des pois cassés. (Voir les informations concernant les légumineuses, aux pages 228-230). Le blé dur ou le blé mou, le seigle, l'avoine, sont idéals pour la germination. Le riz, le millet et le sarrasin que l'on utilise pour la cuisson ne se prêtent pas à la germination.

Les graines de luzerne sont les plus populaires parmi les grains germés et rehaussent la saveur de maints plats ou sandwiches. Par exemple, essayez cette salade différente et un peu épicée : mélanger un peu de tous ces grains germés, de moutarde, de chou, de cresson, de persil et de germes de luzerne.

Les grains de trèfle germent facilement, produisant des germes légèrement plus volumineux que ceux de luzerne et possédant une saveur très douce. Les graines de fenu grec germées ajouteront une note exotique à vos salades et curry. Les graines de tournesol et de sésame produisent également des germes intéressants. N'utiliser que les graines vendues en magasin dans le but de la consommation ou la germination, car les graines de jardin peuvent avoir été traitées avec des produits chimiques.

Comment faire pousser les germes

1. Faire tremper les graines dans l'eau de 8 à 10 heures. Utiliser suffisamment d'eau de façon à ce que les graines en soient recouvertes de 5 cm (2″) environ.

2. Égoutter les graines et les rincer. Placer le bocal dans un endroit tiède, tel que votre comptoir de cuisine.

3. Rincer deux ou trois fois par jour, jusqu'à ce que les graines atteignent leur grosseur optimale.

Ustensiles à utiliser

1. Un pot de 1 L (4 t.) ou de 4 L (1 gal), selon la quantité de grains qu'on fait germer. Couvrir l'ouverture du pot d'un coton à fromage.

2. Un bol ordinaire. Faire tremper les graines dans ce bol. Rincer à l'aide d'une passoire de métal. Remettre les graines dans le bol.

3. Un appareil commercial de germination. Cet appareil facilite un peu la germination car on peut oublier parfois de rincer les graines et elles germeront quand même. C'est un outil pratique mais non pas indispensable.

Quantités à utiliser

Les petites graines, comme celles de luzerne, de trèfle, de cresson, de moutarde, se développent de façon très volumineuse à la germination. 2 c. à soupe de graines de luzerne, par exemple, donneront 1 L (4 t.), une fois germées. Les grains plus gros à l'origine, tels que le blé et les lentilles, ne produisent pas de gros germes, aussi faut-il en mettre un peu plus. Environ 500 mL (2 t.) de blé seront suffisants pour la confection du pain à l'essène (voir recette page 186). 250 mL (1 t.) de lentilles servent environ de 2 à 4 personnes, une fois germées.

Jeunes pousses de tournesol

Ces feuilles tendres et légèrement croustillantes, riches en chlorophylle, donneront un goût de soleil et d'été à vos salades de janvier. Le procédé de germination est différent des autres graines, puisque ces grains poussent dans la terre.

Faire tremper environ 125 mL (½ t.) de graines de tournesol dans l'eau pendant une nuit. Les égoutter et les rincer. On peut les faire germer un jour ou deux, de la même façon que les autres graines, juste assez pour débuter le procédé, si désiré.

Remplir une grande plaque à biscuits de terre noire, y distribuer les graines également. Couvrir ensuite d'une très légère couche de terre. Laisser le plateau dans un endroit chaud et bien éclairé. Garder la terre toujours humide en y pulvérisant de l'eau régulièrement. Cueillir les germes en les coupant au ciseau quand ils atteignent environ 7,5 cm (3″) de haut, environ 5-7 jours. La terre peut être réutilisée pour faire germer de nouvelles graines.

Servir les feuilles de tournesol dans la salade.

Les légumes

Les légumes

Mode de préparation et de cuisson des légumes.

La règle d'or pour réussir un plat de légumes invitant et savoureux s'appelle la simplicité. Quel malheur, en effet, de masquer par un assaisonnement trop lourd, le goût merveilleux et inimitable d'un légume fraîchement cueilli, gorgé de soleil et de vitamines. En été, il faut profiter de l'abondance de produits frais disponibles dans nos marchés, puisque la saison est si courte. Les légumes de jardin, si tendres déjà, seront cuits très légèrement et dégustés dans leur plus simple appareil, sans aucun assaisonnement, incluant le sel et le beurre.

Bien sûr, l'approvisionnement dans les marchés et pendant les mois d'hiver, ne garantit pas les mêmes qualités de fraîcheur et de choix, aussi les légumes nécessiteront dans ce cas une préparation un peu plus élaborée, mais qui peut et doit être réalisée d'une façon saine et simple.

Pour assaisonner les légumes, quelques gouttes d'huile d'olive mêlée à du jus de citron, ou mieux, le citron seulement relèvera délicatement la saveur des légumes. Une légère vinaigrette composée de citron, de shoyu et d'ail convient aussi bien à presque tous les légumes cuits qu'à une salade verte.

La nature, dans son immense diversité, a pourvu chaque légume de propriétés uniques, et c'est à leur état le plus naturel, sans souci de transformations compliquées, qu'on est à même de découvrir leur spécificité. Avec des produits de saison et de haute qualité, cuits à la perfection, à la seconde près, aucun risque d'erreur, les légumes auront un goût divin !

Préparation des légumes

On n'insistera jamais assez sur l'importance de nettoyer parfaitement les fruits et les légumes avant de s'en servir, particulièrement ceux dont on ne connaît pas la provenance. Les végétaux importés sont presque tous passés à la fumigation, et tous les légumes achetés dans le commerce contiennent probablement des résidus de produits insecticides.

Pour conserver la valeur nutritive des légumes, les laver parfaitement, sans toutefois les laisser baigner dans l'eau. On ne doit éplucher, couper ou équeuter un légume qu'une fois lavé, jamais avant. Ne peler seulement que les légumes à peau épaisse, comme les courges d'hiver ou les tiges de brocolis, et ceux qui ont été enduits d'une pellicule de cire.

Temps de cuisson

Il est impossible de donner des temps de cuisson justes et identiques pour les légumes. Trop de facteurs entrent ici en jeu, tels que le degré de fraîcheur et de taille du légume, la façon dont il a été coupé, la grosseur des morceaux, et même le type de marmite utilisé. Il faut donc surveiller attentivement et fréquemment la cuisson des légumes, pour éviter qu'ils ne soient trop cuits.

Modes de cuisson

— Légumes bouillis : cette méthode est préférable si les légumes sont servis avec le liquide de cuisson, comme dans une soupe ou un ragoût, car c'est dans le bouillon que se retrouvent alors les précieux minéraux et vitamines. Une petite quantité d'eau, soit 5 cm (2″) ou moins dans le fond de votre casserole, suffira à cuire la majorité des légumes. Couvrir hermétiquement la marmite et vérifier de temps à autre s'il y a suffisamment d'eau au fond.

— Cuisson à la vapeur : cuits de cette façon, les légumes n'entrent pas en contact direct avec l'eau, et conservent ainsi plus de saveur et de valeur nutritive que les légumes bouillis. Placer une passoire ou un cuiseur à vapeur (marguerite) dans une casserole contenant environ 3 cm (1″) d'eau. Couvrir et amener à ébullition. Ajouter les légumes, remettre le couvercle et faire cuire jusqu'à ce que les légumes soient tendres, mais encore croustillants.

— Marmite à pression : la cuisson sous pression, contrairement à ce que certains pensent, ne « tue » pas les légumes. La chaleur dégagée est très élevée, il est vrai, mais le temps de cuisson tellement réduit, que les vitamines ne sont pas plus détruites que sous l'effet de la cuisson à la vapeur. Encore ici, il faut garder toute son attention, car quelques secondes à peine suffisent pour que les légumes deviennent trop cuits. Pour plus de détails sur ce mode de cuisson, se référer au chapitre de « Prêt-à-manger style végétarien », p. 337.

— Légumes cuits à la chinoise : cette méthode consiste à faire frire les légumes dans une toute petite quantité d'huile, au-dessus d'un feu très vif. La cuisson s'accomplit rapidement, et il faut couper les légumes en petits morceaux, pour leur permettre de cuire complètement. Après avoir fait rissoler les légumes à feu vif, jusqu'à ce qu'ils commencent à cuire, réduire la chaleur, couvrir la marmite et poursuivre la cuisson dans leur jus, en ajoutant un peu d'eau si les légumes semblent secs. Les légumes sont à point quand ils sont tendres mais encore croustillants. Les légumes contenant peu d'eau, tels que les haricots verts, les pommes de terre, le maïs et les pois, ne se prêtent pas à ce mode de cuisson.

— Légumes sautés : ce procédé ressemble au précédent, seulement le degré de cuisson diffère, soit un feu modéré dans ce cas. Les légumes prennent un peu plus de temps à cuire.

— Cuisson au four : les pommes de terre, les patates douces, les courges d'hiver, les citrouilles, les navets, les rutabagas, les betteraves, ainsi que les oignons, peuvent tous être cuits entiers avec la peau. Le temps de cuisson est en moyenne d'une heure, selon la grosseur des légumes. Les très grosses courges, les citrouilles, les betteraves et les rutabagas demanderont jusqu'à 2 heures de cuisson. Placer les légumes dans un plat de cuisson couvert et contenant juste assez de liquide ou d'huile pour les empêcher de coller.

Conservation des légumes

Les légumes frais doivent être conservés au réfrigérateur et bien couverts (à l'exception des pommes de terre, des oignons, etc.) car le contact avec l'air cause la déshydratation et la perte de vitamines. Utiliser les restes de légumes cuits aussitôt que possible, et les servir préférablement froids dans les salades, ou ajoutés dans une soupe à la dernière minute. Ils constituent également une bonne garniture pour les crêpes et les omelettes.

Réserver toujours le liquide résultant de la cuisson des légumes, car il est très riche en minéraux, et ajoute de la saveur aux sauces, soupes et ragoûts. Si vous n'utilisez pas le bouillon rapidement, conservez-le au congélateur dans un contenant fermé. Chaque fois que vous cuirez des légumes, ajoutez-y l'eau de cuisson et garder au congélateur jusqu'au moment de vous en servir.

Les feuilles de pissenlits

Le goût frais, vivifiant, et légèrement amer des feuilles de pissenlits est accueilli avec bonheur après un long hiver de repas lourds et chargés de féculents. C'est l'occasion d'un bon « ménage du printemps », car les feuilles de pissenlits semblent détenir la faculté de purifier le sang et de neutraliser l'excédent d'acidité.

Les feuilles de pissenlits ont l'avantage d'être gratuites, abondantes et très nourrissantes : 100 g (3½ oz) contiennent 45 calories et 2.7 g de protéines, 14,000 IU de vitamine A, 35 mg de vitamine C, 187 mg de calcium et 3.1 mg de fer. À titre de comparaison, une petite orange de Valence (6 cm - 2½″ de diamètre) contient 48 mg de vitamine C ; 225 g (½ lb) de foie de veau contient 3.2 mg de fer ; 120 mL (½ t.) de lait entier possède 145 mg de calcium.

152

Les feuilles de pissenlits doivent être cueillies hâtivement, avant que les fleurs n'ouvrent. Les nettoyer parfaitement et conserver au réfrigérateur dans un contenant fermé hermétiquement.

Ajouter les pissenlits crus dans toutes les salades. Allez-y parcimonieusement au début, car leur goût prononcé peut surprendre, puis soyez aussi généreux que vous le désirez.

Les « têtes de violon »

Au réveil de la nature, dès le printemps, les « têtes de violon » sont les premiers végétaux comestibles à faire leur apparition, de concert avec les pissenlits. Leur goût se rapproche de celui de l'asperge, en plus tendre et raffiné.

Le surnom « tête de violon » provient de leur ressemblance avec une crosse de violon, lorsque la future feuille de fougère (du type « Ostrich Fern ») est encore enroulée sur elle-même. Si vous partez à la recherche de ces délicieuses pousses, attention de ne pas les confondre avec celles de la fougère « cannelle » (« Cinnamon Fern »), de la même forme mais recouverte d'un duvet brûnatre et d'un goût très amer.

Les têtes de violon doivent être cueillies quand elles sont encore très jeunes, ce qu'on reconnaît à leur apparence de spirale très resserrée sur elle-même. À un état de maturité plus avancé, les fougères développent un goût amer et peuvent même être toxiques.

Si vous avez la chance de posséder un carré de fougère près de chez vous, soignez-le comme un trésor précieux. Prenez la précaution, en cueillant les têtes, d'en laisser suffisamment pour assurer la reproduction.

Comment servir les têtes de violon

— Bien les nettoyer et les servir quand elles sont très fraîches.

- Faire cuire à la vapeur très légèrement (pas plus de 5 minutes) et servir nature comme légume d'accompagnement, avec une sauce béchamel légère ou une sauce au citron.

- Ajouter à un plat de légumes cuits à la chinoise.

- Dans les omelettes.

- Crues, dans les salades.

- Remplacer les asperges par les têtes de violon dans n'importe quelle recette.

Marrons grillés

Subtilement sucrés, les marrons grillés transformeront un simple repas d'hiver en un festin chaleureux. Ils peuvent être servis comme accompagnement au mets principal, ou constituer un dessert sain et délicieux.

Tracer une incision au couteau dans chaque marron. Cette précaution est fort utile, sinon vos marrons exploseront littéralement à la cuisson !

Mettre les marrons dans une casserole épaisse et couvrir. Faire rôtir au-dessus d'un feu moyen pendant environ 20 minutes, en remuant de temps à autre.

Une autre méthode de cuisson consiste à les faire cuire au four, sur une plaque à biscuits non huilée, à 190°C (375°F) de 15 à 20 minutes.

On peut aussi envelopper les marrons d'un papier aluminium et les placer directement dans les braises chaudes (au feu de bois de foyer, ou sous le grill). Le temps de cuisson dépendra de la chaleur du feu, donc vérifier l'état de vos marrons après 10 minutes environ de cuisson.

Mode de cuisson des citrouilles et des courges

Si les courges d'hiver ne font pas encore partie intégrante de votre menu régulier, vous vous privez ainsi d'un aliment de qualité. D'abord, parce que les courges poussent très facilement au Québec, dans tous les sols, se conservent tout l'hiver, possèdent un goût très doux et absolument succulent. De plus, c'est une excellente source de vitamine A et un légume fort économique.

Les méthodes de cuisson sont les mêmes pour toutes les variétés de courges d'hiver.

Cuisson au four

Pratiquer une ou deux incisions au couteau dans la courge. Mettre celle-ci sur une plaque à biscuits et cuire à 180°C (350°F) jusqu'à ce qu'elle soit tendre, environ 45 minutes pour une petite courge, et 2 heures pour une citrouille ou une courge « Hubbard ». Vérifier le degré de cuisson de temps à autre en piquant la courge à la fourchette.

Quand la courge est tendre, retirer du four et laisser refroidir un peu, pour faciliter la manipulation. Ouvrir la courge en deux, jeter les graines et la membrane, puis retirer la pulpe à la cuillère. Si vous obtenez plus de pulpe que n'en demande la recette, congelez le reste dans des contenants de plastique.

On peut également découper la courge en gros morceaux et les cuire au four. Ayez soin de retirer les graines et la membrane et de les badigeonner légèrement à l'huile, avant de les couvrir d'un papier aluminium puis de les mettre au four. Cette méthode réduit légèrement le temps de cuisson.

Cuisson à la vapeur

Couper la courge en deux, dégager l'intérieur (graines

et membrane), éplucher, trancher et mettre à cuire jusqu'à ce que les morceaux de courge soient tendres.

En ragoût

Les courges d'hiver peuvent être ajoutées dans tout ragoût de légumes, ou dans une marmite de haricots presque cuits, avec des oignons hachés. Faire attention à ce qu'il y ait suffisamment d'eau dans la marmite, et faire cuire jusqu'à ce que les légumes soient tendres. Assaisonner de shoyu.

Les courges donnent une texture tendre et moelleuse aux :
- pains
- gâteaux
- muffins
- crêpes

et sont tout simplement merveilleuses dans les :
- soupes
- ragoûts
- casseroles
- poudings

On peut les farcir de maintes garnitures ou en faire de délicieuses purées.

Et quoi encore ?

Mode de cuisson des verdures

Le terme verdure s'applique à tout légume consommé sous forme de feuillage. Le type le plus connu et pratiquement le seul généralement utilisé est l'épinard, mais plusieurs autres types de verdures l'égalent en qualités nutritives et sont tout aussi délicieuses.

Toutes ces verdures sont disponibles et croissent facilement au Québec :
- les feuilles de betterave
- les feuilles de navet
- la bette à carde

— le pissenlit
— les feuilles de moutarde
— le chou chinois
— le chou frisé
— le chou collard

On dénote une abondance de vitamine A, de calcium, de fer et autres minéraux dans toutes ces verdures. Cependant, dans les épinards, la bette à carde et les feuilles de betterave, on trouve également une forte présence d'acide oxalique, qui empêche le calcium d'être absorbé par l'organisme. Les autres verdures, qui ne possèdent pas ce défaut, sont donc une meilleure source de calcium.

Le chou frisé est un légume particulièrement nourrissant. Contenant seulement 43 calories par 250 mL (1 t.), il possède aussi 5 g de protéines, 9100 IU de vitamine A, 100 mg de vitamine C, 1,8 mg de fer et 210 mg de calcium.

On peut planter les verdures très tôt l'été et les récolter tard dans la saison car elles supportent très bien le gel ; le chou frisé profite du premier gel, qui le rend même meilleur.

Cuisson à la chinoise

Bien nettoyer les feuilles et discarder les tiges trop fermes. Faire chauffer une petite quantité d'huile dans un wok ou une large casserole. Ajouter la verdure et faire cuire à feu vif jusqu'à ce qu'elle réduise de volume et devienne un peu molle. Réduire la chaleur, couvrir et poursuivre la cuisson jusqu'à ce que les feuilles soient tendres.

Cuisson à la vapeur

Une fois les feuilles nettoyées et préparées, suivre le même procédé que pour la cuisson de tout autre légume. Les verdures fermes, telles que les feuilles de navet, de chou collard et de chou frisé, peuvent être cuites très rapidement à la marmite à pression. N'oubliez pas que tous les légumes en feuilles réduisent considérablement de volume à la cuisson.

Servir comme légume d'accompagnement. Tous ces assaisonnements conviennent bien à toutes les verdures :
— ciboulette ou échalote hachées
— graines de sésame grillées
— origan
— estragon
— graines d'aneth
— basilic
— shoyu
— jus de citron
— un peu de vinaigre de riz ou de cidre.

Betteraves en feuillage

(De 3 à 4 portions)

4 **betteraves moyennes, avec les feuilles**
2 **c. à soupe d'huile d'olive**
1-2 **c. à soupe de jus de citron**
1-3 **gousses d'ail, écrasées**
½ **c. à thé d'estragon**
1 **pincée de sel de mer (au goût)**

Brosser les betteraves et les couper en tranches.

Placer les tranches de betteraves dans une marmite contenant 4 cm (1½″) d'eau. Couvrir et amener à ébullition. Réduire le feu et laisser mijoter environ 10 minutes.

Placer les feuilles de betteraves sur les betteraves. Remettre le couvercle et continuer la cuisson jusqu'à ce que les betteraves et leurs feuilles soient tendres, environ 20 minutes. Surveiller attentivement la cuisson, de façon à ce qu'il y ait toujours un peu d'eau au fond de la marmite.

Mélanger le reste des ingrédients et verser le tout sur les betteraves cuites. Bien mélanger et servir.

Carottes et navets en baguettes

(De 2 à 4 portions)

- 1 c. à soupe d'huile
- 2 carottes moyennes, brossées et taillées en fins bâtonnets
- 2 navets moyens, brossés et taillés en fins bâtonnets
- 2 gousses d'ail (ou plus, suivant le goût)
- ½ c. à thé de basilic
- 1 pincée de muscade
- 1 pincée de sel de mer
- 2 c. à soupe de persil

Faire rissoler les carottes, les navets et l'ail dans l'huile chaude pendant environ 3 minutes.

Ajouter le basilic et la muscade. Remuer, couvrir et cuire à feu doux, en remuant de temps à autre, jusqu'à ce que les légumes soient tendres, environ 7 minutes.

Saler au goût et saupoudrer de persil.

Variante : pour faire de cette recette une bonne soupe rapide, ajouter 500 mL (2 t.) d'eau ou de bouillon de légumes aux légumes déjà cuits. Faire mijoter environ 3 minutes. Retirer du feu et ajouter 1 c. à soupe de miso (plus ou moins selon le goût), bien mélanger et servir. Ne pas saler la soupe.

Panais à l'ail

1-2 c. à soupe d'huile d'olive
4-6 panais, lavés et coupés en fins bâtonnets
   3 gousses d'ail, émincées (ou plus, suivant le goût)
   3 c. à soupe de persil
      une pincée de muscade

Mettre l'huile dans un plat de cuisson peu profond. Ajouter le panais et l'ail et bien remuer pour enrober les légumes d'huile.

Couvrir le plat d'un papier aluminium et faire cuire au four à 190°C (375°F) jusqu'à ce que les morceaux de panais soient tendres, environ 30 minutes ou moins, selon la grosseur des bâtonnets.

Retirer le papier aluminium et faire griller quelques secondes à peine, pour dorer légèrement.

Ajouter le persil et saupoudrer de muscade.

Carottes glacées à l'érable

(4 portions)

1 L (4 t.) de carottes tranchées
2 c. à soupe de sirop d'érable
1 c. à soupe de fécule de maïs, ou
   d'arrowroot
75 mL (¼ t.) du liquide de cuisson des carottes
   une pincée de sel de mer
½ c. à thé de muscade

Cuire les carottes à la vapeur ou dans très peu d'eau. Égoutter et conserver 75 mL (¼ t.) du liquide formé à la cuisson.

Dissoudre la fécule de maïs ou l'arrowroot dans le sirop d'érable. Mélanger au bouillon de carottes, avec le sel et la muscade.

Verser cette préparation sur les carottes, et faire cuire en remuant légèrement jusqu'à ce que la sauce épaississe.

Patates douces au fromage

1 patate douce par personne
2 tranches épaisses de cheddar fort ou de
   fromage havarti par personne

Brosser les patates douces et enlever toute meurtrissure. Les placer sur une plaque et cuire au four à 180°C (350°F) de 40 minutes à une heure, selon leur grosseur. Les patates sont cuites quand elles sont très tendres à l'intérieur et suintent d'un léger sirop.

Couper les patates en deux et insérer une épaisse tranche de fromage dans chaque moitié. Remettre au four et cuire 10 minutes pour faire fondre le fromage.

Note : je dois admettre que ce mets simple est un de mes plats favoris. Servez-le accompagné de brocoli cuit à la vapeur et d'une jolie salade verte. Les patates douces constituent une excellente source de vitamine A.

Chou chinois

(4 portions)

1-2 c. à soupe d'huile
1 chou chinois moyen, lavé et tranché
1 c. à thé de sarriette
2 c. à soupe de vinaigre de riz ou de jus de citron
Shoyu (suivant le goût)

Dans une grande marmite épaisse ou un wok, faire frire à feu vif le chou et la sarriette dans l'huile chaude pendant quelques minutes.

Réduire la chaleur, couvrir et faire cuire jusqu'à ce que le chou soit tendre, en remuant fréquemment.

Ajouter le vinaigre et le shoyu et bien mélanger.

Servir comme plat d'accompagnement de légumes. Pour composer un repas complet, servir sur un nid de riz avec du tofu ou du tempeh mariné, et une sauce au tahini et au miso (voir recette page 112).

Choucroute

La choucroute est un aliment fermenté dont la bactérie bienfaisante a la propriété de faciliter la digestion des aliments, de la même façon que le yogourt. C'est aussi une denrée riche en vitamine C.

Il y a des recettes beaucoup plus compliquées que celle que je suggère pour fabriquer la choucroute. Cette simple méthode, pourtant, donne un résultat tout aussi délicieux et c'est ainsi que l'ont toujours préparée avec amour ma mère et ma grand-mère. La meilleure période pour faire la choucroute est en automne, juste après la récolte.

> **Chou**
> **Sel de mer**
> **Ail (facultatif)**
> **Graines de carvi (facultatif)**
> **Quelques pots de 1 L (4 t.)**

Laver et déchiqueter le chou en fins rubans. Le robot culinaire est un instrument merveilleux pour cette opération. Presser le chou dans des pots très propres (il n'est pas nécessaire de les stériliser).
Ajouter 1½ c. à thé de graines de carvi et 1 gousse d'ail ou plus pour chaque bocal de 1 L (4 t.), si désiré.

Saupoudrer 1 c. à thé de sel de mer sur chaque pot rempli de chou. Couvrir ensuite d'eau en ayant soin de laisser un espace d'au moins 2,5 cm (¾") entre le couvercle et la préparation, car celle-ci prend de l'expansion en fermentant.

Laisser macérer environ 5 à 6 semaines dans le garde-manger. Les pots trop remplis auront débordé mais seront quand même bons pour la consommation.

Plus on laisse fermenter le chou, plus la saveur devient aigre. Une fois ouvert, il faut conserver le pot au réfrigérateur.

Utiliser dans des salades, sandwiches ou plats composés de haricots.

Chou frisé de Milan

Cette variété de chou ressemble à un chou vert ordinaire dont les feuilles auraient été chiffonnées, et les bords tout plissés. Le chou de Milan possède une saveur plus douce et une texture plus tendre que le chou vert.

> ½ **chou frisé de Milan, de grosseur moyenne**
> ½ **c. à thé de graines de carvi**
> 1 **c. à soupe d'huile d'olive (facultatif)**
>   **une pincée de sel de mer (facultatif)**

Laver le chou et le tailler en fines lanières.

Placer le chou dans un cuiseur à légumes avec les graines de carvi et faire cuire à la vapeur pendant environ 15 minutes, jusqu'à ce que le chou soit tendre.

Mettre le chou dans un bol, et l'enrober d'huile et de sel avant de le servir.

Galette de maïs

(4 portions)

450 mL (1¾ t.) de grains de maïs, fraîchement
détachés de l'épi
2 œufs
1 c. à thé de poudre à pâte
½ c. à thé de sel de mer
125 mL (½ t.) de semoule de maïs

Au mélangeur, battre le maïs, les œufs, la poudre à pâte
et le sel. Ajouter la semoule de maïs et bien mélanger.

Laisser reposer cette pâte de 15 à 30 minutes au réfrigérateur.

Laisser tomber 75 mL (¼ t.) de pâte à la fois sur un poêlon
préalablement chauffé.

Cuire à la façon d'une crêpe épaisse, sans étendre la pâte,
au-dessus d'un feu moyen. Retourner une fois pour cuire
l'autre côté.

Servir à la place du pain avec un plat de légumes ou comme
une crêpe pour le petit déjeuner.

Maïs créole

750 mL (3 t.) de maïs en grains, fraîchement
détachés de l'épi
250 mL (1 t.) de purée de tomate ou de tomates
en boîte
1 c. à soupe d'huile d'olive
1 oignon, haché
1 poivron vert, coupé en dés
1 c. à thé de basilic
la moitié d'une petite boîte de pâte de
tomate (soit environ 90 g-3 oz)
1 c. à soupe de shoyu
1-2 c. à thé de votre sauce piquante préférée ou
une pincée de poivre de cayenne

Mettre la purée de tomate et les grains de maïs dans une
large casserole. Amener à ébullition, puis réduire la chaleur,
couvrir, et laisser mijoter environ 5 minutes.

Faire rissoler l'oignon, le poivron et le basilic dans l'huile
chaude jusqu'à ce que l'oignon soit tendre.

Mélanger les oignons à la préparation de maïs. Ajouter la
pâte de tomate, le shoyu et la sauce piquante.

Variante : pour que ce plat devienne un repas complet,
lui ajouter de 250 à 500 mL (1-2 t.) de haricots cuits
(doliques à œil noir, Pinto, haricots rouges ou haricots de
Lima).

Tomates vertes grillées

(4 portions)

Ma mère m'a transmis cette vieille recette, typique du sud des États-Unis, et qui peut être très pratique si vous possédez un jardin rempli de tomates encore vertes et qu'une gelée prochaine est prévue.

>   4 tomates vertes moyennes
>   125 mL (½ t.) de semoule de maïs fine ou de
>   farine de maïs
>   sel de mer (suivant le goût)
>   2 c. à soupe d'huile

Couper les tomates en tranches de 0,7 cm (¼″) d'épaisseur.

Mélanger la semoule de maïs et le sel. Enrober complètement les tranches de tomates de ce mélange.

Faire chauffer l'huile dans un poêlon et y faire rôtir les tomates des deux côtés jusqu'à ce qu'elles soient tendres et grillées.

Poivrons à l'italienne de Dominique

(Donne environ 1 L ou 4 t.)

>   10 gros poivrons rouges
>   10 gros poivrons verts

Mettre les poivrons dans un plat de cuisson rempli d'environ 1,2 cm (½″) d'eau.

Faire cuire au four à 180°C (350°F) pendant 40 minutes. Tourner les poivrons une fois pour qu'ils cuisent également de tous côtés.

Quand les poivrons sont bien cuits, en retirer délicatement la pelure et les couper en tranches minces.

Servir avec de l'huile d'olive mélangée à quelques gousses d'ail écrasées.

Petits pois du jardin

(4 portions)

1	c. à soupe d'huile
6	grandes feuilles de laitue, lavées
500-750	mL (2-3 t.) de petits pois frais, écossés
4	à 6 échalotes, hachées finement
1	c. à soupe de beurre
	sel de mer (suivant le goût)

Faire chauffer l'huile dans une grande casserole. Tapisser les côtés et le fond de la casserole de feuilles de laitue et couvrir celles-ci des petits pois, des échalotes et du beurre. Recouvrir le tout du reste des feuilles de laitue.

Mettre le couvercle sur la casserole et cuire à feu moyen jusqu'à ce que les petits pois soient tendres. Avec des pois jeunes, compter seulement 5 minutes de cuisson. Si les pois sont plus vieux, ce temps devra être augmenté à 20 minutes environ.

Saler au goût.

Note : servir les petits pois et les échalotes comme légumes d'accompagnement. Conserver la laitue et le liquide formé pendant la cuisson des petits pois ; battre au mélangeur et incorporer dans une soupe de votre choix.

Légumes à la mexicaine

(De 3 à 4 portions)

2	c. à soupe d'huile
1	oignon, haché
2-3	gousses d'ail, hachées
500	mL (2 t.) de chou, haché
1	courgette moyenne
1	courge jaune moyenne ou 2 courgettes
250	mL (1 t.) de maïs en grains, frais ou congelé
1	c. à thé de cumin
½	c. à thé de poudre chili
¼	c. à thé de cayenne
1	c. à thé de basilic
½	c. à thé d'origan
2	c. à soupe de shoyu

Faire chauffer l'huile dans un wok ou une grande marmite. Ajouter l'oignon, l'ail et le chou. Remuer pendant une minute, puis réduire la chaleur, couvrir et cuire à feu moyennement doux jusqu'à ce que le chou commence à être attendri. Remuer fréquemment.

Incorporer le reste des ingrédients, à l'exception du shoyu. Couvrir et cuire jusqu'à ce que les légumes soient tendres, en remuant fréquemment.

Aromatiser de shoyu.

Le
pain

Le pain

Tout ce que vous avez toujours voulu savoir sur le pain.

La jolie miche de pain dorée et odorante qu'on retire fièrement de son fourneau est toujours une source de joie pour tous les sens. L'arôme envahit d'abord notre mémoire, nous rappelant que le pain est l'aliment originel, dans ses multiples variétés, qui suit et permet l'évolution de l'humanité depuis l'heureuse découverte de la culture des céréales. C'est avec plaisir également que l'on redécouvre le goût du vrai pain, avec lequel la substance incolore, inodore et insipide vendue commercialement n'a plus aucune parenté.

Malheureusement, on croit généralement que seul un cuisinier expérimenté peut réussir l'entreprise exaltante de confectionner le pain. Détrompez-vous, car avec des ingrédients de qualité et une méthode sûre, il sera difficile au contraire de rater votre essai. Vous réaliserez également qu'il ne demande pas un si fort investissement de temps.

Si vous en êtes à votre première expérience, consultez le chapitre « L'abc de la boulangerie », dans « La grande cuisine végétarienne », qui contient 6 pages d'instructions détaillées sur chaque étape de la confection du pain. Les recettes de la section présente sont expliquées plus succinctement, toutefois même le novice en la matière devrait obtenir un résultat satisfaisant.

Cependant, avant de se lancer dans l'entreprise, il est important de comprendre les « pourquoi et comment » de la boulangerie, de reconnaître les actions et réactions qu'on aura amorcées. Dans cette optique, suivent quelques suggestions et conseils, dont certains sont repris de « La grande cuisine végétarienne », mais qu'il est toujours utile de rappeler, et destinés à aider le novice aussi bien que le boulanger expérimenté.

1. Après quelques premières expériences, vous apprendrez à reconnaître la consistance et la texture exactes

que votre pâte doit obtenir. Personnellement, je mesure la quantité de liquide requise pour ma recette, mais le reste relève du sens commun et de l'observation concernant l'aspect de ma pâte. De là, je me permets des écarts, certains ajouts, une petite dose d'improvisation ! Une fois que les principes de base de la boulangerie sont bien compris et assimilés, votre temps de préparation réduira considérablement, rendant le processus beaucoup plus simple et plaisant.

2. Si vous avez des doutes sur la qualité ou la fraîcheur de votre levure, faites-y d'abord subir un test. Ne risquez pas d'être déçus par une pâte qui n'aura pas levé à cause d'une levure inactive. Pour vérifier l'état de la levure, mesurer la quantité désirée pour la recette et la dissoudre dans 75 mL (¼ t.) du liquide requis, avec quelques gouttes de miel. Si une réaction s'opère, que le mélange gonfle et fait des bulles, c'est que la levure est excellente et prête à être utilisée. Sinon, jeter le mélange, et procurez-vous une levure fraîche.

3. La levure est constituée de micro-organismes d'origine végétale. Pour s'activer, il leur faut une température d'au moins 10°C (50°F), sans dépasser 45°C (120°F), ce qui les détruit. La température idéale se situe donc autour de 30°C (80°F), pour permettre à la pâte de lever à sa capacité maximum.

4. La levure fraîche sous forme de gâteau est, selon mon avis, de meilleure qualité que la levure active sèche en grains. Elle se conserve environ deux semaines au réfrigérateur, et près de deux mois au congélateur. On l'utilise dans les mêmes proportions que la levure active sèche.

5. La farine de gluten, que vous retrouverez dans plusieurs recettes de ce livre, permet au pain d'obtenir une texture légère. Si vous la remplacez par une farine ordinaire, vous devrez augmenter le temps de pétrissage et/ou faire lever la pâte une troisième fois.

6. L'addition de sel, de miel ou d'huile est facultative dans toutes les recettes de pain; cependant, l'omission de

ces ingrédients donnera un pain de saveur plutôt neutre et il faudra rectifier quelque peu.

7. Pétrir suffisamment la pâte est une condition essentielle à la bonne réussite de votre pain. N'oubliez pas qu'on ne peut jamais trop pétrir la pâte ; malgré que 10 minutes soient généralement suffisantes, augmenter ce temps à 20 minutes sera hautement préférable. Ne considérez pas le pétrissage comme une corvée ; au contraire, envisagez-le comme un excellent exercice et une source de plaisir : pétrir au rythme de sa musique préférée peut être très amusant.

8. Attention de ne pas alourdir la pâte d'un excès de farine, ce qui résulterait en un pain sec. Aussitôt que la pâte peut être pétrie sans coller à la surface de travail ou aux mains, elle contient la quantité appropriée de farine.

9. Toujours couvrir le bol contenant la pâte d'un chiffon humide pendant l'opération de levage. Badigeonner d'huile l'intérieur du bol avant d'y disposer la pâte, ainsi que la surface de celle-ci.

10. Suivant les recettes, la pâte doit lever deux ou trois fois. Après qu'elle a atteint le volume désiré, dégonfler la pâte chaque fois en y enfonçant le poing, sauf bien sûr, à la dernière étape, lorsque les miches lèvent dans les moules.

11. La pâte mise à lever dans un endroit frais prendra plus longtemps à doubler de volume. Ceci n'affectera aucunement le résultat, même un temps de levage prolongé semble donner une meilleure texture au pain.

12. Si les ingrédients utilisés sont froids (par exemple, qu'ils sortent directement du réfrigérateur), la pâte prendra également plus de temps à lever. Ne craignez rien, usez plutôt de patience, car cela peut prendre jusqu'à 3 heures de levage pour donner un résultat satisfaisant.

13. Badigeonner généreusement d'huile les moules à pain, puis les tapisser d'une fine couche de semoule de maïs

ou de flocons d'avoine. Vous êtes ainsi assurés que le pain ne collera pas aux parois du moule.

14. Si le temps vous manque de préparer du pain à la levure, essayez le pain au levain. Facile et rapide d'exécution, il est aussi plus sain et naturel, le levain le rend plus facilement assimilable. Quelques recettes de pain au levain sont détaillées dans ce livre (voir p. 7).

15. Vous êtes trop occupés pour sacrifier votre journée à boulanger du pain ? Essayez cet horaire : quelques heures avant le coucher, préparez votre pâte, pétrissez-la et mettez-la à lever, ce qui prendra environ 15-20 minutes de votre temps. Quand elle aura doublé de volume, dégonfler la pâte, la diviser en nombre de miches désirées, placer celles-ci dans des moules huilés et saupoudrés de semoule de maïs. Insérer chaque moule dans des sacs de plastique assez larges, refermer avec des attaches, puis déposer les miches au réfrigérateur, où elles lèveront pendant la nuit. Le matin, dès le réveil, faire cuire les pains au four selon le mode habituel. Vous aurez la chance de commencer la journée en dégustant un pain on ne peut plus frais.

Facteurs d'échec et de réussite :

Dans l'éventualité où vous n'obteniez pas le résultat escompté, il faut examiner comment et à quel moment l'erreur a été commise pour éviter de la répéter.

— Votre pain possède une texture friable et s'émiette facilement:
c'est que la pâte n'a pas été suffisamment pétrie ou que la farine utilisée ne contenait pas assez de gluten. Les farines à pâtisserie ainsi que les farines pauvres en gluten (riz, orge, avoine, etc.) doivent être additionnées de farine à haute teneur en gluten pour pouvoir former un pain qui se tienne bien.

— Pain lourd :
seul l'emploi unique de farine de blé donnera un pain

des plus légers. L'addition de toute autre farine de grain entier rendra le pain plus lourd, ce qui n'est pas un défaut en soi, et résulte en pains nourrissants qu'il fait plaisir de mastiquer longtemps, tels les célèbres et délicieux pains de seigle à la mode allemande. Toutefois, si le pain est vraiment trop lourd et charge l'estomac, faites particulièrement attention de laisser lever la pâte au double de son volume et de la pétrir suffisamment.

— Pain sec :
ceci est causé par un excédent de farine ou une pâte qui a cuit trop longtemps.

— Pain collant et humide :
votre pain n'est pas assez cuit. Pour vérifier le degré de cuisson du pain, frapper le dessous du moule. S'il en résulte un son creux, le pain est à point. Si malgré tout vous avez des doutes, démoulez une miche et découpez-en une tranche. Dans le cas d'une cuisson imparfaite, remettre le pain dans le moule, avec la tranche découpée remise en place, et poursuivre jusqu'à complète cuisson.

— La pâte n'a pas levé :
vous avez oublié d'incorporer la levure ou celle-ci n'était pas fraîche, donc inactive. Si vous placez la pâte à lever dans un endroit trop chaud, par exemple dans un four chauffant ou directement au-dessus d'un poêle à bois, l'excédent de chaleur enraye l'action de la levure. Si la pièce ou les ingrédients utilisés sont trop froids, peut-être simplement avez-vous manqué de patience, la pâte requérant dans ce cas un temps de levage accru.

— Le pain s'est affaissé pendant la cuisson :
la pâte peut souffrir d'un temps de levage trop prolongé, car elle atteint alors un volume disproportionné, sa texture devient trop aérée et elle s'affaisse sous l'effet de la chaleur. Il se peut également que la pâte ait levé trop rapidement ou que vous ayez oublié de préchauffer le four avant d'y mettre les miches de pain.

— La pâte a débordé du moule en levant :
Ce fait signale une pâte trop molle, et qui manque probablement dë farine.

Comment disposer d'une pâte qui n'a pas levé ?

1. Faites-en des chapaties.
Suivre les indications indiquées à la page 184, en utilisant cette pâte. Peu importe le type de pâte utilisée, les chapaties seront délicieuses.

2. Transformez-la en pâtes alimentaires.
Rouler la pâte le plus finement possible, tel qu'expliqué dans la recette des « Nouilles aux œufs » (voir p. 264). Découper en minces lanières et faire cuire à l'eau bouillante. Accompagner de votre sauce favorite.

Comment utiliser les restes de pain sec ?

— Croûtons aux herbes :
6 tranches de pain de grain entier sec
Huile d'olive (suivant le besoin)
1 c. à thé de poudre d'ail
½ c. à thé de basilic
½ c. à thé de thym
½ c. à thé d'origan
1 c. à thé de persil séché
1 c. à soupe de ciboulette séchée

Brosser légèrement chaque tranche de pain d'un peu d'huile d'olive. Couper en carrés de 1,2 cm (½″) et faire cuire à 150°C (300°F) pendant environ 10 minutes, jusqu'à ce que les croûtons soient bien secs.

Retirer du four et enrober les croûtons des herbes mélangées. Remettre au four et faire cuire à 190°C (375°F) jusqu'à ce que les croûtons soient bien croustillants et dorés, de 5 à 10 minutes.

Laisser refroidir avant de placer les croûtons dans des contenants fermant hermétiquement qu'on conserve au réfrigérateur.

Servir pour relever la saveur des soupes et des salades.

— Croûtons au parmesan :
suivre les indications de la recette précédente, en ajoutant 75 mL (¼ t.) de fromage parmesan râpé en même temps que les herbes.

— Zwieback :
pain asséché au four servant à faire des canapés, ou à accompagner les soupes et les salades. Pour plus de détails, voir la page 74 de « La grande cuisine végétarienne ».

— Chapelure de pain :
moudre le pain sec au mélangeur pour le transformer en chapelure fine. Conserver au congélateur. Utiliser pour gratiner des plats, dans des terrines de légumes, croquettes, etc.

Faites partager les délices de votre boulange en la servant comme nourriture aux oiseaux !

Muffins aux bananes de Stéphane

(Donne une douzaine de gros muffins ou
2 douzaines de muffins moyens)

375 mL (1½ t.) de farine de blé entier
250 mL (1 t.) de germe de blé
100 mL (⅓ t.) de miel
  3 c. à thé de poudre à pâte
  3 bananes, écrasées
125 mL (½ t.) de lait
 50 mL (¼ t.) d'huile de tournesol
  2 œufs
  1 c. à thé de cannelle
 ½ c. à thé de muscade
200 mL (¾ t.) de raisins secs

Mélanger les ingrédients secs dans un bol.

Dans un autre petit bol, mélanger le miel, les bananes, le lait, l'huile, les œufs et les épices.

Ajouter les ingrédients liquides aux ingrédients secs, et remuer juste assez pour que tous les ingrédients soient humectés.

Incorporer les raisins secs.

Emplir aux ⅔ des moules à muffins badigeonnés d'huile.

Faire cuire au four à 180°C (350°F) de 20 à 30 minutes, jusqu'à ce que les muffins deviennent d'une belle couleur dorée.

Muffins aux carottes et aux raisins

250 mL (1 t.) de farine de blé entier à pâtisserie
250 mL (1 t.) de son
  2 c. à thé de poudre à pâte
½ c. à thé de cannelle (facultatif)
¼ c. à thé de muscade (facultatif)
250 mL (1 t.) de raisins secs
  50 mL (¼ t.) de beurre
  1 œuf
  2 c. à soupe de miel
200 mL (¾ t.) de lait
250 mL (1 t.) de carottes, finement râpées

Mélanger les ingrédients secs. Ajouter les raisins et bien mêler.

Battre le beurre, l'œuf, le miel et le lait au mélangeur. Ajouter les carottes râpées.

Incorporer les ingrédients liquides aux ingrédients secs. Battre juste assez pour humecter le mélange.

Verser dans 12 moules à muffins préalablement beurrés.

Faire cuire au four à 190°C (375°F) pendant 20 minutes.

Muffins au maïs

250 mL (1 t.) de semoule de maïs
125 mL (½ t.) de farine de blé entier à
    pâtisserie
  2 c. à soupe de poudre à pâte
  1 œuf
 50 mL (¼ t.) d'huile
200 mL (¾ t.) de lait
  2 c. à soupe de sirop d'érable ou de miel
175 mL (⅔ t.) de maïs en grains, frais ou
    congelé
175 mL (⅔ t.) de raisins de Corinthe

Dans un grand bol, mélanger la semoule de maïs, la farine de blé et la poudre à pâte.

Dans un autre récipient, batte l'œuf, l'huile, le lait et le sirop ou le miel. Ajouter le maïs et les raisins.

Incorporer les ingrédients secs au mélange des liquides.

Battre juste assez pour que les ingrédients soient humectés.

Remplir des moules à muffins huilés ou des barquettes de papier aux ⅔ de leur capacité.

Faire cuire au four à 190°C (375°F) pendant 20 minutes.

Ces muffins sont meilleurs servis chauds. Ils peuvent être réchauffés.

Pain de maïs des Carolines

(De 4 à 6 portions)

250 mL (1 t.) de semoule de maïs
125 mL (½ t.) de farine de blé entier à
pâtisserie
½ c. à thé de bicarbonate de soude
1 c. à thé de poudre à pâte
½ c. à thé de sel de mer
1 œuf
50 mL (¼ t.) d'huile
125 mL (½ t.) de yogourt
125 mL (½ t.) de lait
ou
250 mL (1 t.) de lait de beurre

Préchauffer le four à 190°C (375°F).

Mélanger la semoule de maïs, la farine, le bicarbonate, la poudre à pâte et le sel.

Battre ensemble l'œuf, l'huile, le yogourt et le lait.

Ajouter les ingrédients liquides aux ingrédients secs. Battre juste assez pour qu'ils soient bien amalgamés.

Verser cette pâte dans une poêle de fonte de 20 cm (8″) ou 23 cm (9″) de diamètre, bien badigeonnée d'huile.

Cuire au four à 190°C (375°F) pendant 20 minutes, jusqu'à ce que le centre du pain soit bien ferme.

Servir chaud.

Note : un repas typique et traditionnel de la campagne du sud des États-Unis consisterait en une platée de haricots Pinto et notre pain de maïs des Carolines accompagnés de choucroute ou de feuilles de navet cuites.

Chapaties

(Galettes de blé des Indes)

(De 10 à 12 chapaties)

250 mL (1 t.) d'eau
½ c. à thé de sel de mer
600 mL (2½ t.) de farine de blé entier à pain
(approximativement)

Dissoudre le sel dans l'eau, et ajouter assez de farine pour former une pâte qui puisse se pétrir. Pétrir sur une surface enfarinée, en incorporant suffisamment de farine de façon à ce que la pâte soit lisse et non collante.

Couvrir la pâte d'un bol renversé et laisser en attente au moins 30 minutes. Cette opération n'est pas absolument nécessaire, mais très pratique puisqu'elle rend la pâte plus facile à étendre au rouleau par la suite.

Couper la pâte en 10 ou 12 morceaux égaux. Façonner chaque morceau en boules, rouler chacune d'elles sur une surface enfarinée jusqu'à ce qu'elle devienne très mince.

Faire chauffer une poêle non huilée et y cuire les chapaties pendant environ une minute de chaque côté, à feu vif. Presser chaque chapatie à l'aide d'un chiffon pendant la cuisson, cela lui permettra de gonfler. Empiler les galettes cuites les unes sur les autres et couvrir d'un chiffon propre.

Si vous disposez d'une cuisinière à gaz, faire cuire les chapaties légèrement à la poêle, puis les placer directement au-dessus de la flamme, une à la fois, pendant quelques secondes à peine ; les galettes gonfleront naturellement et fort joliment.

Il y a maintes façons de servir les chapaties :
— à la place du pain, pour accompagner n'importe quel plat cuisiné ;
— ces galettes sont délicieuses tartinées d'une garniture au choix, recouvertes de germes de luzerne,

de laitue, puis roulées ensuite ;
— idéales pour un panier-repas, à l'école ou au travail ;
— remplacez les tortillas mexicaines par des chapaties et confectionnez d'excellents « Burritos » ;
— les chapaties peuvent être congelées et réchauffées à la poêle ou au four.

Note : s'il vous arrive de préparer du pain et d'oublier d'y mettre la levure, ne criez pas au désastre. Cette pâte servira à la confection de succulentes chapaties.

Pain à « l'essene » (méthode facile)

(1 miche)

Ce merveilleux pain, naturellement et doucement sucré, foncé et délicieusement humide, mais aussi, hélas ! d'une préparation fastidieuse, jusqu'à ce que je développe une méthode très facile, à l'aide du robot culinaire et d'une marmite à cuisson lente ! Également économique, il reviendra fréquemment à votre table, une fois que vous en aurez fait un premier essai.

> **500 mL (2 t.) de grains de blé entier, (durs ou mous)**
> **125-250 mL (½-1 t.) de raisins secs**

Mettre les grains de blé dans un bol de grandeur moyenne et recouvrir d'eau. Laisser tremper de 8 à 10 heures, puis égoutter dans une passoire métallique et conserver l'eau pour l'arrosage des plantes. Rincer et égoutter. Remettre les grains dans le bol et laisser germer pendant 2 à 3 jours, en les rinçant 2 à 3 fois par jour.

Rincer les grains une dernière fois et bien les égoutter. Moudre les grains au robot culinaire en utilisant la lame de métal du bas. Pousser la pâte des bords du robot culinaire vers le centre, pour être sûrs que toutes les graines sont bien moulues.

Retirer la pâte du robot culinaire et y incorporer les raisins. En utilisant les mains, façonner la pâte en forme de boule ; si elle est trop collante, enfarinez légèrement les mains.

Bien badigeonner d'huile une petite assiette supportant la chaleur du four. Saupoudrez l'assiette de semoule de maïs. Mettre la boule de pâte dans l'assiette et placer le tout dans la marmite à cuisson lente. Faire cuire pendant 10 heures, à feu très doux.

Note : les quantités de blé et de raisins peuvent varier sans vraiment changer le résultat final de cette recette.

Variantes : essayer des germes de seigle à la place des grains de blé, ou un mélange des deux. D'autres fruits secs peuvent également remplacer les raisins, des noix par exemple ; une pincée de cannelle et une de clou de girofle en feront un excellent gâteau aux fruits.

Pain de courgettes au parmesan

(1 miche)

Délicieux et d'exécution rapide, ce pain possède une texture riche et légèrement humide, et accompagne bien une soupe ou une salade.

      2 **œufs**
   50 **mL (¼ t.) d'huile**
 100 **mL (⅓ t.) de lait**
 325 **mL (1¼ t.) de courgettes râpées, légèrement tassées**
 500 **mL (2 t.) de farine de blé entier à pâtisserie**
    3 **c. à thé de poudre à pâte**
 200 **mL (¾ t.) de parmesan, finement râpé**

Battre les œufs, l'huile et le lait. Ajouter les courgettes et bien mélanger.

Tamiser ensemble la farine et la poudre à pâte. Ajouter le parmesan.

Incorporer les ingrédients secs aux ingrédients liquides. Battre juste assez pour que le tout soit bien amalgamé, en ayant soin de ne pas trop remuer la préparation.

Mettre le mélange dans un moule à pain préalablement huilé et enfariné. Faire cuire au four pendant une heure à 180°C (350°F).

Laisser refroidir sur une claie avant de trancher.

Pain de luxe pour les invités

(1 grosse miche)

- **250 mL (1 t.) d'eau tiède**
- **2 c. à soupe de levure active sèche**
- **1 c. à thé de sel de mer**
- **2 c. à soupe d'huile**
- **2 c. à soupe de miel**
- **3 œufs**
- **50 mL (¼ t.) de farine de gluten**
- **1 L (4½ t.) de farine de blé entier à pain (approximativement)**
- **1 blanc d'œuf**
- **1 c. à soupe de graines de sésame ou de graines de pavot**

Dissoudre la levure et le miel dans l'eau tiède. Laisser reposer de 5 à 10 minutes. Ajouter le sel et les œufs.

Incorporer la farine de gluten et 375 mL (1½ t.) de la farine de blé et battre 100 coups.

Verser suffisamment du reste de la farine pour rendre la pâte pétrissable. Pétrir en incorporant assez de farine jusqu'à ce que la pâte devienne lisse, élastique et non collante.

Placer dans un grand bol huilé, badigeonner le dessus de la pâte d'un peu d'huile et couvrir d'un chiffon humide.

Laisser lever la pâte jusqu'à ce que son volume ait doublé. Y enfoncer le poing pour dégonfler. Répéter l'opération.

Façonner la pâte selon la forme désirée. Cette recette est idéale pour faire un joli pain tressé.

Faire lever de façon à ce que la miche ait doublé de volume. Badigeonner le dessus de blanc d'œuf et saupoudrer de graines de sésame ou de pavot.

Cuire au four à 180°C (350°F) pendant 45 minutes.

Note : pour réaliser un pain vraiment impressionnant et magnifique, travailler la pâte de la façon suivante : couper la pâte en 4 morceaux égaux, façonner 3 morceaux en forme de boudins et les tresser. Séparer le dernier morceau en trois, et les tresser également. Placer la petite tresse sur la grande et cuire tel qu'indiqué.

Pain à l'avocat

(Donne 2 miches)

L'avocat remplace l'huile dans cette recette.

250 mL (1 t.) d'avocat bien mûr, réduit en purée
50 mL (¼ t.) de miel
500 mL (2 t.) d'eau tiède
2 c. à soupe de levure active sèche
1 c. à soupe de sel de mer
1,8 L - 2 L (7½-8 t.) de farine de blé entier à pain

Opérer le mélange des 5 premiers ingrédients. Laisser reposer 10 minutes.

Incorporer assez de farine pour rendre la pâte pétrissable.

Pétrir dans le reste de la farine jusqu'à ce que la pâte devienne lisse, élastique et non collante. Il faut pétrir au moins 10 minutes pour arriver à ce résultat.

Faire lever la pâte jusqu'à ce qu'elle ait doublé de volume. Rabattre la pâte en y enfonçant le poing.

Si désiré, on peut laisser lever la pâte une autre fois ou la séparer tout de suite en 2 miches.

Placer les miches dans 2 moules à pain huilés et laisser lever à nouveau jusqu'à ce que le volume ait doublé. Cuire au four à 180°C (350°F) pendant 45 minutes.

Pain à l'érable et au maïs

(2 miches)

Un pain doucement sucré et légèrement croustillant que tout le monde appréciera.

> **500 mL (2 t.) d'eau bouillante**
> **250 mL (1 t.) de semoule de maïs**
> **100 mL (⅓ t.) de sirop d'érable**
> **2 c. à soupe d'huile**
> **2 c. à thé de sel de mer**
> **2 c. à soupe de levure active sèche**
> **50 mL (¼ t.) de farine de gluten**
> **500 mL (2 t.) de farine de blé entier à pain**
> **750 mL (3 t.) de farine de blé entier à pâtisserie (approximativement)**

Dans un grand bol, verser l'eau bouillante sur la semoule de maïs. Ajouter le sirop d'érable, l'huile et le sel. Laisser refroidir jusqu'à ce que le liquide soit tiède. Ajouter la levure et la farine de gluten. Laisser reposer de 20 à 30 minutes, jusqu'à ce que la préparation ait gonflé légèrement.

Dégonfler en brassant le mélange et y verser 250 mL (1 t.) de la farine de blé. Battre 100 coups. Incorporer le reste de la farine de blé et la quantité de farine à pâtisserie nécessaire pour que la pâte puisse se pétrir.

Pétrir sur une surface enfarinée, dans assez de farine pour rendre la pâte élastique et non collante.

Mettre la pâte dans un bol préalablement huilé. Laisser lever jusqu'à ce que la pâte ait doublé de volume, puis la dégonfler en y enfonçant le poing.

Façonner en deux miches. Placer dans des moules à pain badigeonnés d'huile et dont le fond et les bords ont été saupoudrés de semoule de maïs.

Laisser lever les miches jusqu'à ce qu'elles atteignent le double de leur volume initial.

Cuire au four à 180°C (350°F) pendant 45 minutes.

Démouler et laisser refroidir sur une grille avant de ranger.

Pain de seigle au levain

(1 miche)

250 mL (1 t.) d'eau tiède
250 mL (1 t.) de levain (voir p. 203)
2 c. à soupe de mélasse
1 c. à thé de sel de mer
250 mL (1 t.) de farine de blé entier à pain
750-875 mL (3-3½ t.) de farine de seigle entier

Mélanger l'eau, le levain, la mélasse, le sel, la farine à pain et suffisamment de farine de seigle pour que la pâte puisse se pétrir.

Pétrir sur une surface enfarinée, en ajoutant assez de farine de seigle pour que la pâte devienne élastique et non collante.

Pétrir la pâte le plus longtemps possible, le pain n'en sera que meilleur.

Façonner la pâte en miche et placer dans un moule à pain préalablement badigeonné d'huile et saupoudré de semoule de maïs. Laisser lever la miche pendant 8 heures.

Faire cuire au four à 180°C (350°F) environ une heure.

Note : 1 c. à soupe de graines de carvi ajoutées pendant le pétrissage donne un petit goût inusité et délicieux à ce pain.

Pain des Caraïbes

(Donne 1 grosse miche ou 2 petites)

250 mL (1 t.) d'eau tiède
50 mL (¼ t.) de sirop d'érable
1 c. à soupe de levure active sèche
2 c. à soupe d'huile
300 mL (1¼ t.) de bananes en purée
1 œuf
1 c. à thé de sel de mer
1 c. à thé de coriandre
2 c. à soupe de poudre de caroube
1,5 L (6½ t.) de farine (approximativement)
250 mL (1 t.) de noix, hachées
250 mL (1 t.) de dattes ou de raisins secs, hachés

Dans un grand bol, faire dissoudre la levure dans le mélange d'eau et de sirop d'érable pendant 5 à 10 minutes.

Ajouter l'huile, la purée de bananes, l'œuf, le sel, la coriandre, le caroube et 500 mL (2 t.) de farine. Battre 100 coups.

Incorporer suffisamment de farine pour que la pâte puisse se pétrir. Renverser la pâte sur une surface enfarinée et pétrir en rajoutant de la farine au besoin de façon à ce que la pâte devienne lisse, élastique et non collante. Compter de 10 à 20 minutes de pétrissage.

Placer la pâte dans un bol badigeonné d'huile. La retourner de sorte que le dessus soit imprégné d'huile. Laisser lever dans un endroit chaud jusqu'à ce que la pâte ait doublé de volume. Dégonfler en y enfonçant le poing et faire lever la pâte une deuxième fois.

Incorporer les dattes et les noix dans la pâte en pétrissant encore quelques instants.

Façonner en une grosse miche ou 2 petites. Placer les petites miches dans des moules à pain huilés. Pour une seule miche, utiliser un moule rond à bord élevé de 1 L (1½ pinte).

Huiler le moule et en tapisser le fond et les bords de farine.

Laisser lever la pâte au double de son volume. Cuire au four à 180°C (350°F) pendant 45 minutes pour les petits pains. Accorder 60 minutes de cuisson pour une grosse miche.

Pain aux raisins et aux pommes

(Donne 1 grosse miche)

Ce pain est délicieux, grillé, au petit déjeuner, tartiné de beurre d'arachide.

        250 mL (1 t.) d'eau tiède
          1 c. à soupe de levure active sèche
         50 mL (¼ t.) de miel
          2 c. à soupe d'huile
          1 œuf
        250 mL (1 t.) de pommes râpées, légèrement
             tassées
          1 c. à thé de sel de mer
          1 c. à thé de cannelle
        1,2 L (5 t.) de farine de blé entier à pain
             (approximativement)
        125 mL (½ t.) de farine de maïs (peut être
             remplacée par de la farine de blé, selon
             le goût)
        125 mL (½ t.) de raisins secs
        125 mL (½ t.) de pacanes ou de noix de
             Grenoble

Dissoudre la levure et le miel dans l'eau tiède. Ajouter l'huile, l'œuf, les pommes, le sel et la cannelle. Bien mélanger.

Incorporer 250 mL (1 t.) de farine à pain et la farine de maïs et battre vigoureusement. Ajouter de la farine graduellement jusqu'à ce que la pâte puisse se pétrir.

Pétrir la pâte dans suffisamment de farine pour lui donner la consistance d'une pâte lisse, élastique et non collante. Faire lever la pâte au double de son volume initial, la rabattre en y enfonçant le poing. Faire lever une seconde fois et dégonfler de nouveau la pâte.

Pétrir encore quelques instants en incorporant les noix et les raisins.

194

Placer la pâte dans un moule à pain huilé et laisser lever jusqu'à ce qu'elle ait doublé de volume.

Faire cuire au four à 180°C (350°F) pendant 45 à 50 minutes.

Pain à la chapelure

(Donne 2 miches)

Une bonne façon d'utiliser le pain devenu sec. Ce pain économique possède une texture superbe.

> **750 mL (3 t.) d'eau tiède**
> **3 c. à soupe de levure**
> **50 mL (¼ t.) de miel**
> **50 mL (¼ t.) d'huile**
> **1 c. à soupe de sel de mer**
> **500 mL (2 t.) de chapelure de pain**
> **50 mL (¼ t.) de farine de gluten**
> **1,7 (7¼ t.) de farine de blé entier à pain (approximativement)**

Dans un grand bol, mélanger les 6 premiers ingrédients. Laisser reposer 10 minutes.

Ajouter la farine de gluten et assez de farine de blé entier à pain pour que la pâte puisse se pétrir.

Pétrir dans suffisamment de farine de façon à obtenir une pâte douce et lisse, et non collante.

Placer la pâte dans un bol badigeonné d'huile, couvrir d'un chiffon humide et laisser lever dans un endroit chaud jusqu'à ce que la pâte ait doublé de volume. Dégonfler en enfonçant le poing dans la pâte.

Façonner en 2 miches. Placer chacune d'elles dans un moule à pain bien badigeonné d'huile. Laisser lever une seconde fois jusqu'à ce que les miches doublent de volume.

Faire cuire au four à 180°C (350°F) pendant 45 minutes.

Pain au blé germé

(Donne 1 miche)

L'ingrédient principal de ce pain étant le blé germé, il ne requiert que le minimum de farine nécessaire pour que la pâte puisse se pétrir. À l'aide du robot culinaire, cette recette est très facile à exécuter. Avec le mélangeur, le résultat sera identique mais demandera plus de travail.

> 1,1 L (4½ t.) de blé germé
> 2 c. à soupe de miel
> 2 c. à soupe d'huile
> 1 c. à thé de sel de mer
> 2 c. à soupe de levure active sèche
> 50 mL (¼ t.) de farine de gluten
> 250 mL (1 t.) de farine de blé entier à pain
> (approximativement)

Mettre les germes, le miel, l'huile et le sel dans le robot culinaire et battre jusqu'à l'obtention d'une pâte. Bien moudre, mais ne pas s'en faire s'il reste quelques germes de blé entier, ils donneront une texture agréable au pain.

Retirer la pâte et la mettre dans un bol. Ajouter la levure et le gluten. Bien mélanger. Laisser en attente pendant une heure.

Sur une surface généreusement enfarinée, pétrir la pâte dans suffisamment de farine pour la rendre élastique et pas trop collante. Placer la pâte dans un bol, préalablement badigeonné d'huile, couvrir d'un chiffon humide et laisser lever la pâte jusqu'à ce qu'elle ait doublé de volume. Dégonfler la pâte en y enfonçant le poing.

Placer la pâte dans un moule à pain huilé. Laisser lever une autre fois de sorte que la pâte atteigne le double de son volume.

Faire cuire au four à 180°C (350°F) pendant 45 minutes.

Laisser refroidir sur une claie avant de ranger.

Pain à la courge dorée

Ce pain est très aéré, légèrement humide et délicieux ! Idéal pour la confection de sandwiches.

500 mL (2 t.) de courge d'hiver ou de citrouille, crue et râpée
500 mL (2 t.) d'eau chaude
50 mL (¼ t.) de miel
50 mL (¼ t.) d'huile
1 c. à soupe de sel de mer
2 c. à soupe de levure active sèche
50 mL (¼ t.) de farine de gluten
1,7 L (7¼ t.) de farine de blé entier à pain (environ)

Dans un grand bol, mélanger la courge, l'eau chaude, le miel et le sel. Y faire dissoudre la levure, environ 10 minutes.

Ajouter la farine de gluten et 500 mL (2 t.) de la farine à pain. Battre 100 coups.

Incorporer suffisamment du reste de la farine pour rendre la pâte pétrissable.

Pétrir sur une surface enfarinée, jusqu'à ce que la pâte devienne lisse, élastique et non collante.

Placer la pâte dans un bol badigeonné d'huile. Huiler la surface de la pâte, et couvrir le bol d'un chiffon humide. Laisser lever la pâte jusqu'à ce que son volume ait doublé. Dégonfler en y enfonçant le poing. Si désiré, laisser lever la pâte à nouveau, et dégonfler.

Façonner en deux miches et placer dans des moules à pain préalablement huilés. Laisser lever les miches au double de leur volume une nouvelle fois.

Cuire au four à 180°C (350°F) pendant 45 minutes.

Démouler les pains et les faire refroidir sur une grille avant de ranger.

Pains aux pommes de terre

Ce pain est d'une texture parfaite pour la confection de sandwiches.

> 500 mL (2 t.) d'eau de cuisson des pommes de terre
> 375 mL (1½ t.) de purée de pommes de terre, tiède
>   3 c. à soupe de levure active sèche
>   2 c. à soupe de miel
> 50 mL (¼ t.) d'huile
>   1 c. à soupe de sel de mer
> 2,2 L (9 t.) de farine à pain de blé entier

Si l'eau de cuisson des légumes est refroidie, la réchauffer pour la rendre tiède. Y ajouter ensuite la purée de pommes de terre, la levure et le miel. Laisser reposer 10 minutes, ou jusqu'à ce que la levure soit complètement dissoute.

Ajouter l'huile, le sel et de 500 mL à 750 mL (2-3 t.) de farine. Battre à la cuillère de bois et compter 100 coups. Incorporer suffisamment du reste de farine pour que la pâte puisse se pétrir.

Pétrir la pâte sur une surface enfarinée. Rajouter de la farine au besoin, jusqu'à ce que la pâte soit lisse, élastique et non collante.

Placer la pâte dans un large bol huilé. Huiler la surface découverte de la pâte et couvrir d'un chiffon humide. Laisser lever dans un endroit tiède et à l'abri des courants d'air, jusqu'à ce que la pâte ait doublé de volume.

Enfoncer le poing dans la pâte pour laisser s'échapper l'air. Faire lever une deuxième fois et la dégonfler de nouveau.

Séparer la pâte et en façonner 3 miches, les placer dans des moules à pain badigeonnés d'huile et faire lever au double de leur volume une autre fois.

Cuire au four à 180°C (350°F) pendant 45 minutes.

Démouler et faire refroidir sur une claie avant de ranger.

Pain aux œufs

(Donne 1 miche)

Pain d'exécution rapide, qui ne requiert pas de pétrissage, mais n'en possède pas moins une texture très aérée et une saveur absolument délicieuse !

250 mL (1 t.) d'eau chaude
2 c. à soupe de levure active sèche
2 c. à soupe de miel
2 c. à soupe d'huile
1 c. à thé de sel de mer
3 œufs
750 mL (3 t.) de farine de blé entier à pain

Dans un grand bol, mélanger l'eau, la levure, le miel, l'huile, le sel et les œufs. Laisser reposer 10 minutes.

Avec un batteur électrique, ajouter graduellement la farine jusqu'à ce que la pâte ait la consistance d'une pâte à gâteau épaisse. Battre pendant 3 minutes environ. Ajouter le reste de la farine, en brassant à la cuillère de bois, si votre batteur électrique ne s'avère pas assez puissant.

Couvrir le bol d'un linge humide et laisser lever la pâte environ une heure, jusqu'à ce qu'elle ait doublé de volume. Dégonfler la pâte.

Mettre la pâte dans un moule à pain bien huilé. Avec les mains trempées, travailler le dessus de la pâte pour la rendre bien lisse. Laisser lever la pâte encore une fois au double de son volume.

Faire cuire au four à 180°C (350°F) pendant 45 minutes.

Pain de seigle aux oignons

(Donne 1 miche)

300 mL (1¼ t.) d'eau tiède
  1 c. à soupe de levure active sèche
  2 c. à soupe de mélasse
  2 c. à soupe d'huile
1½ c. à thé de sel de mer
500 mL (2 t.) de farine de blé entier à pain
375 mL (1½ t.) de farine de seigle entier
    (approximativement)
 75 mL (¼ t.) de flocons d'oignons séchés

Dissoudre la levure dans l'eau chaude additionnée de mélasse.

Ajouter l'huile, le sel et 250 mL (1 t.) de farine de blé. Battre 100 coups.

Incorporer le reste de la farine de blé et suffisamment de farine de seigle, de façon à ce que la pâte soit pétrissable.

Pétrir sur une surface enfarinée, en rajoutant assez de farine de seigle pour rendre la pâte lisse, ferme et pas trop collante. (Une pâte à pain contenant de la farine de seigle est naturellement un peu plus collante que la pâte de blé.)

Mettre la pâte dans un grand bol badigeonné d'huile, la retourner pour qu'elle soit recouverte d'huile sur le dessus. Couvrir le bol d'un linge humide et laisser lever la pâte dans un endroit chaud jusqu'à ce qu'elle atteigne le double de son volume. Rabattre la pâte en y enfonçant le poing. Faire lever la pâte une deuxième fois.

Pétrir légèrement la pâte en y incorporant les flocons d'oignons et façonner suivant la forme désirée. Ce pain est très attrayant sous la forme d'une jolie miche ronde.

Laisser lever la pâte dans un moule huilé jusqu'à ce que son volume ait doublé. Faire cuire pendant 45 minutes à 180°C (350°F).

Pain au tahini

600 mL (2½ t.) d'eau tiède
2 c. à soupe de levure active sèche
2 c. à soupe de miel
125 mL (½ t.) de tahini
2. c. à thé de sel de mer
50 mL (¼ t.) de farine de gluten
1,5 à 1,8 L (6½ à 7 t.) de farine de blé entier à pain (environ)

Dissoudre la levure et le miel dans l'eau tiède. Ajouter le tahini et le sel. Bien mélanger.

Ajouter la farine de gluten et 500 mL (2 t.) de farine à pain et battre 100 coups.

Incorporer suffisamment du reste de farine à pain pour rendre la pâte pétrissable.

Pétrir sur une surface enfarinée, dans assez de farine de sorte que la pâte devienne lisse, élastique et non collante. Placer la pâte dans un bol badigeonné d'huile, huiler la surface de la pâte et couvrir le bol d'un chiffon humide et laisser lever la pâte au double de son volume initial. Dégonfler la pâte en y enfonçant le poing.

Laisser lever la pâte à nouveau (facultatif). Dégonfler. Façonner en deux miches et les placer dans des moules à pain huilés. Laisser lever jusqu'à ce que les miches aient doublé de volume.

Cuire au four à 180°C (350°F) pendant 45 minutes.

Retirer du moule et laisser refroidir sur une grille avant de ranger.

Petits pains délicieux au sésame

(Donne environ 16 petits pains)

100 mL (⅓ t.) de graines de sésame

Quand vous faites du pain au tahini (voir recette page précédente), réserver la moitié de la pâte pour la préparation des petits pains.

Tailler la pâte en 16 morceaux égaux (environ). Couvrir les morceaux d'un bol renversé ou d'un chiffon humide pour les empêcher de sécher.

Façonner chaque morceau de pâte en boules et rouler chacune d'elles dans les graines de sésame, de façon à ce qu'elles en soient bien recouvertes.

Placer les petits pains dans un poêlon de fonte badigeonné d'huile.

Laisser lever jusqu'à ce que les pains aient doublé de volume. Faire cuire au four de 25 à 30 minutes à 180°C (350°F).

Levain

500 mL (2 t.) de farine de blé entier ou de
    seigle
500 mL (2 t.) d'eau
  1 c. à soupe de levure active sèche
  1 gousse d'ail

Faites le mélange de tous les ingrédients et placer dans un
contenant de verre, de céramique ou de plastique. Assurez-
vous que le contenant soit assez grand, car cette préparation augmente sensiblement de volume.

Couvrir d'un chiffon ou d'un couvercle de plastique dans
lequel on a pratiqué une ouverture. Laisser reposer le
mélange dans un endroit chaud de 3 à 4 jours. La pâte
devrait gonfler et retomber plusieurs fois pendant ce temps,
et commencer à dégager une odeur agréable et un peu
surette.

Si la pâte prend une couleur rosée ou orange et émet une
odeur forte et désagréable, la jeter et recommencer l'opération. Sinon, elle est prête à utiliser. Retirer l'ail.

Ce levain se garde actif si l'on s'en sert avant deux semaines.
Chaque fois que vous utilisez 250 mL (1 t.) de levain, n'oubliez pas de rajouter 125 mL (½ t.) de farine et 125 mL
(½ t.) d'eau au reste du levain et laisser reposer une nuit.
Par la suite, conserver au réfrigérateur.

Si vous n'avez pas utilisé votre levain depuis plus de
2 semaines, vous pouvez le réactiver en y ajoutant 125 mL
(½ t.) de farine et la même quantité d'eau. Laisser reposer
le levain dans un endroit chaud pendant 8 heures, puis
remettre au réfrigérateur.

On peut confectionner du levain sans employer de levure,
mais dans ce cas, le résultat n'est pas absolument assuré.
Suivre exactement les mêmes instructions que la recette
précédente, en omettant la levure. Si le mélange devient
gonflé et fait des bulles, qu'il dégage un arôme plaisant et
un peu suret, il est réussi.

Pain de seigle de la ferme

(1 grosse miche, ou 2 petites)

Ce merveilleux pain au grain resserré, lourd et foncé, au parfum légèrement piquant, au bon goût suret, fera les délices des vrais amateurs de pain. Sa ressemblance avec la substance blanche, fade et molle vendue dans le commerce sous le nom de pain est si éloignée qu'on dirait deux classes d'aliments complètement différents !

> 300 mL (1¼ t.) de grains de seigle
> 250 mL (1 t.) d'eau tiède (on peut utiliser l'eau de cuisson des pommes de terre)
> 250 mL (1 t.) de levain (voir recette page 203)
> 2 c. à thé de sel de mer
> 2 c. à soupe de mélasse noire
> 50 mL (¼ t.) de farine de gluten (facultatif)
> 750 mL (3 t.) de farine de blé entier à pain
> 250 mL (1 t.) de farine de seigle entier (ou plus, suivant le besoin)

Faire germer les grains de seigle de façon à les attendrir suffisamment pour faciliter la mastication. Une nuit de trempage et une journée ou deux de germination devraient être suffisants, (consulter le chapitre concernant les procédés de germination, à la page 144). On peut aussi arriver à ce résultat en faisant cuire les grains de seigle dans l'eau (300 mL - (1¼ t.) de seigle pour 750 mL - (3 t.) d'eau), pendant environ une heure, jusqu'à ce qu'ils soient tendres.

Mélanger l'eau, le levain, le sel et la mélasse dans un grand bol. Ajouter le gluten (si désiré) et 250 mL (1 t.) de la farine de blé. Battre 100 coups. Ajouter les grains de seigle et le reste de la farine de blé.

Incorporer suffisamment de farine de seigle pour que la pâte puisse se pétrir. Saupoudrer généreusement votre surface de pétrissage de farine de seigle. Pétrir, en rajoutant de la farine au besoin, jusqu'à ce que la pâte soit bien ferme et pas trop collante. Ce pain ne peut que bénéficier d'un long pétrissage.

Badigeonner généreusement d'huile un large moule à pain ou 2 moules de grandeur moyenne. Saupoudrer le fond et les côtés du moule de semoule de maïs. Façonner la pâte en miches et les placer dans les moules. Couvrir ceux-ci d'un chiffon humide et laisser lever dans un endroit chaud pendant 8 heures environ, jusqu'à ce que la pâte ait doublé de volume.

Faire cuire au four à 180°C (350°F) pendant 1 heure pour les petits pains et environ 1 heure et 15 minutes pour une grosse miche. À la sortie du four, démouler les pains et les enrouler dans une serviette jusqu'à ce qu'ils soient refroidis. Conserver dans des sacs de plastique au réfrigérateur.

Ce pain peut être réalisé entièrement avec de la farine de seigle, ce qui le rendra légèrement plus lourd.

Note : quand ce pain sort du four, la croûte est très dure car les grains de seigle entier exposés à la surface du pain auront séché à la cuisson. Après une journée, ils seront de nouveau tendres. Il est préférable d'enlever la croûte pour la confection de sandwiches. Les brisures et les restes de pain peuvent être moulus au mélangeur pour en faire de la chapelure.

Muffins anglais au levain

(De 10 à 12 muffins)

125 mL (½ t.) de levain
250 mL (1 t.) d'eau tiède
  1 c. à soupe de levure
  2 c. à soupe d'huile
  2 c. à soupe de miel
  1 c. à thé de sel de mer
  1 L (4 t.) de farine de blé entier à pain
    (approximativement)
 50 mL (¼ t.) de semoule de maïs

Mélanger ensemble les 6 premiers ingrédients. Laisser en attente 10 minutes environ pour permettre à la levure de se dissoudre.

Ajouter suffisamment de farine de façon à former une pâte qui puisse se pétrir. Pétrir la pâte en ajoutant de la farine au besoin pour rendre la pâte élastique et non collante.

Mettre la pâte dans un bol badigeonné d'huile, recouvrir d'un chiffon propre et humide et laisser lever jusqu'à ce que la pâte ait doublé de volume. Dégonfler la pâte en y enfonçant le poing. Si désiré, faire lever la pâte une seconde fois et la dégonfler à nouveau.

Rouler la pâte en forme de cylindre d'environ 8 cm (3″) de diamètre. Couper en morceaux de 3 cm (1″) de long. En se servant des mains, presser et façonner chaque morceau de pâte de façon à lui donner la forme d'un muffin anglais, de 1,2 cm (½″) d'épaisseur. Bien enrober chaque muffin de semoule de maïs de tous côtés.

Laisser lever les muffins sur une plaque saupoudrée de semoule de maïs jusqu'à ce qu'ils aient presque doublé de volume, 20 à 30 minutes.

À l'aide d'une spatule, transférer les muffins sur un poêlon sec et préchauffé. Faire cuire à feu modéré de 5 à 7 minutes de chaque côté. Mettre 3 ou 4 muffins à la fois dans le poêlon.

Pour servir, ouvrir les muffins en deux à la fourchette et faire griller.

Note : on peut aussi réaliser les muffins anglais en se servant de la pâte du « Pain aux pommes de terre » (voir recette page 198). Façonner 2 miches de pain et utiliser le reste de la pâte pour la confection des muffins.

Variante : on peut ajouter de 125 à 250 mL (½-1 t.) de raisins secs et 1 c. à thé de cannelle à la recette de base. Dans ce cas, mettre la cannelle en même temps que l'eau et pétrir les raisins dans la pâte juste avant de faire lever la pâte une dernière fois.

« Bagels Pumpernickel »

(Donne environ une douzaine de bagels)

Le « bagel » est ce genre de pain un peu massif, au grain resserré, qui nous vient de la cuisine traditionnelle juive et qui possède la forme d'un beigne.

- **250 mL (1 t.) d'eau tiède**
- **1 c. à soupe de miel**
- **1 c. à soupe de levure active sèche**
- **1 c. à thé de sel de mer**
- **1 c. à thé de poudre de caroube**
- **3 œufs**
- **750 mL (3 t.) de farine de blé entier à pain**
- **500 mL (2 t.) de farine de seigle (approximativement)**
- **2 L (8 t.) d'eau légèrement salée**
- **1 œuf battu avec 1 c. à soupe d'eau**
  Graines de carvi, de sésame ou de pavot

Mélanger l'eau, le miel, la levure, le sel et le caroube. Laisser reposer 10 minutes pour permettre à la levure de se dissoudre.

Incorporer les œufs, la farine de blé, ainsi que suffisamment de farine de seigle pour que la pâte puisse se pétrir.

Pétrir sur une surface enfarinée, en ajoutant de la farine de façon à ce que la pâte devienne lisse, ferme et pas trop collante. Pétrir pendant au moins 10 minutes.

Placer la pâte dans un bol badigeonné d'huile. Huiler légèrement la surface de la pâte et couvrir d'un chiffon humide. Laisser lever dans un endroit chaud jusqu'à ce que la pâte ait doublé de volume.

Dégonfler la pâte en y enfonçant le poing, pétrir de nouveau quelques instants, puis couper la pâte en 12-13 morceaux d'égale grosseur.

Rouler les morceaux de pâte entre les mains et leur donner la forme de boulettes. Faire un trou au centre de chaque boule en y insérant le pouce. Étirer et façonner la pâte pour lui donner la forme d'un beigne.

Déposer les bagels sur une plaque légèrement enfarinée et laisser lever dans un endroit chaud jusqu'à ce qu'ils doublent de volume.

Faire bouillir les 2 L (8 t.) d'eau légèrement salée dans une grande marmite. Laisser tomber les bagels (environ 4 à la fois) dans l'eau bouillante et faire cuire de 3 à 4 minutes. À mesure que les bagels sont cuits, les placer sur une plaque à biscuits huilée.

Glacer les bagels à l'œuf battu et saupoudrer de graines au choix. Faire cuire au four à 200°C (400°F) pendant environ 20 minutes, jusqu'à ce que les bagels prennent une belle couleur dorée.

Les plats
de résistance

Les plats de résistance
La question des protéines et des autres éléments nutritifs

Au moment où j'ai décidé de devenir végétarienne, en 1972, le souci premier de chaque initié était la consommation adéquate et suffisante de protéines dans cette nouvelle forme d'alimentation. De plus, je m'installais tout juste au Québec et constamment, les gens m'affirmaient que je ne survivrais pas à mon premier hiver. « Dans ce dur climat, on a absolument besoin de beaucoup de gras et de protéines pour se protéger du froid intense. » Le début des années '70 coïncidait également avec l'engouement des gens pour la diète à haute teneur en protéines et basse en hydrates de carbone ; donc, une consommation presque exclusive de viande, de produits laitiers et de salades. Plusieurs personnes souffrant actuellement de problèmes cardiaques le doivent probablement à ces préceptes ridicules. Adele Davis, l'autorité en la matière à cette époque, n'a sûrement pas contribué à améliorer la situation avec son régime riche en protéines, renforcé de levure de bière, de foie, de germe de blé et toute une panoplie de pilules et comprimés, évidemment, pour suppléer aux carences de ce même régime ! Le livre le plus populaire à cette époque concernant le végétarisme, *Diet for a Small Planet* (« Sans viande et sans regret »), écrit par Frances Moore Lappe, tombait également quelque peu dans ce piège qu'était la théorie de la consommation obligatoire d'aliments de haute valeur protéinique. Aussi, madame Lappe y consacrait-elle de larges sections de son livre, par ailleurs excellent.

On statuait également que si les protéines végétales étaient choisies comme unique source de protéines, certains aliments devaient être combinés dans le même repas pour être en mesure de réaliser l'assimilation adéquate de l'organisme des 8 acides aminés essentiels. Dans le cas contraire, les protéines consommées seraient incapables d'assumer leur rôle vital. Dans l'état des recherches actuelles, il est maintenant reconnu que les 8 acides aminés peuvent être consommés à différents moments de la journée et être tout aussi efficaces.

Dans la nouvelle édition de « Sans viande et sans regret », madame Lappe corrige cette conception erronée et périmée et explique les nouvelles découvertes en termes de besoins protéiniques et comment ces exigences sont plus faciles à combler qu'on ne l'aurait cru auparavant. Elle insiste sur le fait que le processus fastidieux de compter les grammes de protéines consommées à chaque repas et de surveiller la combinaison des acides aminés n'est absolument pas nécessaire. En fait, les experts sont d'accord sur le fait qu'une personne ayant une alimentation variée et consommant un nombre suffisant de calories provenant d'aliments entiers, ne peut développer de déficience protéinique. Presque toutes les classes d'aliments contiennent un certain degré de protéines.

Malgré qu'il soit possible que la combinaison des protéines n'ait pas beaucoup d'importance, la plupart des recettes contenues dans ce livre sont basées sur la complémentarité des protéines. La raison en est que les recherches dans le domaine des besoins protéiniques est relativement nouvelle et que les « faits » changent fréquemment. Même s'il est prouvé que les 8 acides aminés essentiels n'ont pas besoin d'être consommés au même repas, il y a des raisons de croire que si les repas sont trop espacés, l'assimilation effective des protéines n'aura pas lieu.[1]

L'examen attentif de l'alimentation de base traditionnelle de la plupart des peuples du monde entier, fournit des réponses à bien des questions. Presque tous les régimes sont fondés sur l'emploi de grains entiers, combinés à des légumineuses, des légumes, et souvent à de petites quantités de produits laitiers. Les grains entiers et les légumineuses sont presque toujours consommés ensemble, réalisant naturellement la complimentarité des protéines.

---

1. *Diet for a Small Planet*, Frances Moore Lappe, Ballantine Books, New York, p. 182.

Il est donc sage d'être prudents, et de prendre la précaution facile de bien combiner les sources protéiniques. De plus, les plats préparés de cette façon sont généralement meilleurs au goût et plus satisfaisants. Pouvez-vous imaginer de manger du beurre d'arachide sans pain ? ou des haricots sans les accompagner de riz ou d'une autre céréale ? Cela ne semble tout simplement pas correct. Il est conseillé aux femmes enceintes ou allaitant de donner une attention particulière à cette propriété, car leurs besoins protéiniques sont plus élevés !

La consommation adéquate de vitamines et de minéraux ne constitue aucun problème dans une alimentation végétarienne variée et basée sur des ingrédients entiers, accompagnés de produits laitiers. Les problèmes apparaissent quand on se restreint à un régime anormal, tel que de manger uniquement du riz brun pendant 6 mois, ou seulement des aliments crus, ce qui convient fort peu à un climat nordique. Un végétarien qui exclut totalement les produits laitiers de son alimentation doit faire attention aux carences de calcium, et trouver des substituts appropriés, tels que les légumes de mer, les légumes en feuilles vert foncé et les graines de sésame.

Considérons quelques exemples concernant la teneur en minéraux de certains aliments. Le foie de bœuf, reconnu comme une excellente source de fer, (6.5 mg par 450 g-1 lb) se voit nettement déclassé par le jus de prune, qui en contient 10.5 mg pour 300 mL (10 oz). Le taux de fer contenu dans les aliments augmente sensiblement quand ceux-ci sont cuits dans une marmite de fonte. Par exemple, 100 g (3 oz) de sauce à spaghetti préparés de cette façon renferment 87.5 mg de fer, et seulement 3 mg si elle est cuite dans une casserole de céramique.[1]

Un autre minéral important qui préoccupe les végétariens, est le zinc. Les meilleures sources de zinc se retrouvent dans les pois, les carottes, les grains entiers, le germe de blé et les feuilles de tournesol. Les grains entiers contiennent aussi une substance acide qui empêche en partie l'absorption adéquate du zinc par l'organisme. Toutefois, ceci ne cause pas un problème réel, car le zinc devient disponible lorsque les grains entiers fermentent (ce processus apparaît naturellement dans la fabrication du pain, spécialement le pain au levain) ou quand ils sont germés.

En conclusion, il est important de considérer comment on mange, pas seulement ce qu'on mange. Une attitude de respect et de gratitude par rapport à la nourriture, sa diversité et son abondance, consommée dans un environnement calme et détendu, vous apportera plus de bienfaits physiques et moraux que tous les suppléments, comprimés, capsules, ou thérapies que vous pourriez acheter.

Les céréales

L'AVOINE

La saveur subtile et douce de l'avoine la rend particulièrement populaire dans la création de délicieux desserts, biscuits et croûtes de tartes et dans la confection des mémorables carrés aux dattes.

Les grains d'avoine entiers demandent une cuisson très longue, c'est pourquoi l'avoine est presque toujours transformée en flocons avant d'atteindre le marché. La méthode pour obtenir les flocons d'avoine à partir des grains entiers consiste à passer ceux-ci entre des rouleaux de métal qui les écrase et les aplatit. Ce procédé permet de réduire considérablement le temps de cuisson de l'avoine.

L'usage de l'avoine n'est cependant pas limité aux mets sucrés. On peut en faire d'excellentes croquettes. Une des recettes préférées de mon mari est celle des « Croquettes d'avoine de luxe (à la page 265). On l'incorpore aussi à des terrines de légumes ou à différents pâtés. Si une recette demande de la farine d'avoine, on l'obtient facilement en broyant les flocons au mélangeur. La farine d'avoine sert à la confection de nombreux gâteaux, pains, muffins et autres délices.

Elle sert aussi à créer des petits déjeuners nourrissants, sous forme de céréale granola ou de « gruau » bien accueillis par les froides matinées hivernales.

Note : se référer au chapitre des petits déjeuners pour l'explication du mode de cuisson de l'avoine.

LE BLÉ

Certainement la céréale la plus populaire en Amérique du Nord, le blé surpasse toutes les autres céréales dans sa capacité d'accomplir les performances culinaires les plus diverses. Moulu sous forme de farine, le blé se transforme en pains d'aspects variés, en fines et délicates pâtisseries ou en gâteaux moelleux, se modèle en pâtes alimentaires aux galbes défiant l'imagination ; il entre dans la composition de sauces veloutées et savoureuses. Un traitement relativement nouveau, du moins chez les Occidentaux, permet d'obtenir le seitan, composé à partir du gluten contenu dans le blé (pour plus de détails, voir p. 236).

Absolument toutes les recettes contenant du blé, et ceci s'applique également à toutes les autres céréales, appellent l'emploi de grains entiers. Ce qu'on peut faire avec de la farine blanche se fait tout aussi bien avec de la farine de blé entier, sans compter la valeur nutritive accrue du mets qui en résulte, ainsi que le goût encore plus savoureux.

Il est important de se procurer une farine des plus fraîches, et pour la conserver ainsi, il est conseillé de la garder dans un endroit frais, préférablement au réfrigérateur.

Certaines personnes trouvent judicieux de se procurer la farine en sacs de 20 kg (50 lb) qui leur durera 6 mois. Si la pratique s'avère économique, elle n'est toutefois pas très saine, car la farine de grains entiers rancit rapidement. Pour ceux qui veulent couper les coûts, ou se diriger vers l'auto-suffisance, il serait plus pertinent d'investir dans l'achat d'un moulin à grains et de moudre sa farine selon les besoins, les grains de blé entier constituant un achat fort économique.

Les grains de blé entier peuvent également être cuits tels quels, comme céréales matinales, ou ajoutés à des casseroles de légumes ou de haricots (voir dans « La grande cuisine végétarienne » les recettes de « Blé cuit au thermos » (p. 42), de « Pâté Grenoble » (p. 138), de « Croquettes de blé et de noix » (p. 133)). L'une des recettes que je préfère dans sa simplicité et son bon goût est expliquée ici sous le nom de « Haricots de Lima au blé » (p. 348). Les grains de blé forment d'excellents germes qu'on peut servir de plusieurs façons : voir le chapitre concernant la germination, à la page 144.

— Le blé dur :
  grain de blé planté en automne et laissé dans la terre tout l'hiver. Son contenu en gluten est plus élevé que celui du blé mou. La farine à pain est dérivée du blé dur.

— Le blé mou :
  planté au printemps. La farine de blé mou est utilisée surtout en pâtisserie. Grâce à sa faible teneur en gluten, elle permet d'obtenir des gâteaux, des croûtes de tartes légers et tendres ; pour la même raison, elle n'est pas indiquée dans la fabrication du pain, car elle le rend presque impossible à trancher et lui donne une texture friable et grossière.

— Le blé Duram :
  une variété de blé à haute teneur en protéines, surtout employée dans la fabrication de pâtes alimentaires.

— Le blé boulghour :
  blé dur entier concassé, précuit, puis asséché. Il a l'avantage de cuire rapidement.

— Couscous :
  un dérivé du blé qui a été raffiné, et ne contient ni le germe ni le son du blé. Plus cher que le boulghour et de qualité nutritive nettement inférieure. Aucune des recettes de ce livre n'utilise le couscous.

Mode de cuisson des grains de blé entier :

(Donne environ 1 L ou 4 t.)

250 mL (1 t.) de grains de blé
750 mL (3 t.) d'eau

Bien laver le blé et le mettre dans une marmite avec l'eau. Couvrir et amener à ébullition. Réduire la chaleur et faire mijoter pendant une heure, jusqu'à ce que les grains soient tendres.

Mode de cuisson du boulghour :

> 250 mL (1 t.) de boulghour
> 500 mL (2 t.) d'eau bouillante ou de bouillon de
> légumes

Laver le boulghour et le mettre dans un poêlon sec ou légèrement huilé, avec de l'oignon haché, de l'ail, etc. Faites l'essai avec l'oignon d'abord, puis improvisez ! Remuer au-dessus d'un feu moyennement vif pendant 2 à 3 minutes.

Retirer le poêlon de la source de chaleur et y verser l'eau bouillante. Couvrir, remettre à feu doux et laisser mijoter environ 15 minutes, jusqu'à ce que l'eau soit absorbée.

LE MAÏS

Malgré que le maïs soit principalement servi frais comme légume, il entre pourtant et justement dans la classification des céréales. Séché et moulu sous forme de farine ou de semoule, le maïs sert à la préparation de délicieux pains, muffins, gâteaux, crêpes, ainsi que de maints plats dont la liste pourrait s'allonger indéfiniment.

Aliment de base des cuisines de l'Amérique du Sud et Centrale, également traditionnel du sud des États-Unis, le maïs constituera une heureuse diversion dans notre diète, trop centrée sur l'emploi du blé.

La semoule de maïs rapide à préparer, compose une excellente céréale pour le petit déjeuner. On la sert sous forme de polenta (voir page 304). Une variété particulière de maïs donne le toujours populaire maïs soufflé (« popcorn »), qui souffre malheureusement d'une mauvaise réputation, non justifiée, chez les gens concernés par la diététique. Régalez-vous-en sans crainte, c'est un aliment sain et nutritif, sauf entre les repas !

LE MILLET

Le millet est une céréale qui possède une saveur douce et plaisante, une texture légère et gonflée qui plaît à tous les goûts. Cette céréale détient une valeur nutritive très élevée et un degré alcalin supérieur aux autres variétés de céréales.

De cuisson plutôt rapide, environ 20 minutes, le millet remplace le riz dans n'importe quelle recette lorsque le temps nous manque de faire cuire celui-ci. Sa douce saveur se prête aussi bien à la confection de plats principaux que de merveilleux desserts, ainsi qu'à la préparation de délicieuses céréales du matin (voir la recette « Crème de millet » expliquée à la page 35).

Il suffit de moudre les grains au mélangeur pour obtenir de la farine de millet utilisée dans la préparation des crêpes (voir recette page 41), ou mélangée à d'autres farines dans la confection de gâteaux, pains ou muffins.

Mode de cuisson du millet :

(Donne 875 mL à 1 L ou 3½-4 t.)

250 mL (1 t.) de millet cru
600-750 mL (2½ - 3 t.) d'eau bouillante

Laver le millet et le placer dans un poêlon sec. Remuer au-dessus d'un feu moyennement vif jusqu'à ce qu'il devienne sec et dégage un arôme de noisette.

Retirer de la source de chaleur et verser l'eau bouillante sur le millet. Couvrir et remettre la casserole sur le feu. Faire mijoter à feu doux pendant 20 minutes.

Simili-pommes de terre en purée
(Purée de millet)

(Donne environ 1 L ou 4 t.)

250 mL (1 t.) de millet
1 L (4 t.) d'eau
75 mL (¼ t.) de persil émincé
Sel, lait et beurre (suivant le goût)

Laver le millet et le mettre dans une marmite avec l'eau. Couvrir et amener à ébullition. Réduire la chaleur et faire cuire en remuant fréquemment, jusqu'à ce que l'eau soit absorbée, ce qui devrait prendre 20 minutes ou un peu plus.

Quand le millet est cuit, ajouter le persil, le sel, le lait et le beurre. Mettre assez de lait pour faire une purée crémeuse et non pâteuse.

Accompagner de votre sauce préférée. Merveilleusement délicieux, avec la « Sauce aux noix de pacanes » (voir recette p. 110). Pour composer un repas complet, servir avec du tempeh ou du tofu cuit et une large salade verte.

Note : soyez certains de remuer suffisamment le millet, car cette opération permet de le transformer en purée.

L'ORGE

L'orge détient la distinction d'avoir été la première céréale expérimentée par l'homme vers sa découverte de l'agriculture. Malheureusement, l'histoire a quelque peu délaissé cette céréale délicieuse, à la texture moelleuse et douce, au goût de noisette. En effet, l'usage actuel de l'orge est réservé presque exclusivement à la préparation de la bière.

La mauvaise popularité de l'orge tient peut-être au fait que cette céréale doit cuire assez longtemps, une heure ou plus. Cependant, en planifiant soigneusement notre horaire de cuisine, redécouvrons les qualités nutritives et savoureuses de l'orge, si bien que nous voudrons l'inclure comme partie intégrante de notre régime alimentaire.

L'orge se combine particulièrement bien avec le chou, les champignons et tous les légumes à tubercules. La meilleure qualité d'orge qu'on trouve sur le marché est l'orge tout simplement décortiquée, c'est-à-dire que seule la coquille externe, non comestible, est enlevée. L'orge perlé ne constitue pas un bon achat, car la céréale a été soumise à des procédés de raffinage qui l'appauvrissent terriblement.

Mode de cuisson :

250 mL (1 t.) d'orge
750 mL (3 t.) d'eau

Laver l'orge et la placer avec l'eau dans une marmite. Couvrir et amener à ébullition, puis réduire la chaleur et laisser mijoter environ une heure, jusqu'à ce que les grains soient tendres et l'eau entièrement absorbée.

Si l'on désire une céréale plus moelleuse, augmenter la quantité d'eau à 1 L (4 t.).

LE RIZ BRUN

Une céréale particulièrement versatile par ses formes variées et ses façons de l'apprêter, le riz se révèle un aliment familier de toutes les cuisines internationales.

Les variétés les plus connues sont le riz brun à grain court, moyen ou long, et le riz doux. Une nouvelle espèce, appelée riz « wehani » et mise sur le marché par la « Lunberg Farm of California », possède un grain de couleur foncée et rougeâtre, ainsi qu'un arôme délicieusement parfumé ; de plus, ce riz ne demande que 30 minutes de cuisson. Nous avons la chance au Québec de pouvoir cultiver un grain des plus savoureux, qu'on nomme le « riz sauvage ». Sa récolte étant difficile, son prix est proportionnellement élevé ; réservez-le pour les grandes occasions, pour déguster un mets raffiné, savoureux et original.

Tous les types de riz sont interchangeables dans la plupart des recettes, ou peuvent être mélangés les uns aux autres. Cependant, chaque variété de riz possède une texture unique après la cuisson. Le riz à long grain sera bien gonflé, les grains séparés et non collants, contrairement au riz à grain court, qui jouit toutefois d'une saveur plus riche. Le délicieux riz doux devient collant à la cuisson, croque sous la dent, et est subtilement sucré.

Le commerce nous offre le choix entre le riz organique et le riz cultivé selon les méthodes habituelles. Il existe une grande différence entre les deux, le riz organique étant de loin beaucoup plus propre, il contient moins de dures écales, et a un goût davantage savoureux.

Le riz se prête également à maints modes de cuisson, chacun détenant ses avantages particuliers. Certaines recettes demandent aussi peu que 325 mL (1¼ t.) d'eau pour 250 mL (1 t.) de riz, alors que d'autres utiliseront autant que 750 mL (3 t.) d'eau pour la même quantité de riz. Les temps de cuisson varient entre 25 minutes et une heure. Effectuez plusieurs essais, jusqu'à ce que vous trouviez la méthode et le riz qui conviennent à vos goûts personnels.

Cependant, une règle s'applique dans tous les cas : ne retirez pas le couvercle de la marmite inutilement et surtout, ne remuez pas le riz pendant la cuisson, à moins que vous n'aimiez particulièrement le riz bien collant. Pour vérifier le niveau d'eau dans la casserole, opérer rapidement en levant le couvercle et insérer un couteau au fond de la casserole pour voir s'il reste de l'eau ou non.

Modes de cuisson :

— Méthode facile :
250 mL (1 t.) de riz cru donnera environ 750 mL (3 t.)

après la cuisson. Calculer 150 mL (½ t.) de riz cru par personne, dépendant des autres plats servis au repas.

250 mL (1 t.) de riz
500 mL (2 t.) d'eau

Laver le riz et le placer dans une marmite avec l'eau. Couvrir et amener à ébullition, puis réduire la chaleur et laisser mijoter doucement pendant environ 35 minutes, jusqu'à ce que l'eau soit absorbée.

Pour obtenir un riz plus sec, réduire la quantité d'eau à 370 mL (1½ t.) ainsi que le temps de cuisson à 25-30 minutes.

Si le résultat voulu est un riz plutôt humide et de consistance moelleuse, utiliser 750 mL (3 t.) d'eau et faire cuire pendant une heure.

— Riz grillé :
250 mL (1 t.) de riz
500 mL (2 t.) d'eau bouillante

Laver le riz et le déposer dans un poêlon non huilé. Remuer au-dessus d'un feu moyennement vif jusqu'à ce que le riz devienne légèrement doré et dégage un arôme de noisette. Ajouter alors l'eau bouillante, couvrir le poêlon et réduire la chaleur à feu doux. Faire cuire jusqu'à ce que l'eau soit absorbée (environ 35 minutes).

— Riz cuit au four :
Cette méthode donnera un riz sec et non collant.

250 mL (1 t.) de riz
500 mL (2 t.) d'eau bouillante

Laver le riz et le déposer dans un plat de cuisson. Verser l'eau bouillante sur le riz. Couvrir le plat et faire cuire au four préalablement chauffé à 180°C (350°F), de 45 à 60 minutes, jusqu'à ce que l'eau soit absorbée.

— Riz cuit à la marmite à pression :
250 mL (1 t.) de riz
375 mL (1½ t.) d'eau

Laver le riz et le mettre dans un bol d'acier inoxydable de grandeur appropriée pour pouvoir être inséré dans la marmite à pression. Verser l'eau sur le riz.

Couvrir le fond de la marmite d'environ 3 cm (1″) d'eau. Y placer le bol contenant le riz. Faire cuire en amenant la marmite à sa pression maximale (15 lb), puis réduire la chaleur jusqu'à ce que le régulateur à pression ondule très doucement. Poursuivre la cuisson pendant 20 minutes. Retirer la marmite du feu et réduire la pression en plaçant la marmite sous un filet d'eau froide ou en la laissant refroidir naturellement (ce qui prend un peu plus de temps).

Note : au lieu de toujours employer de l'eau pour faire cuire le riz ou toute autre céréale, essayez ces choix intéressants :
— du bouillon de légumes
— du jus de tomate
— des jus de fruits (dans le cas des plats sucrés seulement)

LE SARRASIN

Parmi toutes les céréales, le sarrasin détient la palme au chapitre des attributs nutritifs et comme un aliment très sain. Il n'est donc pas étonnant que le sarrasin apparaisse fréquemment non seulement dans la cuisine québécoise, mais soit un aliment commun aux cuisines russe, ukrainienne et juive.

La saveur bien particulière du sarrasin ne sera peut-être pas appréciée dès le premier essai, mais une fois qu'on s'habitue à son goût propre, légèrement terreux, à sa texture légère et aérée, il pourrait bien devenir votre céréale favorite.

On cultive presque toujours le sarrasin organiquement, car contrairement aux autres grains, cette céréale n'a que faire des quelconques engrais ; le sarrasin enrichit et nourrit plutôt le sol qui le fait croître. De plus, l'emploi des insecticides est très rare, car on dit qu'il réduit la récolte du sarrasin.

Le sarrasin se présente sous plusieurs formes : on peut se procurer les grains entiers, rôtis ou non ; le sarrasin concassé, qui cuit plus rapidement, et sert dans la préparation de délicieuses céréales matinales (voir recette p. 38). Le sarrasin grillé est disponible sur le marché sous le nom de kasha, ainsi que moulu en farine qui sert à faire les fameuses galettes « de Séraphin » !

Mode de cuisson du sarrasin :

(Donne environ 750 mL ou 3 t.)

250 mL (1 t.) de sarrasin
500 mL (2 t.) d'eau bouillante ou de bouillon de
légumes

Laver le sarrasin et le mettre dans un poêlon sec. Faire cuire au-dessus d'un feu moyennement vif jusqu'à ce que la céréale dégage un arôme de noisette et devienne grillée.

Retirer le poêlon de la source de chaleur et y verser l'eau bouillante. Couvrir. Remettre à cuire à feu doux et laisser mijoter environ 20 minutes, jusqu'à ce que l'eau soit absorbée. Remuer le sarrasin à la fourchette avant de servir.

LE SEIGLE

Cette céréale, surtout utilisée sous forme de farine, permet de confectionner le plus merveilleux pain au levain qu'il existe. Le pain de seigle au levain possède une belle couleur foncée et a cette saveur prononcée et légèrement piquante que la farine de blé, d'un goût moins prononcé, ne peut espérer égaler. Cependant, soyez certains d'employer des grains de seigle entier. Les boulangeries commerciales se servent presque toutes d'une farine de seigle raffinée, qui ne vaut pas mieux que la farine blanche, et dont résulte un pain nettement inférieur et appauvri de ses qualités nutritives.

On peut se procurer les grains de seigle et les moudre à la maison pour obtenir une farine des plus fraîches. Les grains se prêtent également bien à la germination et peuvent être cuits entiers, en suivant les mêmes méthodes de cuisson s'appliquant au blé entier.

Les légumineuses

Les légumineuses ne constituent pas une nourriture de base uniquement chez les végétariens, mais pratiquement chez tous les peuples de la planète. Pendant que je travaillais à la rédaction de « La grande cuisine végétarienne », j'ai essayé d'obtenir des échantillons de chaque variété de haricots disponibles à Montréal. J'en ai ainsi détaillé 24 différentes variétés, possédant chacune sa saveur propre, de forme, de couleur et de texture différentes !

Les avantages des légumineuses ne s'arrêtent pas à leur grande diversité. Elles comptent également parmi les aliments les plus nourrissants et les moins dispendieux sur le marché. Leur contenu protéinique est particulièrement élevé, et elles sont une bonne source de fer et d'autres éléments nutritifs ; de plus, elles ne contiennent pas de cholestérol ni de gras sursaturés, et ont un goût tellement délicieux !

Cependant, malgré toutes ces bonnes qualités, un petit défaut vient assombrir le tableau, car les légumineuses possèdent la fâcheuse réputation d'être spécialement difficiles à digérer. Plusieurs personnes, qui sont très friandes des haricots en général et adorent leur goût, se refusent à en manger pour cette seule raison. Pourtant avec un minimum de connaissances, d'attention et un peu d'astuce, on peut remédier à cette situation et apprécier en toute quiétude les multiples qualités des légumineuses.

Voici une liste des différents procédés permettant d'améliorer la digestibilité des légumineuses :

— Manger des petites quantités de haricots à la fois pour débuter. La plupart des personnes qui ne peuvent tolérer de larges portions de haricots, ne développent aucun problème si elles limitent leur consommation à 125 mL (½ t.) ou moins pour commencer.

— Laisser passer au moins 5 heures entre chaque repas, et ne rien manger, même pas boire de jus, entre temps. Grignoter entre les repas ralentit la digestion du repas précédent, et la nourriture qui se trouve encore dans le système digestif a ainsi le temps de fermenter, ce qui occasionne des gaz et de l'inconfort.

— Ne rien boire pendant le repas. Quand on boit du liquide tout en mangeant, on a tendance à garder les aliments moins longtemps dans la bouche, ce qui entraîne une production moindre de salive et donc une mastication incomplète de la nourriture. Les enzymes digestifs de la bouche, de l'estomac et des intestins sont dilués par le liquide ingéré, retardant le processus de digestion. Dans cette situation, l'estomac doit produire plus d'acide pour garder un Ph équilibré. Tous ces facteurs favorisent également une mauvaise digestion des aliments, leur fermentation et la production de gaz dans le système digestif.[1]

— Composez des repas simples. Ne combinez pas, par exemple, des pommes de terre, des fruits ou un dessert, avec des haricots ; c'est-à-dire ne pas mêler trop de différents types d'aliments dans un même repas.

— Faire germer légèrement les haricots avant leur cuisson contribue à accroître de beaucoup leur digestibilité. Le procédé de germination est très simple, puisqu'on ne cherche pas à produire des germes longs et magnifiques qui prendraient beaucoup de temps à pousser.

1. *Nutrition for Vegetarians*, Agatha Moody Thrash, M.D. and Calvin L. Thrash, M.D., Thrash Publications. Yuchi Pines Institute, Seale Alabama, p. 88.

Procédé de germination simple :

1. bien laver et trier les haricots ;
2. mettre les haricots dans un bol, les couvrir d'eau et les laisser tremper de 8 à 10 heures, une nuit ;
3. bien rincer les haricots à la passoire. On peut garder l'eau de trempage pour arroser les plantes ;
4. remettre les haricots dans le bol. Placer celui-ci sur votre comptoir de cuisine ou tout autre endroit pratique. Il n'est pas nécessaire de les mettre dans un endroit sombre ;
5. rincer deux ou trois fois par jour ou jusqu'à ce qu'un petit germe blanc fasse son apparition ;
6. faire cuire les haricots selon la méthode habituelle. Les haricots germés prennent moins de temps à cuire.

— Une cuisson longue et à petit feu est idéale pour les haricots. Ceux-ci doivent absolument être bien cuits et donc devenir très tendres. Une cuisson qui les garderait croustillants, à la façon des légumes, ne leur conserve pas plus de vitamines et les rend très difficiles à digérer.

— N'ajouter le sel qu'à la fin de la cuisson.

— Du miso, de la choucroute et du yogourt, servis au même repas qu'un plat de haricots, semblent avoir la propriété d'accroître leur digestibilité.

— Le fenouil, l'aneth et la sarriette possèdent également la propriété de faciliter la digestion des haricots.

— Si l'on prend l'habitude de consommer les haricots comme partie intégrante de notre régime alimentaire, notre système s'y adapte et leur digestion devient plus aisée.

La cuisson des haricots

Le même mode de cuisson s'applique à toutes les variétés de légumineuses, seul le temps de cuisson varie. Quand une recette requiert un type de haricot, vous pouvez presque toujours y substituer n'importe quelle autre variété. Votre plat sera légèrement différent, mais certainement tout aussi délicieux.

Il n'est pas absolument nécessaire de faire tremper certaines légumineuses, mais toutes en tireront avantage. Le trempage permet de réduire le temps de cuisson des haricots et améliore leur digestibilité. Comme il a été expliqué précédemment, une légère germination facilite également la digestion et diminue le temps de cuisson. La méthode de cuisson reste la même.

Mode de cuisson des haricots :

— Laver et trier les haricots. Soyez attentifs, car on trouve parfois de la terre et des petits cailloux mêlés aux haricots secs.

— Faire tremper les haricots pendant une nuit. Les faire germer quelques jours, si désiré.

— Rincer les haricots et les mettre dans une grande marmite. Ajouter assez d'eau pour couvrir les haricots d'environ 4 cm (1½″).

— Couvrir la marmite et amener à ébullition. Réduire la chaleur et laisser mijoter à feu doux très lentement jusqu'à ce que les haricots soient tendres. Remuer de temps à autre.

— Quand les haricots sont presque tendres, ajouter les assaisonnements, selon votre goût.

— Voir également la méthode de cuisson des haricots à la marmite à pression ou à la marmite à cuisson lente, expliquées au chapitre de « Prêt-à-manger style végétarien » (page 337).

Voici un tableau du temps de cuisson approximatif des haricots les plus communs. Le temps peut varier selon l'âge des haricots et l'eau utilisée. Les haricots cuits dans l'eau dure prendront plus de temps à devenir tendres.

	Non trempés	Trempés une nuit	Marmite à pression (non trempés)	Germés 2 ou 3 jours
Adzuki	1 h 30 min	1 h	45 min	30 min
Noir		2-3 h		1½-2 h
Dolique à œil noir	1 h 30 min	1 h (ou moins)	45 min	30 min
Pois chiche		2-3 h	1 h*	1 h (ou plus)
Great Northern blanc	1 h 30 min	1 h	1 h	45 min
Lentilles	45 min	30 min		10 min (ou moins)
Haricot Pinto	3 h	2 h	1 h	1 h
Fève de soya		3-4 h	1½ h (ou plus)*	1½ h (ou plus)

* Les pois chiches et les fèves soya doivent tremper une nuit avant d'être cuits à la marmito à pression.

Comment préparer le gluten

(Donne de 250 mL à 500 mL (1-2 t.) de gluten cru)

750 mL (3 t.) d'eau
1,6 L (7 t.) de farine de blé entier à pain
(approximativement)

Mettre l'eau dans un grand bol. Ajouter 750 mL (3 t.) de farine et battre jusqu'à l'obtention d'une consistance lisse. Ajouter graduellement d'autre farine de façon à former une pâte qui puisse se pétrir.

Renverser la pâte sur une surface généreusement enfarinée et pétrir dans assez du reste de la farine pour obtenir une pâte ferme et non collante.

Pétrir vigoureusement pendant 20 minutes. Si le pétrissage vous paraît trop ardu, essayer de rabattre la pâte avec vos poings, avec un marteau de caoutchouc ou un rouleau à pâte. Il faut que la pâte devienne très élastique. Pour vérifier si la pâte est prête, coupez-en un petit morceau et lavez-le.

Pour laver la pâte :
Remplir un large bol d'eau ; la température de l'eau devrait être à un degré confortable pour les mains. Séparer la pâte en deux, elle sera plus facile à travailler.

Mettre la moitié de la pâte dans l'eau. Travailler avec les mains pour libérer l'amidon, en la tordant et en la frottant, jusqu'à ce que l'eau devienne très troublée. N'ayez crainte de trop travailler la pâte, elle vous semblera tomber en morceaux, mais elle reprendra son élasticité par la suite.

Égoutter la pâte dans une passoire* et la remettre dans un bol. Répéter l'opération de lavage du gluten jusqu'à ce

---

* Conservez l'eau de rinçage, qui contient l'amidon et le son du blé. Utilisez-la dans des sauces, des soupes, des ragoûts, ou pour la fabrication du pain. Si vous vivez à la ferme, faites-en profiter vos animaux (chevaux, poules, etc.).

que la pâte ressemble à une grosse gomme à mâcher. À ce stade, l'eau de rinçage devrait être assez claire.

Votre gluten est maintenant prêt à utiliser, en suivant les indications de la recette, comme celle du :
— Seitan (p. 236)
— Rôti de gluten (p. 234)
— Gluten moulu (p. 235)
— Seitan aux haricots (p. 238)

Rôti de gluten

(8 portions)

1 **recette de gluten cru (voir page 233)**
1 **L (4 t.) d'eau, ou de bouillon de légumes**
75 **mL (¼ t.) de shoyu**
1 **c. à thé d'huile de sésame rôti**
8-10 **gousses d'ail, écrasées**

En vous servant des mains, façonner le gluten cru pour lui donner la forme d'une miche, travailler de la même façon que vous feriez pour le pain. Entrer les bords à l'intérieur du gluten, pour obtenir une surface bien égale, ferme et lisse.

Mettre le gluten dans un plat de cuisson badigeonné d'huile ou d'une marmite à cuisson lente.

Mélanger les autres ingrédients au bouillon et verser sur le gluten. Cuire à couvert au four à 120°C (250°F) de 9 à 10 heures ou régler la cuisson de votre marmite à cuisson lente pour 10 à 15 heures.

Ce mode de cuisson donne au gluten une texture semblable au rôti de bœuf. Trancher très finement et l'utiliser dans des sandwiches, des plats de légumes cuits à la chinoise, ou faire griller comme un steak et accompagner d'une sauce au choix.

Gluten moulu

(8-10 portions)

Cette recette est ma façon préférée d'utiliser le gluten. Très facile à préparer, le gluten moulu semble également pourvoir des portions supplémentaires, apprêté de cette manière. De plus, c'est un produit qui, par sa texture ressemblant à celle du bœuf haché, se prête à de multiples usages, selon votre imagination.

Pour fabriquer le gluten, vous aurez besoin d'un robot culinaire ou d'un moulin à viande.

1 recette de gluten cru (voir page 233)

Étirer et façonner le gluten en une plaque d'environ 1,2 cm (½″) d'épaisseur. Placer le morceau de gluten sur une plaque à biscuits bien badigeonnée d'huile.

Faire cuire au four à 180°C (350°F) pendant 15 minutes.

De larges bulles se formeront sûrement à la surface du gluten ; ouvrez alors le four et piquez les bulles à la fourchette pour permettre à l'air de s'échapper. Poursuivre la cuisson 15 minutes de plus. Le gluten devrait être croustillant à l'extérieur et tendre à l'intérieur. Retirer du four et couvrir d'un large bol. Laisser reposer 10 minutes environ, de façon à ce que la croûte soit ramollie.

Moudre le gluten au robot culinaire ou au moulin à viande, en utilisant le tiers de la préparation à la fois.

Utiliser le gluten comme substitut de la viande hachée dans différents plats, tels que pâtés chinois, pâtés à la viande, sauces à spaghetti, lasagnes, etc. Quelques recettes sont également disponibles dans ce livre :
— Chili con trigo (p. 87)
— Croque-en-blé (p. 241)
— Tourtière de seitan (p. 242)

Seitan

(Donne environ 1 L (4 t.) de seitan)

1 **recette de gluten cru (voir recette page 233)**
2 **c. à soupe d'huile**
1 **c. à thé d'huile de sésame rôti**
1 **oignon, haché**
8-10 **gousses d'ail, émincées**
1-2 **c. à thé de gingembre frais, moulu**
1 **c. à thé de thym**
1 **L (4 t.) d'eau ou de bouillon de légumes**
75 **mL (¼ t.) de shoyu**

Suivre la recette pour la préparation du gluten cru puis mettre de côté pendant que vous préparez le bouillon.

Faire chauffer les huiles dans une grande casserole, et y faire rissoler l'oignon, l'ail, le gingembre et le thym, à feu modéré, jusqu'à ce que l'oignon soit tendre.

Ajouter l'eau ou le bouillon et le shoyu. Couvrir, laisser mijoter à feu doux. Préparer le gluten pendant ce temps.

Rouler le gluten à l'aide d'un rouleau à pâtisserie ou en vous servant des mains et lui donner la forme d'un rectangle de 0,5 cm à 1,2 cm (¼-½″) d'épaisseur.

Avec les ciseaux, couper le gluten en bandes de 3 cm (1″) de large. Découper celles-ci en morceaux de 4 cm (1½″).

Faire mijoter le bouillon de légumes à feu très doux, si la température est trop élevée, le seitan aura tendance à devenir spongieux.

Faire tomber les morceaux de seitan très lentement dans le bouillon et les cuire jusqu'à ce qu'ils soient fermes, environ 45 minutes.

Dans le cas où le seitan serait devenu trop spongieux, vous pouvez l'assécher au four à 180°C (350°F), jusqu'à ce qu'il soit ferme, environ 30 minutes.

Comment servir le seitan :

    — on peut l'ajouter à tout plat de légumes cuits à la chinoise, dans les soupes ou les ragoûts, etc. ;

    — le seitan se conserve bien au congélateur, en vue d'une utilisation future ;

    — accompagner le seitan d'une sauce confectionnée à base du bouillon dans lequel il a cuit, ajouter 2 c. à soupe d'arrowroot dilué dans 75 mL (¼ t.) d'eau, ce qui épaissira la sauce.

Seitan aux haricots

Le liquide de cuisson des haricots, déjà assaisonné, constitue une excellente sauce pour le seitan, ainsi qu'une bonne source de protéines complémentaires. On peut également faire cuire le seitan dans un bouillon de légumes ou un ragoût bien assaisonné.

*1 L (4 t.) de haricots cuits (les haricots Pinto ou Great Northern se prêtent bien à cette recette. Utiliser 375 mL (1½ t.) environ de haricots secs.)

375 mL (1½ t.) de liquide de cuisson des haricots

1 gros oignon, haché

2 branches de céleri, hachées

2 petites carottes, tranchées

6 feuilles de laurier

1 c. à thé de sarriette

1 c. à thé de thym

¼ c. à thé de graines de céleri

5 c. à soupe de shoyu (ou moins, suivant le goût)

**250-325 mL (1-1¼ t.) de gluten cru (recette en page 233)

2 c. à soupe d'huile d'olive

4 gousses d'ail pressées

75 mL (¼ t.) de persil, émincé

Faire cuire les haricots jusqu'à ce qu'ils soient tendres. Mesurer le liquide de cuisson, et ajouter de l'eau si nécessaire, de façon à obtenir environ 375 mL (1½ t.) de liquide.

Dans une grande marmite, mettre les haricots, le liquide, l'oignon, le céleri, les carottes, le shoyu et les herbes aromatiques. Amener à ébullition, puis réduire la chaleur et laisser mijoter pendant que vous préparez le gluten.

Étendre le gluten cru sur un comptoir jusqu'à environ 0,3 cm (⅛″) d'épaisseur. Couper le gluten aux ciseaux, en morceaux de la grosseur d'une bouchée.

Réduire la chaleur à feu très doux et faire tomber les morceaux de seitan dans la marmite de haricots. Couvrir et cuire à feu doux environ 40 minutes, jusqu'à ce que les morceaux de seitan soient fermes. Attention de ne pas faire cuire à feu trop élevé, car le seitan a alors tendance à devenir spongieux.

Ajouter l'huile d'olive, le persil et l'ail. Si le goût de l'ail cru vous semble trop fort, le mettre en même temps que les oignons et les autres légumes.

Cette recette économique pourra satisfaire l'appétit vorace de tout un groupe de skieurs. Servir avec une choucroute maison et du pain de seigle au levain.

* Voir le mode de cuisson des haricots secs, à la page 231.

** Pour faire 325 mL (1¼ t.) de gluten, il faut 500 mL (2 t.) d'eau et environ 1,2 L (5 t.) de farine de blé entier à pain. Suivre les indications de la préparation du gluten expliquée à la page 233, en utilisant les quantités indiquées précédemment.

« Steaks » de seitan aux poivrons

(De 4 à 6 portions)

75 mL (¼ t.) de farine de blé entier à
pâtisserie
½ c. à thé de poudre d'ail
500 mL (2 t.) de seitan (voir recette p. 236)
2 c. à soupe d'huile
1 gros oignon, haché
1 poivron rouge, tranché
1 poivron vert, tranché
500 mL (2 t.) de champignons, tranchés
2 c. à soupe d'arrowroot
375-500 mL (1½ - 2 t.) du liquide ayant servi à cuire
le seitan
ou
de bouillon de légumes assaisonné de
shoyu, au goût

Mélanger la farine et la poudre d'ail. Y enrober les
morceaux de seitan, des deux côtés. Faire rissoler dans une
poêle ou un wok dans l'huile chaude, jusqu'à ce que les
morceaux de seitan brunissent et deviennent croustillants.
Retirer le seitan de la poêle et garder au chaud pendant
que vous cuisez les légumes.

Faire chauffer 1 c. à soupe d'huile dans la poêle, ajouter
l'oignon et faire revenir 2 à 3 minutes. Ajouter les poivrons
et cuire une ou deux minutes de plus, puis incorporer les
champignons et environ 250 mL (1 t.) du liquide de cuisson du seitan. Couvrir et laisser mijoter jusqu'à ce que les
légumes soient tendres, mais encore croustillants.

Dissoudre l'arrowroot dans le reste du liquide de cuisson
du seitan 250 mL (1 t.) ou moins. Ajouter aux légumes et
faire cuire jusqu'à ce que la sauce épaississe.

Servir sur un nid de riz, de sarrasin (la meilleure combinaison à mon avis), de millet ou de pâtes alimentaires.
Couvrir des morceaux de seitan.

Croque-en-blé (Boulettes de gluten)

(Donne environ 45 boulettes de 3 cm ou 1″)

     1 recette de gluten moulu (voir p. 235)
   100 mL (⅓ t.) d'oignon, émincé
   2-3 gousses d'ail, émincées
    ¼ c. à thé de graines de céleri
    ¾ c. à thé d'origan
     1 c. à thé de basilic
     1 c. à thé de thym
     4 c. à soupe de tamari
     2 c. à soupe d'huile d'olive
     3 c. à soupe de levure alimentaire
    75 mL (¼ t.) de farine de blé entier
    75 mL (¼ t.) de beurre d'arachide

Mélanger tous les ingrédients.

Façonner cette pâte en boulettes de la grosseur d'une noix de Grenoble. Placer sur une plaque à biscuits préalablement huilée.

Cuire au four à 180°C (350°F) pendant 25 minutes, en retournant une fois, jusqu'à ce que les croquettes brunissent et soient fermes.

Servir dans une sauce ou un ragoût de votre choix.

Note : ces boulettes se prêtent bien à la congélation.

Tourtière de seitan

(Pour 1 tarte de 25 cm (10″) de diamètre)

3 **pommes de terre moyennes, brossées et coupées en cubes de 1,2 cm (½″)**
1 **c. à soupe d'huile**
1 **gros oignon, haché**
500 **mL (2 t.) de gluten moulu**
3 **gousses d'ail, écrasées**
¼ **c. à thé de clou de girofle moulu**
125 **mL (½ t.) de persil, haché**
2 **c. à soupe de tamari (suivant le goût)**
2 **œufs, battus**
1 **recette de croûte à tarte double, faite de farine de blé entier**

Faire cuire les pommes de terre dans une petite quantité d'eau jusqu'à ce qu'elles soient tendres. Égoutter et conserver le liquide de cuisson pour un usage futur. Préparer le reste des ingrédients pendant que cuisent les pommes de terre.

Faire rissoler les oignons dans l'huile jusqu'à ce qu'ils soient tendres. Mêler les oignons et les pommes de terre, puis ajouter le reste des ingrédients. Si la préparation est trop chaude, la refroidir quelque peu avant d'y ajouter les œufs.

Étendre la préparation sur une croûte de tarte non cuite. Recouvrir de la seconde abaisse de pâte. Faire quelques incisions dans la pâte pour permettre à la vapeur de s'échapper.

Cuire au four à 180°C (350°F) pendant 35 minutes.

Tofu au gingembre

(De 2 à 3 portions)

450 g (1 lb) de tofu ferme
1½ c. à thé de gingembre frais, râpé
1 c. à thé d'huile de sésame rôti
1 gousse d'ail (ou plus), écrasée
2 c. à soupe de shoyu
125 mL (½ t.) d'eau
2 c. à soupe d'arrowroot

Couper le tofu en tranches de 0,7 à 1,2 cm (¼ à ½″) d'épaisseur et les déposer sur un plat peu profond.

Mélanger le gingembre, l'huile de sésame, l'ail, le shoyu et l'eau. Verser sur les tranches de tofu et laisser mariner au moins 30 minutes.

Retirer le tofu de la marinade (conserver celle-ci) et placer les morceaux de tofu sur une plaque à biscuits généreusement huilée.

Faire cuire au four à 190°C (375°F), 30 minutes à 1 heure, selon le degré de cuisson que vous désirez. Le tofu devient de plus en plus croustillant à mesure qu'il cuit.

Dissoudre l'arrowroot dans 125 mL (½ t.) d'eau, additionnée du liquide de la marinade. Bien mélanger. Verser dans une petite casserole et amener à ébullition. Remuer constamment, jusqu'à ce que la sauce épaississe.

Servir sur les tranches de tofu grillées.

Accompagner le tofu au gingembre de légumes variés, combinés à des grains entiers de votre choix. En fait, les possibilités sont illimitées...

Bâtonnets de « poisson » au tofu

665 g (1½ lb) de tofu

Marinade :

3 c. à soupe de jus de limette (ou de citron)
2 c. à soupe de shoyu
1 c. à thé d'huile de sésame
2 c. à soupe d'oignon, râpé
250 mL (1 t.) d'eau
75 mL (¼ t.) d'algue dulse ou 5 cm (2″) de kombu
(ou la même quantité d'eau ou de bouillon de légumes)

Panure :

175 mL (⅔ t.) de chapelure fine de blé entier
75 mL (¼ t.) de levure alimentaire
¼ c. à thé de sel de mer
1 c. à thé de basilic
2 c. à soupe d'huile

Trancher le tofu en bâtonnets de 1,2 cm (½″) d'épaisseur, en leur donnant la forme de bâtonnets de poisson. Les déposer dans un plat peu profond.

Confectionner la marinade en mélangeant tous les ingrédients ensemble.

Rincer le dulse ou le kombu et mettre dans une petite casserole avec l'eau. Si vous ne pouvez vous procurer les algues, utilisez seulement de l'eau ou du bouillon de légumes. Amener à ébullition, puis réduire la chaleur et faire mijoter à couvert de 5 à 10 minutes. Égoutter et ajouter ce liquide à la marinade.

Verser la marinade sur le tofu. Réfrigérer et laisser macérer 2 à 3 heures.

Mélanger les ingrédients de la panure. Badigeonner généreusement une plaque à biscuits avec les 2 c. à soupe d'huile.

Retirer le tofu de la marinade et bien enrober chaque morceau de panure. Mettre sur une plaque à biscuits.

Faire cuire au four à 190°C (375°F) environ 45 minutes, jusqu'à ce que les morceaux aient bruni et soient croustillants. Les retourner une fois pendant la cuisson.

Conserver la marinade pour rehausser la saveur des soupes ou des sauces.

Sandwiches délicieux : servir les bâtonnets de tofu dans des petits pains de blé entier, avec de la mayonnaise faite à la maison, quelques feuilles de laitue et une tranche de tomate (en saison).

Boulettes à la « viande » de tofu

(6 portions)

Eau bouillante
1,2 L (5 t.) de tofu émietté
250 mL (1 t.) de chapelure de pain de grain entier
75 mL (¼ t.) de tamari
75 mL (¼ t.) de levure alimentaire
75 mL (¼ t.) de beurre d'arachide
1 c. à thé de thym
1 c. à thé de basilic
¼ c. à thé de graines de céleri
¼ c. à thé de clou de girofle
1 œuf

Amener à ébullition une grande casserole remplie d'eau (1,4 L à 2 L - 6 à 8 t.). Y jeter 1 L (4 t.) des miettes de tofu. Laisser bouillir à nouveau pendant 1 minute.

Mettre le tofu à égoutter dans une passoire recouverte d'un chiffon propre. Pour favoriser la manipulation, laisser refroidir le tofu. Ramener les bords du tissu ensemble et presser pour libérer l'excédent d'eau dans le tofu.

Dans un grand bol, mélanger le tofu cuit au tofu cru et tous les autres ingrédients. Bien mêler, en utilisant les mains au besoin. Façonner la pâte en boulettes de la grosseur d'une noix de Grenoble.

Placer les boulettes sur une plaque à biscuits bien huilée et faire cuire au four à 180°C (350°F) pendant 20 à 25 minutes ou jusqu'à ce que les boulettes soient fermes et d'une belle couleur brune. Les retourner une fois pendant la cuisson.

Note : une façon économique de servir plus de portions de cette recette, ajouter 2 œufs de plus et assez de chapelure pour que le mélange se façonne bien. Rectifier l'assaisonnement et vos boulettes seront tout aussi délicieuses.

Ces croquettes se conservent très bien au congélateur. Préparez-en une grande quantité à la fois et prévoyez ainsi quelques repas vite faits.

Servir avec des spaghetti à la sauce tomate ou dans un ragoût.

Barbecue végétarien

Les végétariens ne devraient pas se sentir laissés de côté quand se prépare un barbecue à l'extérieur et que tous sont à surveiller la cuisson de leurs grillades, steaks ou hambourgeois. Une grande variété de mets végétariens se prête également bien à ce mode de cuisson savoureux.

Pommes de terre au feu

Choisir des pommes de terre ou des patates douces de grosseur moyenne. Les nettoyer en brossant la peau, ne pas les peler. Envelopper chaque patate d'un papier aluminium et les insérer directement dans les braises chaudes. Les retourner souvent pour éviter qu'elles ne brûlent et piquer de temps à autre à la fourchette pour en vérifier la cuisson. Selon leur grosseur et la chaleur du feu, les pommes de terre requièrent de 30 à 60 minutes de cuisson. Les betteraves peuvent également être apprêtées de cette façon.

Maïs en épi grillé

Ouvrir délicatement chaque épi de maïs et en retirer les poils. Refermer les feuilles et faire tremper les épis dans l'eau pendant quelques minutes.

Placer les épis tels quels sur le gril et faire cuire environ 10 minutes, en les retournant souvent.

Grillades de tofu et de tempeh

(4 portions)

225 g (½ lb) de tempeh
225 g (½ lb) de tofu ferme
ou
450 g (1 lb) de l'un des deux

Sauce barbecue :

  75 mL (¼ t.) de shoyu
200 mL (¾ t.) d'eau
    4 gousses d'ail, écrasées
    1 c. à soupe de miel
    1 c. à thé d'huile de sésame grillé
    1 c. à thé de sauce « Wizard Baldors Hot
       Stuff » ou toute autre sauce piquante, au
       goût
    2 c. à soupe de jus de citron
    1 c. à thé de gingembre frais, râpé

Couper le tempeh en bâtonnets et trancher le tofu en cubes ; étaler les morceaux sur un plateau peu profond. Mélanger les ingrédients de la sauce barbecue et verser sur le tofu et le tempeh. Laisser mariner au moins 30 minutes.

Retirer les quartiers de tofu et de tempeh de la sauce et faire griller au-dessus de charbons très chauds jusqu'à ce qu'ils deviennent bruns et croustillants. Cela devrait demander de 30 à 60 minutes, selon la chaleur du feu. Retourner les morceaux de temps à autre et badigeonner de sauce jusqu'à épuisement de celle-ci.

Servir avec des pommes de terre cuites dans les braises et accompagner d'une sauce à l'oignon et à la moutarde (recette p. 111). Pour compléter ce festin d'été, servir avec une énorme salade verte du jardin.

Pizza aux épinards

(4 portions)

Facile à faire, cette pizza constitue une variation intéressante et succulente, de la pizza traditionnelle aux tomates et au fromage.

1	recette de pâte à pizza (voir page 250)
2	c. à soupe d'huile d'olive
1	oignon moyen, finement haché
300	g (10 oz) d'épinards frais, lavés et égouttés
1	c. à thé de basilic
½	c. à thé d'origan
¼	c. à thé d'aneth
375	mL (1½ t.) de fromage cottage
1	œuf, battu
½	c. à thé de sel de mer
125	mL (½ t.) de fromage râpé (ou plus, suivant le goût)
2	c. à soupe de graines de sésame

Faire chauffer l'huile dans une grande casserole et y rissoler les oignons pendant quelques minutes. Ajouter les épinards, couvrir la casserole et poursuivre la cuisson pendant environ 5 minutes, en remuant de temps à autre, jusqu'à ce que les épinards aient réduit de volume.

Bien égoutter les épinards et les presser légèrement pour libérer l'excédent d'eau, sans la chasser entièrement, ce qui rendrait les épinards trop secs.

Hacher finement les épinards à l'aide d'un couteau bien aiguisé. Mélanger avec les herbes aromatiques. Ajouter le fromage cottage. Bien opérer le mélange, puis y incorporer l'œuf battu.

Étendre le mélange sur la pâte à pizza. Saupoudrer de fromage râpé et de graines de sésame. Faire cuire au four sur la grille du bas à 180°C (350°F) pendant 30 minutes.

Pizza au tempeh

Cette pizza, à l'allure plutôt inhabituelle mais d'un goût fort savoureux, ne contient ni tomates ni produits laitiers. Pour une recette de pizza à l'italienne plus traditionnelle, je suggère la « Pizza sicilienne » dont l'explication est donnée à la page 146 de « La grande cuisine végétarienne ».

Croûte :

125 mL (½ t.) d'eau tiède
  2 c. à soupe d'huile
  1 c. à thé de miel
  2 c. à thé de levure active sèche
325 mL (1¼ t.) de farine de blé entier (à pain ou à pâtisserie)

Mélanger l'eau, l'huile, le miel et la levure dans un bol et laisser en attente 10 minutes environ, pour permettre à la levure de se dissoudre.

Ajouter 250 mL (1 t.) de farine et bien mêler. Pétrir légèrement en incorporant le reste de la farine à la pâte, qui restera un peu collante.

Mettre la pâte dans un bol badigeonné d'huile, la retourner pour que le dessus en soit également imprégné. Couvrir le bol d'un chiffon humide et laisser lever la pâte dans un endroit chaud, 45 minutes à une heure.

Étendre la pâte sur une plaque à pizza badigeonnée d'huile, de 30 cm (12″) de diamètre. En utilisant les mains, étirer la pâte de tous côtés pour couvrir toute la superficie de la plaque.

Couvrir de la garniture refroidie. Faire cuire sur la grille du bas du four à 190°C (375°F) pendant 25 minutes, ne pas faire préchauffer le four à l'avance.

Garniture :

225 g (½ lb) de tempeh, taillé en petits cubes
1 c. à thé d'huile d'olive
480 mL (2 t.) d'oignon, haché
1 boîte de 100 g (3½ oz) d'olives noires
dénoyautées
8-12 gousses d'ail, écrasées
1 c. à thé de thym
1 c. à thé de basilic
1 c. à thé d'origan
2 c. à soupe de shoyu
60 mL (¼ t.) d'eau
2 c. à soupe de levure alimentaire
2 c. à soupe d'huile d'olive

Mettre le tempeh dans un cuiseur à vapeur (marguerite) et faire cuire environ 10 minutes.

Faire rissoler l'oignon dans 1 c. à thé d'huile d'olive.

Mélanger ensemble tous les ingrédients, sauf les 2 c. à soupe d'huile d'olive.

Étendre sur la pâte et arroser de l'huile d'olive.

Casserole aux nouilles et aux champignons

(4 portions)

180 g (6 oz) de nouilles de blé entier
    eau bouillante
  1 c. à soupe d'huile
  1 oignon, haché
600 mL (2½ t.) de champignons, tranchés
  1 c. à thé de thym
250 mL (1 t.) de fromage cottage maigre
375 mL (1½ t.) de tofu écrasé
  1 œuf
  2 c. à soupe de shoyu

Faire cuire les pâtes alimentaires selon les instructions sur le paquet. Égoutter.

Faire revenir l'oignon dans l'huile chaude pendant quelques minutes. Ajouter les champignons et le thym et poursuivre la cuisson 2 ou 3 minutes de plus.

Au robot culinaire ou à l'aide du mélangeur, battre ensemble le fromage cottage, le tofu, l'œuf et le shoyu, jusqu'à ce que le mélange soit crémeux.

Bien opérer le mélange des trois préparations. Verser le tout dans un moule rectangulaire préalablement huilé.

Cuire au four à 180°C (350°F) jusqu'à ce que le mélange soit ferme (environ 25 minutes).

Variante : couvrir le dessus de la préparation de 250 mL (1 t.) de chapelure de pain et asperger de 1 c. à soupe d'huile avant la cuisson.

Fettucini aux épinards

(De 2 à 3 portions)

- 180 g (6 oz) de pâtes fettucini de blé entier
- 2 c. à soupe d'huile d'olive
- 240 g (8 oz) d'épinards frais
- 325 mL (1¼ t.) de fromage Ricotta frais
- 75 mL (¼ t.) de noix de Grenoble, hachées
- ½ c. à thé de sel de mer
- 4 échalotes, hachées
- 2 branches de basilic frais ou 1 c. à thé de basilic séché
- 75 mL (¼ t.) de persil frais

Amener à ébullition une grande casserole d'eau pour la cuisson des pâtes alimentaires.

Laver et hacher les épinards. Faire chauffer l'huile d'olive dans un poêlon et y jeter les épinards. Les enrober d'huile en brassant, réduire à feu moyen doux et cuire à couvert jusqu'à ce que les épinards soient tendres, en remuant de temps à autre.

Cuire les fettucini pendant ce temps.

Quand les épinards sont cuits, ajouter le fromage Ricotta et les noix. Réduire la chaleur à feu doux. Remuer la préparation jusqu'à ce qu'elle soit bien réchauffée mais sans la laisser cuire.

Incorporer les échalotes et le basilic.

Placer les pâtes égouttées sur des assiettes individuelles. Couvrir du mélange de Ricotta et d'épinards.

Garnir de bouquets de persil et servir immédiatement.

Lasagne aux épinards de Dominique La Grossis

(6 portions)

Essayez cette recette lorsque vous recevez des amis. Vous plairez à tous les goûts avec cette lasagne riche et fabuleuse.

> 450 g (1 lb) de lasagnes de blé entier (ou moins, suivant le besoin)
> 500 mL (2 t.) de fromage mozzarella, râpé
> 75 mL (¼ t.) de fromage parmesan, râpé

Sauce :

> 2 c. à soupe d'huile d'olive
> 1 oignon, haché
> 500 mL (2 t.) de champignons, tranchés
> ½ c. à thé de thym
> 1 c. à thé de basilic
> ½ c. à thé d'origan
> 3 feuilles de laurier
> ¼ c. à thé de clou de girofle moulu
> 1 grosse boîte de tomates de 900 g (2 lb)
> 1 boîte de pâte de tomate de 360 g (12 oz)
> 1 c. à soupe de shoyu

Dans une grande marmite, faire rissoler les oignons dans l'huile jusqu'à ce qu'ils soient presque tendres. Ajouter les champignons et les aromates. Cuire environ 5 minutes de plus. Ajouter les tomates, la pâte de tomate et le shoyu. Laisser mijoter encore 5 minutes, pour permettre aux saveurs de se fondre.

Garniture :

250 mL (1 t.) d'épinards, légèrement cuits et hachés

250 mL (1 t.) de tofu, émietté

500 mL (2 t.) de fromage cottage (de marque « Liberty » en forme de brique)

¼ c. à thé de sel de mer

3-4 gousses d'ail, écrasées

Mélanger tous les ingrédients de la garniture.

Dans une large marmite, faire bouillir l'eau et y cuire les lasagnes « al dente ».

Confection : étendre environ 1,2 cm (½″) de sauce aux tomates au fond d'un plat de cuisson de 29 × 21,5 cm (11½″ × 7½″). Couvrir de morceaux de lasagne placés dans le sens de la longueur. Couvrir de la moitié de la garniture aux épinards, puis saupoudrer d'une couche fine de fromage mozzarella râpé.

Répéter les rangs, en plaçant cette fois la lasagne dans le sens de la largeur.

Après le dernier rang de garniture aux épinards, étendre le reste de la sauce aux tomates et couvrir tout le plat avec le reste de fromage mozzarella et saupoudrer de parmesan.

Cuire au four à 180°C (350°F) de 15 à 20 minutes, puis passer sous le grill pour dorer le dessus du plat.

Faire refroidir environ 10 minutes avant de trancher.

Lasagne macrobiotique de Marco Kushi

(6 généreuses portions)

2 c. à soupe d'huile
1 c. à thé d'huile de sésame
225 g (½ lb) de tempeh, coupé en très petits cubes
1 oignon, haché
1 c. à thé de thym
2 c. à soupe de shoyu
1 L (4 t.) de chou, finement tranché
1,2 L (5 t.) de carottes, tranchées
500 mL (2 t.) de tofu, émietté
4 gousses d'ail, écrasées
1 c. à thé de basilic
½ c. à thé d'origan

Sauce :

1 c. à soupe d'huile
6 c. à soupe de farine de blé entier à pâtisserie
100 mL (⅓ t.) de tahini
750 mL (3 t.) d'eau (utiliser le liquide de cuisson des légumes)
75 mL (¼ t.) de levure alimentaire
3 c. à soupe de miso
6 feuilles de pâtes de lasagne de blé entier (les très larges et longues que l'on vend en vrac dans les marchés d'aliments sains)
250-375 mL (1-1½ t.) de chapelure de pain

Faire chauffer les deux huiles dans une casserole, et y faire griller le tempeh quelques minutes, en remuant fréquemment, jusqu'à ce que le tempeh commence à brunir. Ajouter l'oignon et le thym, et poursuivre la cuisson à feu modéré jusqu'à ce que l'oignon soit tendre. Retirer la casserole de la chaleur, incorporer le shoyu et laisser en attente.

Préparer les carottes et le chou pendant la cuisson du tempeh, et les faire cuire à la vapeur jusqu'à ce qu'ils soient presque tendres. Conserver le liquide de cuisson.

Mélanger le tofu avec l'ail et les herbes. Mettre de côté.

Dans une grande marmite, mettre l'eau à bouillir pour la cuisson des pâtes. Préparer la sauce pendant ce temps.

Sauce : faire chauffer l'huile dans une grande marmite. Ajouter la farine et remuer pendant 1 ou 2 minutes, jusqu'à ce qu'une odeur de noisette s'en dégage. Ajouter le tahini et bien mélanger. Verser l'eau, un petit peu à la fois, tout en remuant vigoureusement, puis incorporer la levure. Cuire à feu vif, en remuant constamment, jusqu'à ce que la sauce épaississe. Retirer de la chaleur, ajouter le miso et bien mélanger.

Briser les morceaux de lasagne en deux et les cuire jusqu'à ce qu'ils soient attendris, mais encore légèrement croquants, « al dente ».

Assembler de la façon suivante, dans un plat de cuisson rectangulaire de 19 × 29 cm (11½″ × 7½″) :
— étendre le quart de la sauce au fond du moule
— couvrir de lasagnes
— ajouter la moitié du tempeh, puis la moitié du tofu
— mettre un étage de légumes cuits (la moitié)
— couvrir de la moitié de la sauce
— disposer une autre couche de lasagnes
— recouvrir du reste de tempeh, du tofu, puis des légumes
— saupoudrer de chapelure de pain
— verser le dernier quart de sauce

Cuire au four à 180°C (350°F) pendant 20 minutes, puis passer une minute sous le grill pour faire dorer le dessus.

Laisser refroidir de 5 à 10 minutes avant de découper.

Servir avec une large salade verte.

Macaroni au tofu

Ressemble au « Macaroni et fromage » populaire à s'y méprendre !

(4 portions)

        3 branches de brocoli de grosseur moyenne
    500 mL (2 t.) de macaroni de blé entier
    375 mL (1½ t.) de tofu, écrasé à la fourchette
      75 mL (¼ t.) d'eau de cuisson du brocoli
1½-2 c. à soupe de moutarde de Dijon
        ½ c. à thé de curcuma
        1 c. à thé de sel de mer
        ½ poivron rouge doux, haché
      75 mL (¼ t.) de flocons d'oignons, séchés
      75 mL (¼ t.) de chapelure de pain
        2 c. à thé d'huile

Laver le brocoli, en peler les tiges et les couper en morceaux de la grosseur d'une bouchée. Cuire à la vapeur légèrement, de sorte qu'il reste un peu croquant.

Faire cuire le macaroni « al dente ». Égoutter.

Au mélangeur, battre le tofu, l'eau, la moutarde, le curcuma, le sel et le poivron rouge jusqu'à l'obtention d'une crème homogène et lisse.

Mélanger le brocoli, le macaroni, la crème de tofu et les flocons d'oignons. Verser cette préparation dans un plat badigeonné d'huile et couvrir de chapelure de pain. Asperger d'un peu d'huile. Cuire au four à 180°C (350°F) pendant 20 minutes. Faire dorer sous le grill quelques instants.

Spaghetti jardinier

(6 portions)

2 c. à soupe d'huile d'olive
1 gros oignon, haché
3 gousses d'ail, émincées
2 petites courgettes, nettoyées et tranchées
750 mL (3 t.) de champignons, tranchés
1 c. à thé de thym
2 c. à thé de basilic
½ c. à thé d'origan
3 feuilles de laurier
¼ c. à thé de clou de girofle moulu
5 tomates moyennes, fraîches et bien mûres
250 mL (1 t.) de petits pois, frais ou congelés
1 c. à thé de miel
2 c. à soupe de tamari
125 mL (½ t.) de pâte de tomate

Faire chauffer l'huile dans une grande marmite. Ajouter les oignons et l'ail et les laisser rissoler pendant 2-3 minutes.

Ajouter les courgettes, les champignons et les assaisonnements. Faire revenir jusqu'à ce que les légumes soient presque tendres.

Laver les tomates et les couper en quartiers. Réduire en purée au mélangeur. Rajouter cette purée aux légumes, ainsi que les petits pois, le tamari et le miel. Laisser mijoter 10 minutes environ.

Ajouter la pâte de tomate et bien mélanger. Servir sur des pâtes de grain entier.

Sauce à spaghetti ensoleillée

(4 portions)

500 mL (2 t.) de tofu, émietté
1,2 à 1,5 L (5-6 t.) d'eau bouillante
2-3 c. à soupe d'huile d'olive (suivant le besoin)
250 mL (1 t.) de carottes, brossées et tranchées finement
1 oignon moyen, haché
3-4 gousses d'ail, émincées
250 mL (1 t.) de brocoli (briser les fleurettes en morceaux d'une bouchée, peler les tiges et les couper en tranches fines)
250 mL (1 t.) de courgettes, brossées et tranchées
250 mL (1 t.) de champignons, tranchés
1 c. à thé de basilic
1 c. à thé de thym
½ c. à thé d'origan
¼ c. à thé de graines de céleri
½ c. à thé de clou de girofle moulu
125 mL (½ t.) de graines de tournesol, moulues grossièrement au mélangeur
1 boîte de tomates de 398 mL (14 oz)
120 mL (½ t.) de pâte de tomate
1 c. à soupe de miel
2 c. à soupe de shoyu

Laisser tomber les morceaux de tofu dans l'eau bouillante. Ramener le liquide à ébullition, puis faire égoutter le tofu dans une passoire recouverte d'un chiffon propre. Laisser refroidir, et préparer les légumes pendant ce temps.

Dans une grande marmite épaisse, faire revenir les carottes, l'oignon et le brocoli dans l'huile chaude pendant quelques minutes. Ajouter les autres légumes, ainsi que les assaisonnements. Couvrir la marmite et faire cuire à feu moyen, en remuant fréquemment, jusqu'à ce que les légumes soient tendres.

Ramener les bords du chiffon contenant le tofu ensemble et presser pour dégager l'excédent d'eau dans le tofu de façon à ce que celui-ci obtienne une texture bien ferme.

Ajouter le tofu et les graines de tournesol aux légumes cuits, puis verser le shoyu. Bien mêler.

Ajouter le reste des ingrédients et faire mijoter de 2 à 3 minutes.

Servir sur des pâtes de grain entier, du riz ou du millet.

Cro'kara

(De 3 à 4 portions)

500	mL (2 t.) d'okara*, légèrement tassé
200	mL (¾ t.) d'oignons, finement hachés
3-4	gousses d'ail, pressées
1	c. à thé de thym
1	c. à thé de sauge
½	c. à thé de graines d'anis
¼	c. à thé de cannelle
1	c. à thé de moutarde en poudre
2	c. à soupe de beurre d'arachide
75	mL (¼ t.) de levure alimentaire
1	œuf, battu
125	mL (½ t.) de chapelure de pain de grain entier
2	c. à soupe de tamari

Mélanger tous les ingrédients parfaitement.

Façonner en 8 petites croquettes.

Faire dorer les croquettes de chaque côté, en les faisant cuire lentement dans un peu d'huile.

* Une recette de lait de soya donne environ 500 mL (2 t.) d'okara. Se référer à la page 48   pour plus d'informations.

Spaghetti milanais

(4 portions)

De vraies pâtes à l'italienne, avec de l'ail, des herbes odorantes, des champignons, du vin ... et de la « viande » de tofu !

```
  600  mL (2½ t.) de tofu, émietté
    2  L (8 t.) d'eau bouillante
    2  c. à soupe d'huile d'olive
    1  gros oignon, haché
10-12  gousses d'ail, émincées
    1  c. à thé de thym
    1  c. à thé de basilic
   ½  c. à thé d'origan
   ¼  c. à thé de graines de céleri
   ⅛  c. à thé de clou de girofle moulu
  500  mL (2 t.) de champignons, tranchés
    4  c. à soupe de tamari
  125  mL (½ t.) de vin rouge sec
   75  mL (¼ t.) de persil, émincé
  225  g (8 oz) de spaghetti
```

Laisser tomber les miettes de tofu dans l'eau bouillante dans une grande marmite. Ramener le liquide à ébullition, puis retirer du feu et égoutter dans une passoire qui a été recouverte d'un chiffon propre. Laisser en attente.

Faire chauffer l'huile dans une grande casserole, et y faire rissoler l'oignon, l'ail, les herbes et les épices jusqu'à ce que l'oignon soit tendre.

Presser le tofu dans le chiffon pour libérer l'excédent d'eau, de façon à ce que le tofu soit ferme. Si le tofu est trop chaud, presser à l'aide d'un fond de verre ou d'un pilon à pommes de terre.

Mettre l'eau de cuisson des pâtes dans une grande casserole et amener à ébullition. Cuire jusqu'à ce que les pâtes soient tendres. Égoutter.

Ajouter le tofu et les champignons à la préparation d'oignons. Faire cuire à feu moyen jusqu'à ce que les champignons soient cuits. Ajouter le tamari et bien mélanger, puis incorporer le vin et les pâtes.

Garnir de persil et servir avec une jolie salade verte géante !

Variante : remplacer le vin par de l'eau ou du bouillon de légumes, et ajouter 2 c. à soupe de levure alimentaire. Vous pouvez également ajouter plus de légumes à la recette originale, 250 mL (1 t.) de pois verts, par exemple.

« Hambourgeois » au boulghour

(De 3 à 4 portions)

250 mL (1 t.) de chapelure de pain, bien sèche
250 mL (1 t.) de boulghour, cuit
  2 œufs
  1 gousse d'ail ou plus, pressée
 75 mL (¼ t.) d'oignons, finement hachés
175 mL (⅔ t.) de champignons, finement hachés
175 mL (⅔ t.) de fromage, râpé
  2 c. à soupe de tamari
 ½ c. à thé de thym

Mélanger tous les ingrédients.

Laisser tomber le mélange par cuillerées à soupe combles sur un poêlon chaud, préalablement et généreusement huilé, de façon à former des petites croquettes. Faire cuire à feu moyen jusqu'à ce que le dessous brunisse. Retourner délicatement et faire cuire de l'autre côté jusqu'à ce que la croquette soit ferme et dorée.

Note : lors de votre première expérience avec cette recette, vous craindrez sûrement que les croquettes ne puissent obtenir une consistance ferme. Soyez patients, car le secret réside dans une cuisson plutôt lente, qui permet aux croquettes de devenir fermes à mesure qu'elles cuisent.

Nouilles aux œufs

250 mL (1 t.) d'eau tiède
2 c. à soupe d'huile
1 c. à thé de sel de mer
3 œufs moyens, battus
50 mL (¼ t.) de farine de gluten
1,1 L (4¼ t.) de farine de blé entier à pain

Battre ensemble l'eau, l'huile, le sel, et les œufs. Ajouter la farine de gluten, puis la farine à pain, graduellement, jusqu'à ce que la pâte puisse se pétrir.

Pétrir cette pâte sur une surface enfarinée, jusqu'à ce qu'elle soit lisse, élastique et non collante, de la consistance d'une pâte à pain.

Diviser la pâte en 4 parties. Abaisser chaque morceau au rouleau à pâtisserie, en lui donnant une forme rectangulaire, jusqu'à ce que la pâte soit très mince 0,3 cm (⅛″) ou moins d'épaisseur.

Cette pâte est si élastique qu'elle est un peu difficile à étendre, aussi l'étirer avec les mains.

Enfariner légèrement le dessus de la pâte et la plier en deux. Saupoudrer de farine et la replier de nouveau. Couper la pâte en bandes.

Dérouler les bandelettes et les laisser sécher 10 minutes ou plus. Cuire dans une grande marmite d'eau bouillante, pendant 5 minutes environ.

Variante : cette pâte sert également à la confection des chapaties (galettes de pain indiennes). Cuire celles-ci dans une poêle non huilée, pendant 2 minutes de chaque côté. Empiler les chapaties à mesure qu'elles sont cuites et les envelopper dans une serviette jusqu'à ce qu'elles soient bien refroidies.

Croquettes d'avoine de luxe

(De 3 à 4 portions)

Cette recette constitue une version « améliorée », plus riche et plus savoureuse, que la recette des « Croquettes d'avoine » contenue dans « La grande cuisine végétarienne ».

> **250 mL (1 t.) de flocons d'avoine**
> **200 mL (¾ t.) de fromage, râpé**
> **75 mL (¼ t.) de graines de sésame**
> **1 oignon, finement haché**
> **3 gousses d'ail, écrasées**
> **½ c. à thé de sauge**
> **2 c. à soupe de shoyu**
> **3 œufs, battus**

Sauce :

> **2 c. à soupe de farine de blé entier à pâtisserie**
> **125 mL (½ t.) de jus de tomate**
> **125 mL (½ t.) d'eau**
> **1 c. à soupe de shoyu**
> **250 mL (1 t.) de champignons, tranchés**

Mélanger ensemble les 8 premiers ingrédients. Mettre de côté et confectionner la sauce.

Verser une petite quantité de jus de tomate sur la farine et bien mêler pour former une pâte épaisse. Ajouter graduellement le reste du jus, tout en remuant. Ajouter l'eau, le shoyu et les champignons.

Faire chauffer environ 1 c. à soupe d'huile dans un poêlon. Laisser tomber environ 75 mL (¼ t.) du mélange d'avoine à la fois, de la même façon que si vous faisiez de gros biscuits. Les croquettes deviennent fermes à mesure que se poursuit la cuisson. Dorer des deux côtés et retirer de la poêle. Retirer la poêle de la chaleur et y verser la sauce. Mettre les croquettes dans la sauce et cuire à feu doux pendant 15 minutes.

« Hambourgeois » de tempeh à la sauce barbecue

(4 portions)

Marinade :

450 g (1 lb) de tempeh
250 mL (1 t.) d'eau
4 c. à soupe de shoyu
1 c. à thé de gingembre
1 c. à thé d'huile de sésame

250 mL (1 t.) de chapelure de pain
1 oignon moyen, émincé
3-4 gousses d'ail, émincées
2 œufs
75 mL (¼ t.) de pâte de tomate
2 c. à thé de moutarde de Dijon
1 c. à thé de thym

Sauce :

le reste du liquide de la marinade
75 mL (¼ t.) de pâte de tomate
1 c. à thé de miel
¼ c. à thé de cayenne (ou moins, suivant le goût)
2 c. à soupe de fécule de maïs

Trancher le tempeh et placer les tranches dans un contenant peu profond.

Mélanger l'eau, le shoyu, le gingembre et l'huile de sésame. Verser sur les tranches de tempeh et laisser mariner au moins 30 minutes.

Retirer le tempeh de la marinade (réserver celle-ci pour la sauce) et mettre les tranches sur une plaque à biscuits huilée. Cuire au four à 180°C (350°F) pendant 30 minutes ou jusqu'à ce que le tempeh prenne une couleur dorée.

Moudre le tempeh au robot ménager ou au mélangeur (dans ce cas, par petites quantités à la fois). Mêler avec la chapelure de pain, l'oignon, l'ail, les œufs, la pâte de tomate, la moutarde et le thym.

Façonner cette pâte en 6 croquettes, de la même façon que des croquettes de viande hachée.

Faire frire les croquettes des deux côtés, dans suffisamment d'huile, jusqu'à ce qu'elles soient bien dorées.

Confectionner la sauce : amener à ébullition tous les ingrédients et remuer vigoureusement jusqu'à ce que la sauce soit épaisse.

Pâté de noix et de lentilles

(De 4 à 6 portions)

250 mL (1 t.) d'amandes
500 mL (2 t.) de lentilles cuites, égouttées
250 mL (1 t.) de flocons d'avoine
250 mL (1 t.) de flocons de seigle
    ou
  2 t. de flocons d'avoine
  1 petit oignon, haché
  4 gousses d'ail, émincées
125 mL (½ t.) de yogourt
  3 c. à soupe de shoyu
  1 c. à thé de sarriette
  ½ c. à thé de graines de céleri

Moudre les amandes au mélangeur.

Incorporer la poudre d'amandes au reste des ingrédients.

Presser le mélange dans un moule à pain badigeonné d'huile.

Cuire au four à 180°F (350°F) de 40 à 45 minutes, jusqu'à ce que la préparation soit ferme et bien dorée.

Servir avec de la « Sauce à la levure » (voir recette p. 113).

Croquettes de tempeh

(2 portions ou 4 croquettes)

225 g (½ lb) de tempeh, taillé en cubes
1 petit oignon, émincé
1 petite branche de céleri, hachée très finement
1-2 gousses d'ail, émincées
2 c. à soupe de shoyu
175 mL (⅔ t.) de chapelure de pain de grain entier rôtie (ou de miettes de biscottes ou de craquelins)
½ c. à thé de thym
½ c. à thé de sauge
¼ c. à thé de graines de céleri
1 œuf
125 mL (½ t.) de noix de Grenoble, moulues

Placer les cubes de tempeh dans un cuiseur de légumes à vapeur (marguerite) et faire cuire au-dessus de l'eau bouillante pendant 20 minutes.

Écraser le tempeh à la fourchette et l'incorporer au reste des ingrédients. Utiliser les mains pour bien opérer le mélange.

Former 4 croquettes et les faire rôtir des deux côtés dans un peu d'huile.

Servir avec votre sauce préférée ou dans des petits pains de grain entier, à la façon des hambourgeois, avec les garnitures habituelles : tranches de tomate, oignon, laitue, etc.

Petits pâtés aux pommes de terre et aux noisettes

(4 portions)

1 L (4 t.) de purée de pommes de terre
75 mL (¼ t.) d'oignon, émincé
200 mL (¾ t.) de noix avelines, moulues
125 mL (½ t.) de chapelure de pain de blé entier
½ c. à thé de sauge
1 c. à thé de sarriette
3 c. à soupe de miso
3 c. à soupe de persil, émincé
100 mL (⅓ t.) de farine de blé entier à pâtisserie
Huile (suivant le besoin)

Mélanger ensemble tous les ingrédients, sauf l'huile et la farine.

Façonner le mélange sous forme de croquettes. Les enrober de farine des deux côtés et faire brunir dans un peu d'huile.

Servir telles quelles ou avec une sauce de votre choix. Pour un vrai régal, placer une tranche de fromage sur chaque croquette et mettre sous le grill quelques minutes pour permettre au fromage de fondre.

Note : cette recette permet d'utiliser les restes de pommes de terre cuites. Si elles ont été préalablement assaisonnées, rectifier le dosage des épices en conséquence.

Terrine au tempeh et au riz

(6 portions)

2 c. à soupe d'huile
1 c. à thé d'huile de sésame rôti
450 g (1 lb) de tempeh, coupé en très petits cubes
1 c. à thé de sauge
1 oignon, haché
3 gousses d'ail, émincées
2 c. à soupe de shoyu
1 L (4 t.) de carottes, coupées en tranches de 1,2 cm (½″) d'épaisseur
500 mL (2 t.) de riz brun, cuit
175 mL (⅔ t.) de noix (moitié d'amandes et moitié de noix de cajou, ou un autre mélange, au goût)
2 c. à soupe de shoyu
2 œufs, battus

Faire chauffer les huiles dans une casserole, ajouter le tempeh et faire cuire à feu moyen pendant environ 10 minutes, jusqu'à ce que le tempeh commence à brunir. Ajouter la sauge, l'oignon et l'ail. Poursuivre la cuisson jusqu'à ce que l'oignon soit presque tendre. Retirer la casserole du feu. Verser le shoyu et bien mélanger.

Pendant que le tempeh cuit, faire cuire les carottes à la vapeur jusqu'à ce qu'elles soient tendres.

Opérer le mélange du tempeh, des carottes et du riz.

Moudre les noix finement au mélangeur et y battre les œufs. Ajouter le reste de shoyu, et mêler parfaitement à la préparation.

Presser le mélange dans un gros moule à pain (ou 2 petits) généreusement badigeonnés d'huile. Pour prévenir le pâté de coller, saupoudrer les moules huilés de semoule de maïs.

Couvrir les moules de papier aluminium et faire cuire au four à 180°C (350°F) pendant 25 minutes. Découvrir et poursuivre la cuisson de 10 à 15 minutes, jusqu'à ce que la préparation soit ferme et le dessus bien doré.

Servir avec votre sauce préférée et une large salade verte. Je recommande particulièrement la « Sauce aux champignons » expliquée à la page 107.

Terrine de courgettes

(4 portions)

500 mL (2 t.) de haricots doliques à œil noir (les faire tremper toute une nuit, puis germer pendant deux jours)*
375 mL (1½ t.) de courgettes, râpées (légèrement tassées)
250 mL (1 t.) de riz brun, cuit
100 mL (⅓ t.) de semoule de maïs
3 gousses d'ail, émincées
125 mL (½ t.) d'oignon, finement haché
3 c. à soupe de tamari
1 c. à thé de thym

Faire cuire les haricots germés dans l'eau bouillante, jusqu'à ce qu'ils soient tendres. Les égoutter et les réduire en purée.

Mélanger cette purée de haricots avec le reste des ingrédients. Presser le mélange dans un moule à pain badigeonné d'huile.

Cuire au four à 180°C (350°F) pendant 50 à 60 minutes. Laisser refroidir 10 minutes avant de couper en tranches. Servir avec votre sauce préférée.

Les restes de ce pâté peuvent être additionnés d'un peu de mayonnaise maison et servis sous forme de sandwiches.

* Concernant le procédé de germination, se référer p. 144.

Pâté de lentilles

(4 portions)

750 mL (3 t.) de carottes, coupées en tranches
de 1 cm (⅓″) d'épaisseur
375 mL (1½ t.) de lentilles, cuites et égouttées
125 mL (½ t.) d'oignons, finement hachés
½ c. à thé de sauge
1 c. à thé de poudre de cari
2 c. à soupe de shoyu
250 mL (1 t.) de flocons d'avoine
125 mL (½ t.) de noix de Grenoble ou de
pacanes hachées
2 c. à soupe de persil haché

Faire cuire les carottes à la vapeur, égoutter, et conserver le liquide pour la préparation des soupes.

Réduire en purée les carottes et les lentilles, à l'aide d'un pilon à patates.

Ajouter le reste des ingrédients et bien mélanger.

Presser le mélange dans un moule à pain bien huilé. Si désiré, garnir le dessus du pâté avec des moitiés de noix.

Cuire au four à 180°C (350°F) de 30 à 40 minutes ou jusqu'à ce que la préparation soit ferme et d'une belle couleur brune.

Démouler et servir avec une sauce de votre choix.

Terrine aux épinards

(De 4 à 6 portions)

300 g (10 oz) d'épinards frais
600 mL (2½ t.) de tofu, écrasé
1 c. à thé de sel de mer
125 mL (½ t.) de farine de blé entier à pâtisserie
250 mL (1 t.) de flocons d'avoine
250 mL (1 t.) de fromage râpé (cheddar fort)
75 mL (¼ t.) d'oignon, émincé
½ c. à thé de graines d'aneth
½ c. à thé de muscade
½ c. à thé de moutarde en poudre
1-2 c. à soupe de graines de sésame

Laver, égoutter et assécher les épinards. Les hacher grossièrement, les mettre dans un grand bol avec le sel et le tofu. Laisser reposer 10 minutes.

Incorporer les ingrédients suivants et bien mélanger. En se servant des mains, pétrir de la même façon qu'une pâte à pain.

Huiler un moule à pain et tapisser le fond de graines de sésame. Presser le mélange d'épinards dans le moule.

Cuire au four à 180°C (350°F) pendant une heure.

Démouler et attendre de 5 à 10 minutes avant de trancher le pâté.

Servir avec une de ces sauces : Sauce au fromage, sauce au tamari épaisse, sauce à l'oignon et à la moutarde (voir recette page 111) ou une sauce aux tomates.

Note : les restes de ce pâté peuvent être apprêtés d'une façon absolument délicieuse, tranchés et légèrement brunis dans un peu d'huile et aspergés de tamari. Excellents également comme garniture de sandwiches.

Croûte de tarte aux pommes de terre

(Donne 1 croûte de tarte de 23 à 25 cm
(9″-10″) de diamètre)

250 mL (1 t.) de purée de pommes de terre, non assaisonnée
75 mL (¼ t.) de beurre
250 mL (1 t.) de farine de blé entier à pâtisserie
1 c. à thé de poudre à pâte
¼ c. à thé de sel de mer
1 c. à soupe ou plus d'eau (suivant le besoin)

Laisser refroidir les pommes de terre à la température de la pièce. Les réduire en purée avec le beurre, en utilisant un fouet métallique ou une fourchette.

Mélanger la farine, la poudre à pâte et le sel. Ajouter le mélange de farine à la purée de pommes de terre et bien mélanger.

Ajouter suffisamment d'eau (l'eau de cuisson des pommes de terre) pour pouvoir former une pâte qui se tienne bien.

Rouler la pâte entre deux feuilles de papier ciré. Asperger le comptoir de quelques gouttes d'eau pour empêcher le papier de glisser.

Enlever le papier ciré du dessus. Renverser l'assiette à tarte sur la pâte puis la retourner délicatement en retenant les bords de papier. Retirer le papier ciré avec précaution, et canneler le pourtour de la tarte. Remplir de la garniture désirée, et faire cuire selon les indications de la recette.

Note : cette recette donne une pâte plutôt légère et qui peut donc être roulée assez épaisse. Si vous préparez une croûte mince, l'excédent de pâte pourra servir à décorer joliment le dessus de la tarte.

Variante : pour faire des petits pâtés individuels, diviser la pâte non roulée en 12 morceaux égaux. Disposer chacun d'eux dans des moules à muffins en pressant la pâte dans le fond et sur les côtés du moule. Remplir et faire cuire en réduisant le temps de cuisson d'environ la moitié.

Employer cette croûte de tarte pour composer d'excellentes quiches ou tourtes de légumes.

Croûte aux haricots

(4 portions)

1	croûte de tarte de blé entier, non cuite
500	mL (2 t.) de haricots rouges ou haricots Pinto, cuits
175	mL (⅔ t.) de pâte de tomate
2	c. à soupe de shoyu
1	œuf
1	c. à thé de basilic
1	c. à thé d'origan
½	c. à thé de cumin, moulu
	Poivre de cayenne, au goût
3	gousses d'ail, émincées
75	mL (⅓ t.) de hijiki, trempé
250	mL (1 t.) de riz brun, cuit
125	mL (½ t.) de fromage cheddar fort
	ou
2	c. à soupe de graines de sésame
	Tranches de poivron vert

Battre les 4 premiers ingrédients au mélangeur. Ajouter les aromates, le hijiki et le riz.

Verser ce mélange sur une croûte de tarte de blé entier non cuite, de 23 cm (9″) de diamètre. Garnir le dessus de tranches minces de poivron vert. Saupoudrer de fromage râpé ou de graines de sésame.

Cuire au four à 180°C (350°F) de 40 à 45 minutes.

Croûte de haricots au maïs

1 c. à soupe d'huile
1 gros oignon, haché
1 c. à thé de cumin
1 c. à thé de basilic
1 c. à thé de poudre chili
500 mL (2 t.) de haricots cuits* (haricots rouges ou Pinto)
2 c. à soupe de shoyu
100 mL (⅓ t.) de hijiki, trempé et haché (facultatif)
100 mL (⅓ t.) d'olives noires, dénoyautées et hachées (facultatif)
1 recette de Pain de maïs des Carolines (voir recette page 183)

Faire rissoler l'oignon et les épices dans l'huile. Incorporer les haricots, le shoyu, le hijiki et les olives.

Distribuer également ce mélange dans le fond d'un plat de cuisson rectangulaire de 20 cm × 28 cm (7″ × 11″) préalablement huilé.

Préparer la recette du « Pain des Carolines ». Couvrir les haricots de cette pâte. Cuire au four à 190°C (375°F) jusqu'à ce que le pain de maïs soit cuit, environ 35 minutes.

---

* Les haricots doivent être bien cuits mais non secs. Ils doivent contenir suffisamment de liquide résultant de leur cuisson pour qu'ils soient bien juteux.

Croûte rapide à la chapelure de pain

Cette recette permet de couvrir un moule rectangulaire de 18 × 28 cm (7″ × 11″). Pour une assiette à tarte de 23 cm (9″) de diamètre, utiliser moins de chapelure.

Cette croûte de tarte facile et rapide ne peut servir à tous les usages. Toutefois, elle est merveilleuse comme fond de quiches aux œufs ou au tofu.

> **1 c. à soupe de beurre ou d'huile**
> **500 mL (2 t.) de chapelure fine de pain de grain entier**

Badigeonner un moule d'huile. Presser la chapelure de pain dans le fond et sur les côtés du moule.

Remplir du mélange désiré et cuire selon les indications de la recette.

Croûte de tarte de blé entier

(Donne 2 croûtes de 23 cm (9″) de diamètre)

*375 mL (1½ t.) de farine de blé entier à
     pâtisserie
 100 mL (⅓ t.) d'huile
  75 mL (¼ t.) d'eau chaude

Mettre la farine dans un bol de grandeur moyenne. Verser l'eau dans l'huile, sans mélanger les deux liquides, puis verser lentement le tout dans la farine, en remuant à la fourchette. Faire attention de ne pas trop battre la pâte.

Diviser la pâte en deux parties, l'une légèrement plus grosse que l'autre.

Asperger légèrement le comptoir de travail de quelques gouttes d'eau pour empêcher le papier ciré de glisser. Rouler le plus gros morceau de pâte entre deux feuilles de papier ciré.

Retirer le papier du dessus. Renverser la pâte sur une assiette à tarte, retirer le papier ciré, remplir de la garniture désirée, et couvrir de la seconde abaisse de pâte.

Faire cuire selon les indications de la recette.

* Remuer la farine avant de la mesurer.

Note : Si vous désirez préparer une croûte de tarte de 28 cm (11″) de
     diamètre, suivre les proportions suivantes :
      575 mL (2¼ t.) de farine
      125 mL (½ t.) d'huile
      100 mL (⅓ t.) d'eau chaude

Tarte aux noix

(Avec croûte aux pommes de terre)

(De 4 à 6 portions)

1	c. à soupe d'huile
500	mL (2 t.) d'oignons, hachés
500	mL (2 t.) de céleri, haché
1	c. à thé de romarin
1	c. à thé de thym
250	mL (1 t.) de pacanes
2	c. à soupe de shoyu
2	œufs
75	mL (¼ t.) d'eau ou de bouillon de légumes
1	recette de croûte de tarte aux pommes de terre (recette p. 274)

Dans une grande poêle, faire rissoler dans l'huile, l'oignon, le céleri et les herbes aromatiques, jusqu'à ce que les légumes soient bien tendres.

Moudre les noix au mélangeur, les ajouter aux légumes cuits et étendre le mélange dans une croûte de tarte aux pommes de terre non cuite.

Battre les œufs, le shoyu et l'eau. Verser sur la préparation de noix et de légumes. Placer la tarte sur la grille du bas du four et faire cuire à 190°C (375°F) de 35 à 45 minutes, jusqu'à ce que le liquide soit absorbé et la croûte dorée.

Note : préparer cette tarte à l'avance en la faisant partiellement cuire (de 25 à 30 minutes). Il suffira de la réchauffer au four à 180°C (350°F), pendant environ 15 minutes, pour obtenir un repas délicieusement rapide !

Tarte aux haricots avec croûte de millet

(4 portions)

Croûte :

750 mL (3 t.) de millet, cuit
  2 c. à soupe d'huile
  1 œuf

Garniture :

500 mL (2 t.) de haricots rouges ou Pinto, cuits
     et égouttés
  1 œuf
  1 c. à thé de poudre de cumin
  1 c. à thé de poudre chili
  2 c. à soupe de tamari
 ¼ c. à thé de cayenne
  1 grosse tomate, tranchée
3-4 c. à soupe de fromage parmesan, râpé
  1 c. à soupe d'origan

Mélanger les ingrédients de la croûte. Presser le mélange dans le fond et la moitié des côtés d'un moule de 19 × 29 cm (7½″ × 11½″) badigeonné d'huile.

Battre ensemble les ingrédients de la garniture. Étendre celle-ci sur la croûte de tarte.

Disposer les tranches de tomate et saupoudrer de fromage parmesan ainsi que d'origan.

Cuire au four à 180°C (350°F) pendant 40 à 45 minutes.

Servir avec une large salade verte agrémentée de tranches d'avocat.

Variante : si les tomates sont hors de saison, les remplacer par des olives noires (dénoyautées et tranchées) et/ou des tranches de poivron vert ou rouge. Si vous préférez ne pas utiliser de fromage, saupoudrez plutôt la tarte de graines de sésame.

Tourtière aux lentilles

(6 portions)

2 croûtes de tarte de blé entier de 23 cm (9″) de diam.
375 mL (1½ t.) de lentilles sèches, crues
750 mL (3 t.) d'eau
1 c. à soupe d'huile
1 branche de céleri, hachée
1 oignon moyen, haché
1 c. à thé de thym
1 c. à thé de cannelle
¼ c. à thé de clou de girofle
200 mL (¾ t.) de noix du Brésil, finement hachées
75 mL (¼ t.) de tamari
75 mL (¼ t.) de pâte de tomate

Laver les lentilles et les cuire à l'eau bouillante jusqu'à ce qu'elles soient tendres et aient absorbé toute l'eau, environ 40 minutes.

Faire rissoler l'oignon et le céleri dans l'huile, avec le thym, la cannelle et le clou de girofle, de façon à ce que le céleri reste un peu croustillant.

Faire le mélange de tous les ingrédients et bien mêler.

Étendre la préparation sur une croûte de tarte non cuite de 23 cm (9″) de diamètre. Couvrir d'une autre abaisse de pâte. Faire une ouverture sur le dessus pour permettre à la vapeur de s'échapper.

Cuire sur la grille du bas du four à 190°C (375°F) pendant 40 minutes, jusqu'à ce que la croûte soit dorée.

Cette tarte peut être préparée d'avance et cuite partiellement. Terminer la cuisson juste avant de servir.

Tourtière au millet

(Pour une tarte de 23 cm (9″) de
diamètre ou 4 généreuses portions)

1	c. à soupe d'huile
1	oignon moyen, haché
225	g (8 oz) de champignons frais, tranchés
1	c. à thé de thym
750	mL (3 t.) de millet cuit
75	mL (¼ t.) de levure alimentaire
75	mL (¼ t.) de tamari
2	c. à soupe d'eau
1	œuf, battu
2	croûtes de tarte de blé entier de 23 cm (9″) de diamètre

Faire revenir l'oignon, les champignons et le thym dans l'huile préalablement chauffée, jusqu'à ce que les légumes soient tendres.

Ajouter le millet, la levure, le tamari et l'eau. Refroidir légèrement la préparation avant d'y incorporer l'œuf. Bien mélanger.

Verser le mélange dans la croûte de tarte non cuite. Couvrir de la seconde abaisse de pâte. Faire une ouverture sur le dessus pour permettre à la vapeur de s'échapper.

Cuire au four à 190°C (375°F) de 40 à 45 minutes.

Note : on peut préparer cette recette à l'avance et la cuire partiellement. Terminer la cuisson juste avant de servir.

Variante : remplacer la moitié du millet par du boulghour.

Tourte à l'orge et aux légumes

(De 4 à 6 portions)

250 mL (1 t.) d'orge, crue
750 mL (3 t.) d'eau
500 mL (2 t.) de chou, haché
  1 oignon moyen, haché
  2 carottes moyennes, tranchées
  2 panais moyens, tranchés
125 mL (½ t.) d'eau (liquide de cuisson des légumes)
 75 mL (¼ t.) de tahini
  2 c. à soupe de tamari (ou moins, suivant le goût)
  2 c. à soupe de levure alimentaire
  1 c. à thé de thym
 ¼ c. à thé de graines de carvi
  1 œuf, battu
  2 croûtes de tarte de blé entier de 25 cm (10″) de diamètre (voir recette page 278).

Laver les grains d'orge et les mettre avec l'eau dans une marmite. Amener à ébullition, puis réduire la chaleur et faire cuire à feu doux pendant une heure, jusqu'à ce que l'eau soit entièrement absorbée.

Cuire les légumes à la vapeur, de façon à ce qu'ils soient tendres mais encore croustillants.

Opérer le mélange de l'orge cuite et des légumes ; ajouter le bouillon de légumes, le tahini, le tamari, la levure, le thym et les graines de carvi. Laisser tiédir la préparation avant d'y incorporer l'œuf. Bien mêler.

Disposer la préparation dans une croûte de tarte non cuite de 25 cm (10″) de diamètre. Couvrir de la seconde abaisse de pâte et pratiquer quelques ouvertures dans celle-ci pour permettre à la vapeur de s'échapper.

Faire cuire au four à 190°C (375°F) pendant 35 minutes, jusqu'à ce que la croûte soit bien dorée.

Tourte de tofu et de sarrasin

(Pour une tarte de 28 cm (11″)
de diamètre ou 6 portions)

750 mL (3 t.) de tofu, émietté
1,5 L (6 t.) d'eau bouillante
  2 c. à soupe d'huile
  1 c. à thé d'huile de sésame rôti
  1 oignon moyen, haché
225 g (8 oz) de champignons frais
  1 c. à thé de thym
 ¼ c. à thé de graines de céleri
 ¼ c. à thé de clou de girofle moulu
500 mL (2 t.) de sarrasin, cuit
 75 mL (¼ t.) de shoyu (suivant le goût)
  2 c. à soupe de levure alimentaire
  2 c. à soupe de farine de blé entier
  2 croûtes de tarte de blé entier de 28 cm (11″)
     de diamètre

Laisser tomber les morceaux de tofu dans l'eau bouillante. Ramener à ébullition de nouveau puis égoutter le tofu dans une passoire recouverte d'un chiffon propre. Laisser refroidir de façon à pouvoir manipuler plus aisément. Presser le tofu dans le chiffon pour libérer l'excédent d'eau, jusqu'à ce que le tofu ait une consistance ferme.

Faire rissoler les oignons, les champignons et les épices dans l'huile. Ajouter le tofu, le sarrasin, la levure et la farine. Bien mélanger.

Placer la préparation dans une croûte de tarte non cuite. Recouvrir de la seconde abaisse de pâte et entailler celle-ci pour permettre à la vapeur de s'échapper.

Cuire sur la grille du bas du four à 190°C (375°F) de 40 à 45 minutes.

Note : les proportions dans cette recette sont calculées pour une large tarte de 28 cm (11″). Si vous utilisez un moule de grandeur moyenne (23 cm - 9″), le reste de votre mélange pourra servir dans la préparation de sauces à spaghetti, de croquettes, de pâtés, etc.

Pain de millet et de tempeh

(4 portions)

500 mL (2 t.) de millet, cuit
450 g (1 lb) de tempeh, haché en très petits morceaux
  1 petit oignon, haché
190 mL (⅓ t.) de tahini
  1 c. à thé de gingembre moulu
  1 c. à thé de sauge
  1 œuf
 75 mL (¼ t.) de shoyu

Mélanger tous les ingrédients. Tasser la préparation dans un moule à pain huilé.

Cuire au four à 180°C (350°F) pendant 40 minutes.

Démouler sur un plat de service et garnir de bouquets de persil, de carottes et de panais cuits. Servir avec votre sauce préférée et une salade verte.

Tarte aux tomates

Essayez cette recette au mois d'août, avec de belles tomates fraîchement cueillies, et régalez les vrais amateurs de ce fruit... ou de ce légume !

     2 croûtes de tarte de farine de blé entier de
        23 cm (9″) de diamètre (page 278)
    75 mL (¼ t.) d'arrowroot
     ½ c. à thé de cannelle
     1 c. à thé de basilic
     ½ c. à thé de sel de mer
   250 à 375 mL (1-1½ t.) de fromage, râpé
   5-6 tomates mûres, en tranches de 0,5 cm (¼″)
        d'épaisseur, puis coupées en quartiers
   3-5 gousses d'ail, émincées
     1 c. à soupe de miel

Mélanger ensemble l'arrowroot, la cannelle, le basilic et le sel.

Couvrir le fond de tarte non cuit du tiers du fromage râpé, puis saupoudrer du tiers du mélange d'arrowroot.

Ajouter une couche épaisse de tomates, saupoudrer du second tiers de la préparation d'arrowroot, puis garnir d'ail. Répéter l'opération une seconde fois, en plaçant le reste des tomates pour donner une belle forme bombée à la tarte. Ajouter le reste de l'ail, et du mélange d'arrowroot sur les tomates.

Asperger d'un filet de miel et saupoudrer du reste de fromage, puis couvrir de la seconde abaisse de pâte. Tracer une incision au centre de la tarte pour permettre à la vapeur de s'échapper.

Faire cuire à 200°C (400°F) sur la grille du bas du four pendant 10 minutes. Réduire ensuite la chaleur à 190°C (375°F) et poursuivre la cuisson environ 40 minutes.

Quiche aux carottes et au tofu

(De 4 à 6 portions)

1 L	(4 t.) de carottes, tranchées
500 mL	(2 t.) de tofu écrasé
75-125 mL	(¼-½ t.) d'eau de cuisson des carottes
1	c. à thé de sel de mer
1	petit oignon, émincé
½	c. à thé de graines d'aneth
1	recette de croûte de tarte à la chapelure de pain (voir recette p. 277) ou à la farine de blé entier (p. 278)
1-2	c. à soupe de graines de sésame

Faire cuire les carottes dans très peu d'eau, jusqu'à ce qu'elles soient tendres.

Au mélangeur, battre le tofu avec l'eau de cuisson et le sel. Ajouter l'oignon et les graines d'aneth.

Égoutter les carottes et les écraser grossièrement à la fourchette ou avec un pilon à pommes de terre.

Mélanger les carottes et le tofu.

Verser la préparation dans un moule rectangulaire de 28 × 18 cm (11″ × 7″), tapissé d'une croûte de tarte de votre choix.

Saupoudrer de graines de sésame. Faire cuire au four à 180°C (350°F) de 35 à 45 minutes, jusqu'à ce que la quiche soit ferme.

Variante : cette recette peut être réalisée sans l'emploi d'une croûte de tarte.

Quiche aux courgettes

   1 **recette de croûte de tarte rapide à la chapelure de pain (voir recette page 277) ou 1 croûte de tarte de farine de blé entier**
   3 **œufs**
125 **mL (½ t.) de tofu**
   1 **c. à thé de sel de mer**
   1 **c. à thé de basilic**
  ½ **c. à thé de graines d'aneth**
750 **mL (3 t.) de courgettes, brossées et râpées**
125 **mL (½ t.) de chapelure de pain**

Confectionner la croûte de chapelure de pain ou de blé entier et laisser en attente.

Battre les œufs, le tofu et le sel au mélangeur de façon à obtenir une crème onctueuse.

Ajouter le basilic, les graines d'aneth et les courgettes.

Verser la préparation dans la croûte. Saupoudrer de chapelure de pain.

Cuire au four à 180°C (350°F) pendant 45 minutes, jusqu'à ce que le mélange soit ferme.

Quiche aux courgettes et aux tomates

(De 4 à 6 portions)

1	c. à soupe d'huile d'olive
500	mL (2 t.) de courgettes, râpées
200	mL (¾ t.) de fromage de ferme, ou de fromage cottage Liberty (genre « brique »)
3	œufs
1	c. à thé de basilic
½	c. à thé d'origan
75	mL (¼ t.) de pâte de tomate
¼-½	c. à thé de sel de mer
1	tomate, tranchée
4	olives noires, dénoyautées
1	croûte de tarte de blé entier

Bien brosser les courgettes et les râper. Les faire revenir à l'huile jusqu'à ce qu'elles réduisent presque la moitié de leur grosseur, environ 5 minutes. Laisser refroidir légèrement.

Battre les œufs un à un dans le fromage. Ajouter les courgettes cuites ainsi que tout le liquide qui s'est formé pendant la cuisson. Incorporer la pâte de tomate, le sel, le basilic et l'origan.

Verser cette préparation dans une croûte de tarte non cuite de 23 cm (9″) de diamètre.

Décorer le dessus de la quiche de tranches de tomate et d'olives. Cuire au four à 190°C (375°F) pendant 45 minutes, jusqu'à ce que le mélange soit ferme.

Quiche florentine

(4 portions)

- 1 L (4 t.) d'épinards, lavés et hachés, légèrement tassés
- 1 c. à table d'huile
- 450 g (1 lb) de tofu
- 1 œuf
- 2 c. à soupe de flocons d'oignons, séchés
- 1 c. à thé de sel de mer
- ¼ c. à thé de graines d'aneth
- ½ c. à thé d'origan
- 1 c. à soupe de graines de sésame

Faire revenir les épinards dans l'huile quelques minutes.

Battre ensemble le tofu et l'œuf au mélangeur. Incorporer le reste des ingrédients, sauf les graines de sésame.

Disposer cette préparation dans une croûte de tarte non cuite de 23 cm (9″) de diamètre. Couvrir le dessus de graines de sésame.

Cuire au four à 190°C (375°F) pendant 40 minutes, ou jusqu'à ce que la quiche soit ferme.

Tarte au rutabaga

1 L (4 t.) de rutabaga, coupé en cubes de 1,5 cm (½″)
1 c. à soupe d'huile
3 c. à soupe de farine
250 mL (1 t.) de lait
4 c. à soupe de levure alimentaire
1 c. à thé de sel de mer
4 gousses d'ail écrasées (au goût)
½ c. à thé de muscade
125 mL (½ t.) de persil, haché
2 œufs
2 c. à soupe de graines de sésame
1 croûte de tarte de blé entier de 25-28 cm (10″-11″)

Cuire le rutabaga à l'eau bouillante jusqu'à ce qu'il soit tendre. Égoutter et réduire en purée au mélangeur.

Faire chauffer l'huile dans une casserole, y ajouter la farine. Verser lentement le lait sur le mélange et cuire en remuant vigoureusement jusqu'à ce que la préparation épaississe. Ajouter la levure et bien mêler. Retirer la casserole du feu.

Procéder au mélange de la sauce avec la purée de rutabaga. Assaisonner de sel, ail, muscade et persil. Bien mélanger. Refroidir légèrement avant d'y battre les œufs.

Verser la préparation dans une croûte de tarte non cuite. Saupoudrer de graines de sésame.

Cuire au four à 180°C (350°F) pendant 40 à 45 minutes. Passer sous le grill une minute afin de dorer les graines de sésame. Laisser refroidir de 5 à 10 minutes avant de trancher.

« Frijoles » de Mexico

(haricots et riz)

Un véritable festin, mais aussi un plat fort économique.

1	c. à soupe d'huile
1	gros oignon, haché
2	branches de céleri, hachées
1	poivron rouge doux, tranché
750	mL (3 t.) de haricots rouges ou Pinto, cuits (avec juste assez du liquide de cuisson pour permettre de les réduire en purée au mélangeur)
1	petite boîte (150 g - 5 oz) de pâte de tomate
1	c. à thé de cumin
1	c. à thé de poudre chili
1	c. à thé de basilic
½	c. à thé d'origan
	une pincée de cayenne (facultatif)
3	c. à soupe de shoyu
250	mL (1 t.) d'hijiki ou d'arame, trempé et haché (facultatif)
1	L (4 t.) de riz brun, cuit
125	mL (½ t.) de persil frais, haché
3	grosses tomates mûres, tranchées
4-5	gousses d'ail, écrasées

Chauffer l'huile dans une grande marmite, et y faire rissoler l'oignon, le céleri et le poivron rouge jusqu'à ce que les légumes soient tendres mais encore croustillants.

Au mélangeur, battre les haricots, la pâte de tomate, le cumin, la poudre chili, le basilic, l'origan, la cayenne et le shoyu, jusqu'à l'obtention d'une purée homogène.

Ajouter les légumes rissolés et l'arame ou le hijiki à la purée de haricots. Bien mélanger.

Mêler le riz et le persil.

Badigeonner d'huile un plat de cuisson large et profond. Couvrir le fond de la moitié du riz. Étendre la moitié de la purée de haricots sur le riz. Mettre la moitié des tranches de tomates sur le tout, et la moitié de l'ail également distribuée sur les tomates.

Répéter l'opération avec le reste des ingrédients.

Cuire au four à 180°C (350°F) pendant 45 minutes.

Note : servir avec une large salade verte et accompagner d'artichauts frais cuits à la vapeur.

Tourte crémeuse aux oignons

(4 portions)

Pâte à tarte de blé entier (pour foncer un moule de 23 cm (9″) de diamètre *ou* croûte faite de miettes de pain (p. 277)

2	c. à soupe d'huile	
750	mL (3 t.) d'oignons, hachés	
1	c. à thé de thym	
375	mL (1½ t.) de tofu, écrasé	
250	mL (1 t.) de fromage cottage « Liberty » (genre « brique »)	
75	mL (¼ t.) d'eau	
3	c. à soupe de tamari ou de shoyu	
125	mL (½ t.) de fromage cheddar fort *ou*	
2	c. à soupe de graines de sésame	

Faire revenir doucement les oignons et le thym dans l'huile jusqu'à ce que les oignons soient tendres.

Mettre tous les autres ingrédients au mélangeur (à l'exception du fromage ou des graines de sésame) et battre jusqu'à consistance crémeuse.

Opérer le mélange des deux préparations. Verser sur une croûte de tarte non cuite. Garnir le dessus de fromage ou de graines de sésame.

Cuire au four à 190°C (375°F) pendant 40 minutes.

Gratin doré au maïs

(6 portions)

1 c. à soupe d'huile
1 oignon moyen
750 mL (3 t.) de courge d'été jaune ou
3 courgettes moyennes
500 mL (2 t.) de champignons, hachés
1 L (4 t.) de maïs en grains, fraîchement
détachés de l'épi ou congelés
6 œufs
1 c. à thé de sel de mer
1 c. à thé de basilic
500 mL (2 t.) de fromage, râpé (le jarlsberg est
un bon choix)
375 mL (1½ t.) de chapelure de pain

Dans une large casserole, chauffer l'huile et y faire rissoler l'oignon 2 à 3 minutes. Ajouter la courge et remuer pendant une minute, puis ajouter les champignons et remuer la préparation. Couvrir la casserole, réduire la chaleur et poursuivre la cuisson encore 5 minutes. Mettre de côté.

Battre le maïs, les œufs et le sel au mélangeur. Ajouter le basilic.

Étendre la préparation de légumes au fond d'un plat de cuisson rectangulaire de 29 × 19 cm (11½″ × 7½″) légèrement huilé. Verser la crème aux œufs et au maïs sur les légumes. Couvrir de fromage râpé, et saupoudrer ensuite de chapelure.

Cuire au four à 180°C (350°F) pendant 45 minutes. Faire griller une minute pour dorer le gratin.

Carrés aux asperges

(4 portions)

  1 L (4 t.) d'asperges, coupées en tronçons de
1,2 cm (½″)

125 mL (½ t.) d'oignons, finement hachés

400 g (14 oz) de tofu

 75 mL (¼ t.) de fromage Ricotta (ou remplacer
par la même quantité de tofu, suivant le
goût)

  1 c. à thé de sel de mer

  1 œuf

 ½ c. à thé de graines d'aneth

 ½ c. à thé d'origan

  1 c. à thé de basilic

500 mL (2 t.) de millet, cuit

 75 mL (¼ t.) d'eau de cuisson des asperges

Faire cuire les asperges et l'oignon à la vapeur, jusqu'à ce qu'ils soient à peine attendris.

Battre au mélangeur le tofu, le fromage Ricotta, le sel et l'œuf.

Égoutter les légumes et les ajouter à la crème de tofu, ainsi que le reste des ingrédients. Bien mélanger.

Étendre la préparation dans un plat de cuisson de 29 × 19 cm (11½″ × 7½″), préalablement huilé.

Faire cuire au four à 180°C (350°F) pendant 25 minutes. Passer quelques secondes sous le grill pour faire dorer le dessus.

Servir avec une sauce au fromage ou une sauce béchamel aux noix de cajou (cette recette est expliquée à la page 108).

Carrés de riz dorés

- 1 c. à soupe d'huile
- 1 petit oignon
- 2 branches de céleri
- 600 mL ((2½ t.) de riz brun, cuit
- 1 c. à thé d'estragon
- ½ c. à thé de sel de mer
- 4 œufs
- 500 mL (2 t.) de courge d'hiver, cuite (1 courge moyenne)
- 2 c. à soupe de miso jaune (ou ½ c. à thé de sel de mer, surtout pas de tamari, qui changerait la belle couleur du plat)
- 125 mL (½ t.) de fromage, râpé
   ou
- 2 c. à soupe de graines de sésame, ou les deux

Faire rissoler les oignons et le céleri dans l'huile chaude. Mélanger ces légumes avec le riz, l'estragon, le sel et 3 œufs. Laisser refroidir un peu le riz avant d'y ajouter les œufs.

Presser la moitié de cette préparation dans un plat de cuisson rectangulaire de 19 cm × 29 cm (7½″ × 11½″).

Réduire la courge en purée et y incorporer l'œuf restant et le miso (ou le sel).

Étendre la purée sur le riz. Couvrir avec le reste du premier mélange.

Saupoudrer de fromage et/ou de graines de sésame.

Cuire au four à 180°C (350°F) pendant 25 minutes. Faire griller quelques instants pour dorer le dessus.

Casserole aux pommes de terre délicieuse

(6 portions)

250 mL (1 t.) de pâte de tomate
450 mL (1¾ t.) de lait de beurre
4 grosses pommes de terre, brossées et coupées en tranches très fines
1 gros oignon, tranché très finement
450 g (1 lb) de tofu
*125 mL (½ t.) de fromage parmesan (facultatif)
2 c. à thé de basilic
250 mL (1 t.) de chapelure de pain

Bien badigeonner d'huile un large plat de cuisson à bords élevés.

Mélanger la pâte de tomate au lait de beurre.

Mettre ⅓ des tranches de pommes de terre dans le fond du plat. Couvrir avec ⅓ des oignons, ⅓ du tofu et y étendre ensuite ⅓ de la sauce tomate. Saupoudrer de fromage parmesan et de basilic. Répéter ces opérations 2 fois et terminer en saupoudrant la chapelure de pain sur le dessus du plat.

Faire cuire au four à 180°C (350°F) pendant 1½ heure environ. Si le dessus n'est pas assez doré, passer sous le grill quelques instants.

* Vous pouvez remplacer le parmesan par un peu de sel ou de shoyu, qu'on parsème également sur chaque couche de la préparation.

Pâté chinois végétarien

Recette fondamentale et unique du vrai pâté chinois végétarien !

> **750** mL (3 t.) de tofu, émietté
> **1,2** L (5 t.) d'eau bouillante
> **750** mL (3 t.) de légumes variés, légèrement
> cuits
> **1** L (4 t.) de purée de pommes de terre
> **¼** c. à thé de sel de mer
> **2** c. à soupe d'huile
> **1** gros oignon, émincé
> **1** branche de céleri, tranchée
> **1** c. à thé de sarriette
> **1** c. à thé de thym
> **½** c. à thé de sauge
> **75** mL (¼ t.) de tamari*
> **2** c. à soupe de levure alimentaire
> **75** mL (¼ t.) d'eau de cuisson des légumes
> **125** mL-250 mL (½-1 t.) de fromage, râpé
> (facultatif)

Laisser tomber les miettes de tofu dans l'eau bouillante,
ramener à ébullition et cuire pendant une minute. Placer
le tofu dans un égouttoir tapissé d'un chiffon propre, laisser s'échapper le liquide dans l'évier et préparer les légumes
pendant ce temps.

Comme légumes, utiliser du maïs et des petits pois, suivant
la tradition, ou les remplacer par des haricots verts et des
carottes, au goût. Cuire les légumes à la vapeur, de sorte
qu'ils soient encore bien croustillants, et conserver l'eau de
cuisson.

Assaisonner la purée de pommes de terre au goût, mais
sans trop saler (¼ c. à thé maximum). Mettre suffisamment
d'eau ou de lait dans la purée pour qu'elle soit crémeuse
et non sèche.

Presser les bords du chiffon contenant le tofu pour laisser s'échapper l'excédent d'eau. On doit obtenir une consistance ferme, semblable à celle du bœuf haché.

Faire blondir les oignons et le céleri dans l'huile chaude, avec les fines herbes. Ajouter le tofu et cuire à feu doux pendant 5 minutes, en remuant fréquemment. Ajouter le tamari, bien remuer, y verser l'eau de cuisson et la levure et mêler parfaitement.

Disposer le mélange de tofu dans un plat à gratiner huilé de 19 cm × 29 cm (7½″ × 11½″). Couvrir avec les légumes et y étendre la purée de pommes de terre. Parsemer le dessus de fromage râpé, si désiré.

Cuire au four à 180°C (350°F) de 15 à 20 minutes, et passer quelques instants sous le grill pour dorer le gratin.

Note : ce plat peut être préparé d'avance et cuit plus tard. S'il est froid, le faire chauffer à couvert pendant au moins 35 minutes, retirer le couvercle et faire griller le dessus quelques minutes.

* Dans cette recette, le tamari est définitivement préférable au shoyu, car il ajoute plus de saveur et de couleur à la préparation, tout en étant moins salé que le shoyu.

Tofu et pommes de terre au four

(De 3 à 4 portions)

- 3 grosses pommes de terre
- 1 oignon, finement tranché
- 450 g (1 lb) de tofu, coupé en tranches de 1 cm (⅓″) d'épaisseur
- 1 c. à thé de sarriette
- 3 c. à soupe de tahini
- 2 c. à soupe de shoyu
- 3 c. à soupe de levure alimentaire
- 375 mL (1½ t.) d'eau ou de bouillon de légumes
- 250 mL (1 t.) de chapelure de pain de grain entier

Brosser les pommes de terre et les couper en tranches très fines. Mettre la moitié des pommes de terre dans le fond d'un plat de cuisson badigeonné d'huile.

Étendre la moitié des rondelles d'oignon sur les pommes de terre et couvrir de la moitié des tranches de tofu. Saupoudrer de sarriette.

Répéter l'opération.

Mélanger le tahini, le shoyu et la levure. Y verser lentement l'eau ou le bouillon de légumes et bien remuer jusqu'à ce que le mélange soit homogène.

Saupoudrer la casserole de chapelure de pain. Verser lentement la crème de tahini sur la chapelure.

Cuire au four, à découvert, à 180°C (350°F) pendant une heure, jusqu'à ce que les pommes de terre soient cuites et l'excès de liquide évaporé.

Gratin Dauphinois

(4 portions)

Sans produits laitiers.

- **1,2 L (5 t.) de brocoli, cuit et coupé en gros morceaux (peler les tiges)**
- **2 grosses pommes de terre, cuites et coupées en gros morceaux**
- **1 c. à soupe d'huile**
- **1 oignon moyen, haché**
- **100 mL (⅓ t.) de tahini**
- **2 c. à soupe de miso**
- **2 c. à soupe de levure alimentaire**
- **500 mL (2 t.) d'eau ou de bouillon de légumes**
- **3 c. à soupe d'arrowroot ou de fécule de maïs**
- **1 c. à thé de sarriette**
- **125 mL (½ t.) de chapelure de pain de grain entier**

Faire rissoler l'oignon dans l'huile chaude.

Au mélangeur, battre le tahini, le miso, la levure, l'eau ou le bouillon, l'arrowroot et la sarriette. Ajouter aux oignons et faire mijoter jusqu'à ce que la préparation épaississe.

Mélanger les légumes à cette sauce et placer dans un plat de cuisson huilé. Saupoudrer de chapelure de pain et mouiller d'une pellicule d'huile (1 c. à soupe), si désiré.

Cuire au four à 180°C (350°F) pendant 15 minutes et passer sous le grill une ou deux minutes pour faire dorer le gratin.

Pain à la cuillère

(3 portions)

La consistance de ce plat relève plus du pouding que du pain.

175 mL (⅔ t.) de semoule de maïs
250 mL (1 t.) d'eau
 75 mL (¼ t.) de beurre d'arachide, croquant
 75 mL (¼ t.) d'oignon, émincé
 75 mL (¼ t.) de yogourt
  1 c. à thé de basilic
    une pincée de poivre de cayenne
 ¼ c. à thé de muscade
  4 œufs, séparés

Dissoudre la semoule de maïs dans l'eau. Faire cuire en brassant constamment jusqu'à ce que le mélange soit très épais.

Retirer du feu et ajouter tous les autres ingrédients, sauf les œufs. Bien mélanger.

Ajouter les jaunes d'œufs, un à la fois, en battant entre chaque addition.

Monter les blancs d'œufs en neige ferme. Les plier délicatement dans la préparation.

Verser dans un moule à soufflé ou une casserole à bords hauts et cuire au four à 180°C (350°F) de 40 à 45 minutes.

Servir immédiatement à la sortie du four, avec des légumes cuits, haricots verts ou brocoli, une sauce de votre choix et une salade verte.

Casserole de riz et d'aubergine

(De 3 à 4 portions)

  2 c. à soupe d'huile
  1 oignon moyen, haché
  3 gousses d'ail, émincées
  1 aubergine moyenne, divisée en quartiers, et
     tranchée
  1 c. à thé de basilic
500 mL (2 t.) de riz brun, cuit
100 mL (⅓ t.) de pâte de tomate
  2 c. à soupe de shoyu
250 mL (1 t.) de fromage cottage (« Liberty »,
     genre brique)
250 mL (1 t.) de fromage provolone, râpé (ou
     autre, au goût)
     ou
  2 c. à soupe de graines de sésame

Faire rissoler l'oignon et l'ail dans l'huile chaude (utiliser une grande marmite). Après une ou deux minutes, ajouter l'aubergine et le basilic. Remuer, puis couvrir et faire cuire à feu modéré jusqu'à ce que l'aubergine soit tendre.

Quand les légumes sont cuits, les mélanger avec le riz, la pâte de tomate, le shoyu et le fromage cottage.

Verser le mélange dans un moule badigeonné d'huile. Couvrir de fromage provolone (ou autre) ou de graines de sésame.

Cuire au four à 180°C (350°F) pendant environ 20 minutes.

Polenta aux légumes

(4 portions)

Voilà une autre recette facile, qui servira de base à nombre de variations suivant les goûts et selon les besoins. On peut la préparer d'avance et s'en servir plus tard.

> 250 mL (1 t.) de semoule de maïs
> 750 mL (3 t.) d'eau ou de bouillon de légumes
> ½ c. à thé de sel de mer
> 1 c. à thé de basilic
> 600 mL (2½ t.) de légumes variés, cuits*
> 2 échalotes, hachées

Mettre la semoule de maïs dans une casserole épaisse de grandeur moyenne. Ajouter l'eau, le sel et le basilic. Bien mélanger. Amener à ébullition, en remuant constamment. Couvrir la casserole, réduire la chaleur à feu doux et faire cuire pendant 20 minutes, en remuant fréquemment.

Ajouter les légumes cuits et égouttés, ainsi que les échalotes. Verser cette préparation dans un moule carré ou rectangulaire, légèrement huilé. Réfrigérer deux heures ou plus, jusqu'à ce que le mélange soit ferme. Couper en carrés et faire griller à la poêle des deux côtés dans un peu d'huile.

---

* Cette recette permet également de disposer des restes de légumes cuits. J'ai utilisé avec succès un mélange de carottes, de haricots verts et de maïs ; du poivron rouge et vert avec de l'oignon et du céleri constituent aussi un heureux choix. Et on pourrait continuer longtemps...

Note : mets inspiré de la cuisine italienne, la polenta se sert généralement accompagnée d'une sauce aux tomates et saupoudrée de fromage parmesan, mais rien n'empêche votre imagination d'y trouver maints autres accompagnements. Pour en augmenter la valeur protéinique, servir avec une sauce au fromage ou une béchamel, ou remplacer une partie des légumes par des haricots cuits et égouttés.

Vous avez bannis les produits laitiers de votre alimentation ? Confectionnez alors une
> — sauce à l'oignon et à la moutarde (p. 111)
> — sauce à la levure (p. 113)
> — sauce au beurre d'arachide (page 109)

Soufflé Parmentier

(De 2 à 3 portions)

500 mL (2 t.) de purée de pommes de terre, non assaisonnée
100 mL (⅓ t.) de lait
175 mL (⅔ t.) de fromage cheddar fort, râpé
½ c. à thé de graines de carvi
1 c. à thé de paprika
1 c. à thé de sarriette
2 c. à soupe d'oignon, râpé
¾ c. à thé de sel de mer
3 jaunes d'œufs
3 blancs d'œufs

Mêler tous les ingrédients, sauf les blancs d'œufs.

Battre les blancs d'œufs en neige ferme. Les incorporer délicatement dans la préparation de pommes de terre, en pliant.

Verser doucement le mélange dans un moule à hauts côtés.

Cuire à 180°C (350°F) pendant 40 minutes.

Curry au riz et au céleri

    2 c. à soupe d'huile
  750 mL (3 t.) de céleri, haché
    1 oignon assez gros, haché
    1 c. à thé de poudre de curry
    1 c. à thé de cumin
    1 c. à thé de gingembre frais, moulu
   ½ c. à thé de curcuma
   ½ c. à thé de moutarde en poudre
  250 mL (1 t.) de riz brun à long grain
  450 mL (1¾ t.) d'eau bouillante
    1 c. à thé de sel de mer
  100 mL (⅓ t.) de noix de cajou, hachées et
      légèrement rôties* (ou des amandes
      émincées)
  100 mL (⅓ t.) de raisins secs

Faire chauffer l'huile dans une grande marmite. Ajouter le céleri, l'oignon, les épices, et faire rissoler au-dessus d'un feu assez vif pendant 2 à 3 minutes.

Laver et égoutter le riz. L'incorporer aux légumes et remuer la préparation une minute ou deux. Verser l'eau bouillante additionnée de sel sur le riz. Couvrir la marmite et faire mijoter à feu doux environ 30 minutes, jusqu'à ce que l'eau soit absorbée (ne pas remuer la préparation pendant la cuisson).

Quand le riz est cuit, ajouter les noix et les raisins. Remuer légèrement le riz à la fourchette et laisser reposer 5 minutes, sous couvert, avant de servir.

Accompagner d'une « Sauce au yogourt » (recette p. 119).

* On peut faire rôtir les noix dans un poêlon sec. Remuer les noix au-dessus d'un feu moyennement vif jusqu'à ce qu'elles commencent à brunir. Une autre méthode consiste à les faire rôtir au four à 180°C (350°F) pendant environ 15 minutes. Surveiller attentivement la cuisson pour éviter que les noix brûlent.

Chaudrée d'hiver

(Boulettes de millet dans un ragoût de chou)

(De 2 à 4 portions)

Ragoût :

   1 L (4 t.) de chou, finement haché
   1 L (4 t.) d'eau ou de bouillon
   4 feuilles de laurier
      Thym
  75 mL (¼ t.) de shoyu, au goût. (En mettre
      moins, si le bouillon est déjà assaisonné)
   1 oignon moyen, haché
   ½ c. à thé de graines de carvi

Boulettes :

 375 mL (1½ t.) de millet, cuit
 250 mL (1 t.) de fromage cheddar fort
   2 échalotes, finement hachées
   1 œuf
 125 mL (½ t.) de farine de blé entier à
      pâtisserie

Mettre tous les ingrédients du ragoût dans une grande marmite. Couvrir et faire mijoter jusqu'à ce que les légumes soient tendres, environ 20 minutes.

Mélanger le reste des ingrédients. Confectionner une vingtaine de boulettes de la grosseur d'une noix de Grenoble. Laisser tomber ces croquettes dans la marmite et poursuivre la cuisson environ 5 minutes à découvert. Couvrir et laisser mijoter 10 minutes de plus.

Variante : d'autres légumes de votre choix peuvent remplacer une partie ou la totalité du chou. Vous pouvez également cuire les boulettes de millet dans n'importe quel autre bouillon ou soupe de votre goût.

Kasha à la fermière

Un mets idéal pour affronter les rigueurs de l'hiver !

> 1   c. à soupe d'huile
> 1   oignon moyen, haché
> 2   gousses d'ail, émincées
> 1   c. à thé de thym
> 250   mL (1 t.) de sarrasin
> 500   mL (2 t.) d'eau bouillante
> 2   pommes de terre moyennes, brossées, coupées en dés, et cuites
> 1   recette de « Sauce au tahini et au miso » (page 112)

Dans une grande marmite, faire rissoler l'oignon, l'ail et le thym dans l'huile préalablement chauffée, 2 à 3 minutes.

Verser le sarrasin sur les oignons et faire chauffer en remuant constamment jusqu'à ce que la céréale dégage un arôme de noisette.

Retirer la marmite du feu et ajouter l'eau bouillante. Couvrir la marmite, la remettre sur le feu et laisser mijoter à feu doux pendant 20 minutes.

Ajouter les pommes de terre cuites et mêler légèrement.

Servir dans des assiettes individuelles et couvrir de sauce au tahini.

Un plat d'une délicieuse simplicité !

Note : vous désirerez peut-être ajouter un peu de tamari juste avant de servir. Toutefois, goûtez la sauce avant de prendre cette décision et aromatisez en conséquence.

Variantes :

— ajouter 450 g (1 lb) de tofu coupé en cubes en même temps que les pommes de terre ;

— compléter le repas en servant avec du tofu au gingembre (voir p. 243). Dans ce cas, remplacez la sauce au tahini par une sauce au gingembre. Accompagner d'une salade verte.

Potée de haricots Adzuki aux courges

(4 portions)

250 mL (1 t.) de haricots Adzuki, crus
1 L (4 t.) d'eau (approximativement)
750 mL (3 t.) de courge d'hiver, pelée et coupée en cubes*
1 gros oignon, tranché
1 c. à thé de sarriette
½ c. à thé de thym
75 mL (¼ t.) d'hijiki, lavé et trempé (facultatif)
4 c. à soupe de miso

Laver les haricots et les faire tremper au moins 8 heures. Égoutter, mettre dans une grande marmite avec l'eau. Amener à ébullition, réduire la chaleur et laisser mijoter jusqu'à ce que les haricots soient presque tendres environ une heure.

Ajouter la courge, l'oignon, la sarriette, le thym et l'hijiki (si désiré). Cuire jusqu'à ce que la courge soit cuite et les haricots très tendres, soit 40 minutes environ. Remuer de temps à autre et ajouter de l'eau si nécessaire. Attention à ce que votre plat ne devienne sec et pâteux.

Ajouter le miso à la fin de la cuisson.

Servir sur un nid de riz ou de millet.

* On dénomme « courge d'hiver » toutes les courges à peau épaisse, telles que la courge turban, « Hubbard », « Acorn » et « Butternut ».

Pot-au-feu

(De 4 à 6 portions)

875 mL (3½ t.) d'oignons, hachés
2 pommes de terre assez grosses
1 gros navet ou 2 petits navets *ou* 1 petit rutabaga
2 grosses carottes ou 4 petites
3-4 panais
6 feuilles de laurier
75 mL (¼ t.) de shoyu
500 mL (2 t.) d'eau ou de bouillon de légumes
2 c. à soupe d'huile
4 c. à soupe de farine de blé entier
1 c. à thé de poudre de curry
1 c. à thé de sarriette

Mettre les oignons au fond d'un plat de cuisson ou de céramique résistant à la chaleur du four. Nettoyer et brosser les légumes, les couper en morceaux de grosseur moyenne. Disposer les légumes sur les oignons, ajouter les feuilles de laurier, le shoyu et l'eau ou le bouillon. Couvrir et faire cuire au four à 180°C (350°F) pendant 1½ heure environ, en remuant de temps à autre pendant la cuisson.

Préparer la sauce pendant que les légumes cuisent. Faire chauffer l'huile dans un petit poêlon, ajouter la farine, la poudre de curry et la sarriette. Remuer au-dessus d'un feu moyennement vif jusqu'à ce que la farine commence à brunir et dégage un arôme de noisette. Retirer le poêlon de la source de chaleur et y verser 100 mL (⅓ t.) d'eau. Remettre sur le feu jusqu'à ce que la sauce soit épaisse et sans grumeaux.

Ajouter la sauce aux légumes. Bien remuer la préparation. Remettre au four et poursuivre la cuisson environ 15 minutes, jusqu'à ce que le ragoût soit épais.

Disposer sur un nid de riz ou de millet, ou servir avec du pain fait à la maison.

Note : pour composer un repas particulièrement savoureux, préparer une recette de « Tofu au gingembre » (voir p. 243) ou de « Tempeh mariné » (conserver la marinade pour d'autres utilisations), et ajouter les morceaux de tofu ou de tempeh au pot-au-feu, vers la fin de la cuisson. Le seitan constitue également une addition intéressante, ainsi que de remplacer une pomme de terre par une patate douce.

Ragoût de boulettes

(6 portions)

1 recette de « Pot-au-feu » (voir page 310)
1 recette de « Boulettes de tofu » (voir page 246)
ou
1 recette de « Croque-en-blé » (voir page 241)

Préparer d'abord le « Pot-au-feu » et pendant qu'il cuit, confectionner les boulettes de tofu ou de seitan.

Faire cuire les boulettes puis incorporer la quantité désirée dans le pot-au-feu.

Les restes des boulettes de tofu se prêtent bien à la congélation, jusqu'à une future utilisation.

Chaudrée trois couleurs

(De 3 à 4 portions)

250 mL (1 t.) de marrons, écaillés et épluchés
750 mL (3 t.) de haricots verts, coupés en tronçons de 3 cm (1″)
  1 c. à soupe d'huile
125 mL (½ t.) d'oignon, haché
  2 gousses d'ail (au goût)
100 mL (⅓ t.) de hijiki, trempé dans l'eau (facultatif)
500 mL (2 t.) de tofu, coupé en cubes de 12 mm (½″)
  1 c. à thé de poudre de cari
  1 c. à thé de gingembre frais, râpé
250 mL (1 t.) d'eau (se servir du liquide de cuisson des haricots)
  1 c. à soupe d'arrowroot
  4 c. à soupe de shoyu (ou moins, selon le goût)
  3 c. à soupe de jus de citron (ou moins, selon le goût)

Cuire les marrons dans l'eau jusqu'à ce qu'ils soient tendres, environ 20 minutes. Faire cuire les haricots verts à la vapeur juste assez pour les attendrir.

Faire revenir l'oignon, l'ail, l'hijiki, le tofu, le cari et le gingembre dans l'huile chaude. Cuire jusqu'à ce que l'oignon soit tendre.

Mélanger le bouillon de haricots (une fois refroidi), l'arrowroot, le shoyu et le citron. Verser sur le mélange de tofu et d'oignons. Brasser délicatement et poursuivre la cuisson jusqu'à ce que la préparation épaississe.

Ajouter les marrons et les haricots verts.

Servir sur un nid de riz ou de millet avec une salade de carottes.

Variante : remplacer les marrons par 175 mL (⅔ t.) d'amandes. Ne pas faire bouillir celles-ci, les ajouter en même temps que les oignons. On peut également mettre du brocoli à la place des haricots verts.

Grands-pères aux haricots

(4 portions)

750 mL (3 t.) environ de haricots cuits* (Pinto, haricots de Lima, « Great Northern », blancs, etc.)
  1 oignon, haché
2-3 c. à soupe de shoyu (suivant le goût)
  1 recette de Grands-pères au choix : au blé entier, au tofu ou au pain, recettes expliquées dans ce livre (p. 102-103-104)
  2 c. à soupe d'huile d'olive
 75 mL (¼ t.) de persil, émincé
2-3 gousses d'ail, pressées

Mettre les haricots cuits, avec le liquide de cuisson, dans une grande marmite. Si nécessaire, ajouter de l'eau de façon à obtenir un plat de la consistance d'une soupe épaisse ou d'un ragoût.

Ajouter l'oignon et le shoyu. Couvrir la marmite, amener à ébullition, puis réduire la chaleur et faire mijoter environ 10 minutes.

Faire tomber les boulettes de pâte dans le ragoût mijotant, selon les indications de la recette. Quand les grands-pères sont cuits, verser le filet d'huile et garnir d'ail et de persil.

* Voir le mode de cuisson des haricots secs, à la p. 231.

Tofu et navet en verdure

(4 portions)

450 g (1 lb) de tofu, coupé en morceaux d'une
    bouchée
    Jus d'un demi-citron
  4 c. à soupe de shoyu
250 mL (1 t.) d'eau
  2 c. à soupe d'huile
  1 oignon moyen, haché
  2 navets moyens, avec leurs feuilles*
  1 c. à thé de romarin
  1 c. à thé d'origan
1½ c. à soupe d'arrowroot

Mélanger le jus de citron, le shoyu et l'eau dans une casserole large et peu profonde. Laisser mariner le tofu dans ce liquide pendant ½ heure.

Retirer le tofu de la marinade et conserver celle-ci. Placer les morceaux de tofu sur une plaque à biscuits huilée. Faire cuire au four à 190°C (375°F) pendant 20 à 30 minutes ou jusqu'à ce qu'ils soient brunis et croustillants.

Pendant ce temps, préparer les légumes. Brosser le navet, en laver soigneusement les feuilles et les rincer. Couper le navet en bâtonnets et hacher les feuilles.

Dans une grande casserole ou un wok, faire chauffer l'huile et y faire frire l'oignon, le romarin et l'origan pendant une minute. Ajouter le navet, et remuer pendant une minute encore. Y mettre les feuilles de navet, brasser et couvrir. Réduire le feu et faire mijoter jusqu'à ce que les légumes soient tendres, 15 à 20 minutes environ. Remuer de temps à autre.

Dissoudre l'arrowroot dans le liquide de la marinade, verser sur les légumes et cuire jusqu'à ce que la sauce ait la consistance désirée.

Incorporer délicatement les morceaux de tofu cuits.

Servir sur du riz ou avec du pain de maïs.

* Le navet est un légume des plus communs au Québec mais la plupart des gens n'en consomment que la racine et jettent les feuilles. Ils laissent ainsi de côté un aliment très nourrissant, une bonne source de calcium, riche en vitamine C, A et en fer.

Les feuilles de navet sont très rarement disponibles dans les épiceries du Québec. Toutefois, dans le sud des États-Unis, elles sont empaquetées et vendues de la même façon que les épinards. À défaut d'en trouver, on peut remplacer les feuilles de navet par toute autre verdure, des épinards ou des bettes à carde. En utiliser environ 300 g (10 oz). Attendre les dix dernières minutes de cuisson avant de les incorporer à la préparation.

Ragoût de légumes à l'italienne

(4 portions)

750 mL (3 t.) de haricots verts, coupés en
    morceaux de 3 cm (1″)
  1 petite aubergine, coupée en gros quartiers
    et tranchée
  2 courgettes ou 3 courges d'été jaunes, en
    tranches épaisses
250 mL (1 t.) d'eau
  2 c. à soupe d'huile d'olive
  1 oignon, haché
  4 gousses d'ail, émincées
  1 c. à thé de basilic
  1 c. à thé de thym
  ½ c. à thé d'origan
  ¼ c. à thé de graines de céleri
375 mL (1½ t.) de pois chiches cuits ou de
    fèves de Lima cuites
125 mL (½ t.) de pâte de tomate
  2 c. à thé de tamari

Garniture :

fromage parmesan, râpé (facultatif)

Mettre tous les légumes, à l'exception des oignons, dans
une grande marmite. Ajouter l'eau, couvrir et amener à
ébullition. Remuer et réduire à feu doux. Laisser mijoter
jusqu'à ce que les légumes soient tendres, en remuant de
temps à autre.

Pendant ce temps, chauffer l'huile et y faire frire les
oignons, l'ail et les assaisonnements jusqu'à ce que les
oignons soient tendres. Ajouter aux légumes. Incorporer
le reste des ingrédients et laisser mijoter 5 minutes.

Servir avec du pain de ménage, du riz, des pâtes ou du
millet, et une large salade verte.

Haricots en sauce piquante au beurre d'arachide

(4 portions)

500 mL (2 t.) de haricots noirs, cuits
125 mL (½ t.) du liquide de cuisson des haricots
2 c. à soupe de zeste d'orange
1-2 feuilles de laurier
1 c. à soupe de shoyu

Riz pour 4 personnes :

375 mL (1½ t.) de riz cru, cuit dans
750 mL (3 t.) d'eau

Sauce épicée au beurre d'arachide (voir recette p. 109)

Garniture :

4 échalotes
75 mL (¼ t.) de persil, haché
1 grosse tomate ou un poivron rouge, hachés

Réduire en purée, à la fourchette, la moitié des haricots. Remettre dans la marmite. Rectifier la quantité de liquide, en ajouter si nécessaire, de façon à obtenir une consistance agréable.

Ajouter la feuille de laurier, le zeste d'orange et le shoyu et laisser mijoter 15 minutes pour permettre aux saveurs de bien se fondre les unes aux autres.

Disposer le riz sur un plat de service ou sur des assiettes individuelles. Couvrir de haricots et arroser de sauce.

Dresser joliment les différentes garnitures sur le dessus de chaque assiettée.

Repas des « grandes » et des « petites » occasions

Chalupas

Un repas coloré qui possède un air de fête !

        6 tortillas de maïs
           Huile
      750 mL (3 t.) de haricots rouges ou Pinto, cuits
       75 mL (¼ t.) d'eau de cuisson des haricots
        1 c. à thé de cumin
        1 c. à thé de poudre chili
        1 c. à thé de basilic
        ½ c. à thé d'origan
        ½ c. à thé de cayenne (selon le goût)
       75 mL (¼ t.) de pâte de tomate
      125 mL (½ t.) de fromage râpé (facultatif)
        2 tomates, hachées
           Quelques feuilles de laitue, déchiquetées
        1 avocat
           jus ½ citron
      2-3 gousses d'ail, écrasées

Réduire l'avocat en purée, et y ajouter le citron et l'ail.

Badigeonner les tortillas d'un peu d'huile. Les faire dorer sous le grill jusqu'à ce qu'elles soient bien croustillantes. Cette opération prend à peine quelques minutes, aussi faut-il surveiller les tortillas pour qu'elles ne brûlent pas. Les mettre de côté.

Réduire les haricots en purée, avec les épices, la pâte de tomate et le shoyu, en utilisant la quantité de liquide nécessaire pour obtenir une belle consistance.

Étendre une généreuse portion de purée de haricots sur chacune des tortillas. Couvrir de fromage.

Cuire au four à 200°C (400°F) pour bien réchauffer et fondre le fromage, de 10 à 15 minutes environ.

Garnir les tortillas de feuilles de laitue et de tomates hachées et d'une bonne cuillerée de purée d'avocat.

Tempura

Environ une fois par an, je brise ma règle de ne pas manger d'aliments cuits en grande friture et je me régale de cette merveilleuse tempura !

Pâte :

250 mL (1 t.)	**de farine de blé entier à pâtisserie**
75 mL (¼ t.)	**de farine de riz**
75 mL (¼ t.)	**de semoule de maïs**
¼	**c. à thé de sel de mer**
2	**c. à thé de moutarde sèche**
375-450 mL (1½-1¾ t.)	**d'eau froide**

Légumes (à votre choix) :

— **tranches de carottes**
— **fleurettes de brocoli**
— **tranches de panais (le meilleur, à mon avis !)**
— **tranches de patates douces**
— **tranches de courgettes**
— **rondelles d'oignon**
— **champignons entiers**
— **cubes de tofu**

Préparer la pâte en mélangeant ensemble les ingrédients secs. Y verser l'eau. Mêler très légèrement, sans essayer de faire disparaître les grumeaux, leur formation est normale. Réfrigérer au moins 30 minutes.

Pendant ce temps, préparer l'huile et la trempette et trancher tous les légumes. S'assurer que tout soit prêt au moment de la friture.

Placer le bol contenant la pâte dans un autre récipient rempli de cubes de glace, car la pâte doit rester tout le temps fraîche.

Faire chauffer l'huile dans un wok, une friteuse ou une large marmite. Vérifier le degré de chaleur de l'huile en y versant quelques gouttes de pâte. Si l'huile est à point, les morceaux de pâte devraient s'y enfoncer puis remonter rapidement à la surface, en grésillant tout au long de la cuisson. Si l'huile fume, c'est signe qu'elle est trop chaude.

Enrober les légumes de pâte et les jeter dans l'huile chaude. Les faire frire jusqu'à ce qu'ils soient dorés et croustillants.

Égoutter sur un papier absorbant et servir immédiatement, accompagnés de la trempette pour tempura, dont la recette suit, ou avec une sauce à l'orange et au tahini (à la page 112).

Trempette pour tempura

    75 mL (¼ t.) de shoyu
200 mL (¾ t.) d'eau
    1 c. à thé de gingembre frais, râpé
    1 c. à thé de zeste d'orange
    1 c. à thé de miel
    1 c. à thé de moutarde de Dijon
    1 échalote, hachée

Mélanger tous les ingrédients.

Cette sauce convient bien au Nori-Maki également (p. 61).

Festin d'automne

12 marrons, écaillés et épluchés
300 g (10 oz) de choux de Bruxelles
50 mL (2 t.) d'oignons doux des Bermudes,
      hachés
50 mL (2 t.) de maïs en grains
½ c. à thé de sel de mer
1 c. à thé de basilic
125 mL (½ t.) de fromage râpé et/ou 125 mL
       (½ t.) de chapelure de pain

Faire bouillir les marrons ou les cuire à la vapeur, jusqu'à ce qu'ils soient tendres. Nettoyer les choux de Bruxelles, couper les gros en deux. Cuire les choux à la vapeur, jusqu'à ce qu'ils soient à peine attendris.

Faire blondir les oignons à la poêle.

Réduire le maïs en purée crémeuse au mélangeur. Y ajouter le sel et le basilic.

Mélanger tous les ingrédients ensemble, sauf le fromage et la chapelure de pain. Mettre dans un plat de cuisson peu profond ou dans un poêlon de fonte. Recouvrir de fromage et de chapelure.

Cuire au four à 180°C (350°F) pendant 15 minutes, puis faire dorer le gratin sous le grill quelques instants.

Tofu à la bourguignonne

(De 4 à 6 portions)

900 g (2 lb) de tofu, coupé en carrés de 3 cm
    (1″) de côté et 1,5 cm (½″) d'épaisseur
375 mL (1½ t.) de vin rouge sec
 75 mL (¼ t.) de tamari
  2 c. à soupe d'huile
500 mL (2 t.) d'oignons, tranchés
  4 gousses d'ail, émincées
  1 L (4 t.) de champignons, tranchés
  4 feuilles de laurier
  2 c. à thé de thym
  1 c. à thé d'estragon
  4 c. à soupe de farine de blé entier à
    pâtisserie
    persil, haché

Placer les morceaux de tofu dans un contenant large et peu profond. Mélanger le vin au tamari et verser ce liquide sur le tofu. Laisser mariner une heure ou plus.

Placer le tofu mariné sur une plaque à biscuits bien huilée. Cuire à 190°C (375°F) de 35 à 45 minutes. Retourner les morceaux de tofu une fois pendant la cuisson.

Réserver le liquide de la marinade.

Pendant que le tofu cuit, faire chauffer l'huile dans une marmite, et y rissoler les oignons et l'ail jusqu'à ce qu'ils soient tendres.

Ajouter les champignons et les épices. La cuisson des champignons terminée, ajouter la farine et bien mélanger.

Verser lentement les légumes dans la marinade. Cuire à feu modéré, en remuant constamment, jusqu'à ce que le mélange épaississe un peu. (Ne pas rendre la préparation trop épaisse). Ajouter le tofu, mêler délicatement.

Servir sur un nid de riz, de millet ou de pâtes alimentaires. Garnir de persil haché.

Cigares au chou

Cette recette demande un temps de préparation plutôt long, mais le délicieux mets qui en résulte vaut largement l'effort. Réservez-le pour les grandes occasions !

1	chou moyen
600	mL (2½ t.) de tofu, émietté
1,5-2	L (6-8 t.) d'eau bouillante
2	c. à soupe d'huile d'olive
1	oignon moyen, haché
1	branche de céleri
1	c. à thé de basilic
1	c. à thé de thym
½	c. à thé de cannelle
¼	c. à thé de clou de girofle moulu
¼	c. à thé de graines de céleri
4	c. à soupe de tamari
125	mL (½ t.) de pâte de tomate
500	mL (2 t.) de riz brun, cuit
1	boîte de tomates de 398 mL (14 oz)
1	boîte de choucroute de 284 mL (10 oz)

Mettre le chou entier dans une grande marmite contenant environ 3 cm (1″) d'eau, en l'assoyant sur sa racine. Faire cuire à la vapeur pendant 5 minutes, puis refroidir pour faciliter la manipulation. Conserver le liquide de cuisson pour un usage futur.

Laisser tomber les morceaux de tofu dans le 1,5 L d'eau bouillante. Ramener à ébullition et poursuivre la cuisson pendant 1 minute. Égoutter dans une passoire recouverte d'un chiffon propre. Laisser refroidir pendant que vous préparez le reste des ingrédients.

Faire rissoler l'oignon, le céleri, les herbes et les épices dans l'huile chaude pendant quelques minutes, en utilisant une grande marmite.

Égoutter le tofu en ramenant les bords du chiffon ensemble et presser fortement pour libérer l'excédent d'eau. Le tofu doit devenir d'une consistance assez ferme.

Ajouter le tofu au mélange d'oignons et de céleri. Cuire à feu moyen une minute ou deux, tout en remuant, puis incorporer le tamari, la pâte de tomate et le riz. Bien opérer le mélange.

Détacher délicatement chaque feuille de chou de façon à les garder entières et intactes. Enlever les tiges trop épaisses. Placer une petite feuille de chou au centre de chaque grosse feuille.

Farcir chaque feuille de chou d'1 c. à soupe comble de garniture déposée au centre de la feuille. Replier les deux côtés vers l'intérieur, puis rouler la feuille de chou en forme de cylindre.

Insérer un cure-dent dans chaque rouleau pour lui permettre de bien tenir, si nécessaire.

Mélanger les tomates à la choucroute et étendre cette préparation au fond d'un plat de cuisson rectangulaire. Disposer les cigares au chou sur ce mélange.

Couvrir le plat d'un papier aluminium et faire cuire à 180°C (350°F) de 45 à 60 minutes, jusqu'à ce que le chou soit tendre. Découvrir le plat pendant les 5-10 dernières minutes de cuisson.

Tomates farcies

(4 ou 5 portions)

8-10 tomates de bonne grosseur
2 c. à soupe d'huile
250 mL (1 t.) d'oignons, hachés
125 mL (½ t.) de poivron vert
450 g (1 lb) de tofu, écrasé
75 mL (¼ t.) de persil, haché finement
1 c. à soupe de shoyu
3 gousses d'ail, écrasées
250 mL (1 t.) de champignons, finement tranchés
125 mL (½ t.) d'échalotes, hachées
125 mL (½ t.) de chapelure de pain

Laver les tomates. Couper la partie supérieure de chacune d'elles et retirer la chair de l'intérieur, en laissant une épaisseur d'environ 1,2 cm (½″). Conserver la chair pour la préparation de soupes ou de sauces.

Faire rissoler l'oignon et le poivron vert dans l'huile préalablement chauffée.

Ajoute le tofu, le persil, le shoyu, l'ail, les champignons et les échalotes.

Remplir les tomates de ce mélange et les placer sur un plat de cuisson badigeonné d'huile. Saupoudrer chaque tomate de chapelure de pain.

Faire cuire au four à 180°C (350°F) de 20 à 30 minutes. Servir chaud.

Soufflés élégants à la courge

(4 portions)

Ces petits soufflés individuels sont aussi légers et délicieux qu'ils sont jolis.

> **2 courges « Acorn » moyennes**
> **4 œufs, séparés**
> **2 c. à soupe de miel**
> **1 c. à thé de cannelle**
> **¼-½ c. à thé de muscade**

Couper les courges en deux. Retirer les graines ainsi que la membrane et les jeter. Faire cuire les courges au four à 180°C (350°F) pendant environ 30 minutes, jusqu'à ce que la pulpe se retire facilement à la cuillère, mais de façon à ce qu'elle soit encore un peu ferme, et non pas en purée. Laisser refroidir environ 15 minutes pour faciliter la manipulation.

Retirer la pulpe de la courge en laissant une épaisseur de 0,5-1,2 cm (¼-½″) tout autour. On devrait obtenir environ 375 mL (1½ t.) de pulpe.

Séparer les blancs des jaunes d'œufs. Battre la courge avec les jaunes d'œufs, le miel et les épices, à l'aide du mélangeur ou du robot culinaire.

Battre les blancs d'œufs en neige ferme. Les incorporer délicatement au mélange de courge en pliant la préparation.

Placer les courges évidées dans un plat de cuisson ou un poêlon de fonte. Remplir délicatement chaque cavité, en y plaçant le plus de préparation possible. S'il reste du mélange, le faire cuire dans un plat allant au four.

Faire cuire au four à 180°C (350°F) pendant 30 minutes.

Courge de l'Action de grâce

(De 4 à 5 portions)

1	grosse courge « turban », environ 900 g (2 lb)
225	g (8 oz) de tempeh, coupé en petits cubes
2	c. à soupe de shoyu
1	c. à thé d'huile de sésame grillé
125	mL (½ t.) d'eau
	Huile (suivant le besoin)
375	mL (1½ t.) d'oignons, hachés
2-3	gousses d'ail, émincées
1	c. à thé de gingembre frais, râpé
1	c. à thé de basilic
½	c. à thé de cannelle
¼	c. à thé de clou de girofle
250	mL (1 t.) de maïs en grains, moulu
200	mL (¾ t.) de pacanes, grillées et hachées
	Moitiés de pacanes, pour décorer
1-2	c. à soupe de miso jaune (au goût)

Enlever la partie supérieure de la courge et jeter. Faire cuire la courge au four une heure ou plus, jusqu'à ce qu'elle soit tendre à l'intérieur mais encore assez ferme à l'extérieur. Conserver le liquide formé pendant la cuisson.

Pendant que la courge cuit, faire mariner le tempeh dans le mélange de shoyu, d'huile de sésame et d'eau pendant au moins une demi-heure. Égoutter le tempeh et garder la marinade pour la fabrication de soupes ou de sauces.

Faire frire le tempeh à l'huile jusqu'à ce qu'il soit bruni. Le retirer de la poêle et y mettre les oignons à blondir, avec l'ail et les assaisonnements, jusqu'à ce que les oignons soient tendres.

Enlever les graines et la membrane de la courge et jeter. Retirer la pulpe en en laissant suffisamment pour que la courge reste assez ferme et solide pour supporter la farce.

Si l'ouverture de la courge est trop petite, l'agrandir de façon à y insérer le plus de garniture.

Réduire la pulpe de courge en purée et mêler aux autres ingrédients. Remplir la cavité de la courge de cette préparation et décorer le dessus avec les moitiés de pacanes. Cuire au four de 15 à 20 minutes à 180°C (350°F).

Pour transformer ce repas en véritable festin, accompagner de betteraves glacées, d'une salade de haricots verts et de petits pains faits à la maison.

Tempeh bourguignon

(4 portions)

450 g (1 lb) de tempeh
500 mL (2 t.) de vin rouge sec
 75 mL (¼ t.) de tamari
   1 c. à thé de gingembre frais, râpé
   2 c. à soupe d'huile
   1 oignon moyen
500 mL (2 t.) de champignons, tranchés
   3 feuilles de laurier
   1 c. à thé de thym
   1 c. à thé d'estragon
   3 c. à soupe de farine

Faire mariner le tempeh dans le mélange de vin, de tamari et de gingembre pendant 30 minutes.

Suivre les indications de la recette de « Tofu à la bourguignonne » (p. 325), en substituant le tempeh au tofu. Surveiller les quantités, qui varient légèrement d'une recette à l'autre.

Crêpes aux asperges

(6 portions ou 2 crêpes par convive)

Pâte :

200 mL (¾ t.) de farine de riz
 75 mL (⅓ t.) de farine de blé entier à
      pâtisserie
  5 œufs, battus
200 mL (¾ t.) de lait

Battre tous les ingrédients jusqu'à l'obtention d'une pâte lisse et homogène.

Laisser tomber un peu moins de 75 mL (¼ t.) à la fois sur une poêle très chaude et légèrement huilée. Bouger la poêle de façon à distribuer également la pâte sur tout son pourtour. Quand un côté de la crêpe est doré et cuit, retourner et cuire légèrement de l'autre côté.

Empiler les crêpes les unes sur les autres et laisser en attente. On peut même les préparer une journée à l'avance et les conserver au réfrigérateur, bien couvertes.

Garniture :

750 mL (3 t.) d'asperges, coupées en bâtonnets
      de 3 cm (1″) de long
250 mL (1 t.) de petits pois fraîchement écossés
      ou congelés
450 g (1 lb) de tofu
1,5 L (6 t.) d'eau bouillante
 ½ c. à thé de sel de mer
  1 c. à thé d'estragon
3-4 échalotes, finement hachées

Faire cuire les asperges et les petits pois à la vapeur, jusqu'à ce qu'ils soient tendres, mais encore croustillants.

Jeter le tofu en miettes dans l'eau bouillante. Ramener le liquide à ébullition. Égoutter le tofu dans une passoire sans presser.

Mélanger le tofu aux légumes, avec le sel, l'estragon et les échalotes.

Sauce :

575 mL (2¼ t.) d'eau (utiliser l'eau de cuisson des légumes)
4 c. à soupe d'arrowroot
2 c. à soupe de jus de citron
2 c. à soupe de shoyu
3 feuilles de laurier
250 mL (1 t.) de champignons, tranchés

Dissoudre l'arrowroot dans l'eau. Si le bouillon des légumes est encore très chaud, dissoudre d'abord l'arrowroot dans 75 mL (¼ t.) d'eau froide, puis incorporer au reste du liquide.

Ajouter le jus de citron, le shoyu, les feuilles de laurier et les champignons. Amener à ébullition et cuire jusqu'à ce que la sauce épaississe.

Pour assembler : mélanger 125 mL (½ t.) de sauce avec la garniture aux légumes et au tofu. Mettre 75 mL (¼ t.) de garniture sur chaque crêpe et rouler.

Si tous les ingrédients sont encore chauds, placer les crêpes fourrées dans 2 plats de cuisson rectangulaires, recouvrir de sauce et faire cuire environ 10 minutes au four à 180°C (350°F).

Si les crêpes sont refroidies, placer les crêpes fourrées dans 2 plats de cuisson rectangulaires légèrement huilés, couvrir les plats d'un papier aluminium et faire chauffer au four à 180°C (350°F) de 15 à 20 minutes. Découvrir, verser la sauce chaude sur les crêpes, et poursuivre la cuisson 5 à 10 minutes de plus.

Poivrons farcis aux haricots rouges

(De 4 à 6 portions)

            4 poivrons rouges ou verts assez gros
            2 c. à soupe d'huile
            2 branches de céleri, hachées
            1 oignon moyen, haché
            1 c. à thé de cumin
            1 c. à thé de poudre chili
            1 c. à thé de basilic
           ½ c. à thé d'origan
         500 mL (2 t.) de haricots rouges ou Pinto, cuits
         375 mL (1½ t.) de riz brun, cuit
            2 c. à soupe de shoyu
               Une pincée de cayenne (selon le goût)
            6 tranches de fromage (facultatif)

Couper les poivrons en deux dans le sens de la longueur. Les évider et les mettre de côté.

Faire rissoler le céleri et l'oignon à la poêle, avec le cumin, la poudre chili, le basilic et l'origan.

Mélanger avec le reste des ingrédients (sauf le fromage) et remplir les poivrons de cette préparation.

Placer les poivrons farcis dans un plat de cuisson peu profond recouvert de 1,2 cm (½") d'eau.

Couvrir d'un papier aluminium. Cuire au four à 180°C (350°F) pendant environ 30 minutes. Enlever le papier aluminium, couvrir le dessus des poivrons de tranches de fromage et remettre au four 10 minutes.

Si désiré, servir avec votre sauce aux tomates préférée.

Le
« prêt-à-manger »
style végétarien

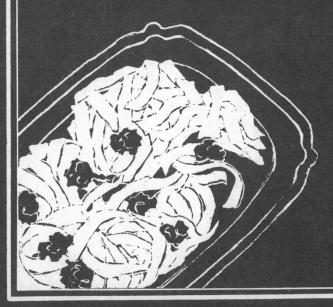

Le « prêt-à-manger » de style végétarien

L'alimentation végétarienne possède malheureusement la réputation de demander des préparations difficiles et interminables, ce qui décourage plusieurs personnes pourtant intéressées au départ à ce mode d'alimentation. Certains poursuivent un régime végétarien quand ils ont beaucoup de temps libre mais ne savent pas l'adapter à un rythme de vie plus rapide. C'est pourquoi j'ai trouvé important d'y consacrer tout un chapitre, destiné à ceux qui ont peu de temps à dépenser dans leur cuisine.

Les périodes les plus occupées de notre vie sont aussi celles qui nous apportent le plus de stress, d'où la nécessité d'un régime alimentaire bien balancé. En effet, ce n'est qu'à travers une diète équilibrée que nous donnerons et garderons notre maximum d'énergie et ferons fonctionner nos facultés d'une façon optimale. Le peu de temps consacré à nous garder en santé par une nourriture appropriée n'est rien comparé aux heures et aux jours perdus en fatigue et en maladie, résultats directs d'une pauvre alimentation.

Bien sûr, je ne peux prétendre que préparer un repas sain et complet soit aussi rapide que de saisir un sandwich à la cantine du coin ; cependant, il est surprenant de constater le peu de temps passé à la cuisine, une fois qu'on s'est adapté au végétarisme. Comme dans la cuisine coutumière, certains raccourcis ou trucs vous aideront à sauver un temps précieux.

Les recettes de ce chapitre sont étudiées de façon à les réaliser en moins d'une heure, en fait la plupart prennent à peine 20 minutes. La raison de cette rapidité d'exécution dépend souvent d'avoir à la disponibilité certains haricots ou céréales précuits sous la main, condition de première importance pour une cuisine végétarienne rapide.

Pour vous aider dans cette voie, faites un plan concernant votre façon de procéder. Questionnez-vous sur les aliments les plus longs à nettoyer, à préparer ou à cuire.

Confectionnez les sauces ou les salades pendant la cuisson de votre plat. Un instant de réflexion pour planifier ainsi votre recette vous sauvera un temps considérable.

— Faites toujours cuire des légumineuses ou des grains entiers en grande quantité. Légèrement salés et réfrigérés, les haricots et les céréales se conservent une semaine au moins, dans un contenant fermé hermétiquement. Il suffira de quelques minutes par la suite pour préparer un repas complet.

— Pour réchauffer le riz, ou toute autre céréale, mettre un peu d'eau (environ 75 mL - ¼ t. pour 500 mL - 2 t. de céréales) dans le fond d'une casserole. Faire chauffer l'eau, ajouter les céréales, et cuire à feu moyennement vif quelques instants, tout en remuant. Réduire la chaleur, couvrir la casserole, et faire cuire à la vapeur environ 3 minutes de plus, ou jusqu'à ce que la céréale soit bien réchauffée. Préparées de cette façon, vos céréales ne seront pas collantes.

— Vous pouvez également congeler les haricots. En voici 2 méthodes :
  • bien égoutter les haricots, les placer dans des sacs de congélation et congeler. Il suffira de les verser directement dans vos préparations (soupes, ragoûts) sans les dégeler ;
  • mettre les haricots avec leur liquide de cuisson dans un contenant et les congeler. Laisser dégeler, en plaçant le contenant dans de l'eau chaude.

— Gardez toujours une bonne quantité de tofu sous la main. Il constitue un aliment prêt-à-manger, et de haute valeur protéinique. Servi avec du pain et des légumes, vous obtiendrez ainsi un repas rapide et nourrissant.

— La plupart des grains germés ne requièrent que peu ou pas de préparation ou de cuisson. Les ajouter tout simplement à une salade, une soupe ou un sandwich augmentera ces mets d'une valeur énergétique élevée et instantanée.

— La choucroute faite à la maison est prête à manger

directement à la sortie du pot. Elle contient beaucoup de vitamine C, servez-en souvent l'hiver (voir recette p. 163).

— Garder de l'hijiki trempé dans l'eau au réfrigérateur. Il sera prêt à ajouter à n'importe quel moment et se conserve frais environ une semaine.

— Le dulse et le nori, ainsi que la plupart des légumes de mer ne demandent qu'une préparation minimum. Pour plus de détails, voir le chapitre réservé aux légumes aquatiques, p. 27 .

— Le boulghour cuit en 15 minutes seulement. Utilisez-le quand vous n'avez pas le temps de cuire d'autres grains. Le millet et le sarrasin sont également rapides de cuisson, environ 20 minutes.

— Remplacer les céréales par une épaisse tranche de pain de grain entier, rôtie, et couvrir de légumes, haricots ou tofu en sauce.

— Quand vous achetez du fromage parmesan ou romano, râpez le morceau entier et conservez au réfrigérateur dans un sac de plastique. Saupoudrez-en vos aliments pour ajouter de la saveur et des protéines.

— Préparez beaucoup de vinaigrette à la fois, elle se conserve bien au réfrigérateur, et vous en aurez toujours sous la main. Voir la recette de « Vinaigrette sans fond à l'ail », à la p. 114 .

— Les restes des légumes cuits peuvent être servis en salade. Ils conservent ainsi toute leur valeur nutritive et vous sauvent du temps.

— Conserver les ustensiles dont vous vous servez fréquemment à portée de la main.

— Apprenez à vous servir d'un bon couteau à légumes japonais. Avec un peu de pratique, vous deviendrez probablement plus rapide que le robot culinaire (considérant le temps qu'il faut pour le nettoyer). Toujours garder son couteau bien aiguisé.

— Pour éplucher de l'ail facilement, frapper chaque gousse

de la lame de votre couteau à légumes ou d'un fond de verre. La peau glissera automatiquement.

— Pour nettoyer une casserole brûlée, y mettre de l'eau et un peu de bicarbonate de soude, amener à ébullition, puis réduire la chaleur et laisser mijoter pendant 30 minutes environ.

— L'objet le plus pratique de ma cuisine est sans nul doute une marmite à pression. On y cuit de délicieuses soupes, ragoûts ou légumes en l'espace de quelques minutes. Ceci est particulièrement réconfortant quand vous rentrez d'une longue journée de travail, affamés et épuisés, un soir d'hiver. Une marmite à pression est très sécuritaire si vous suivez attentivement les instructions du manufacturier. N'en soyez pas effrayés, seulement prudents.

Lorsque vous cuisez une soupe ou un ragoût à la marmite à pression, réduire la quantité de liquide indiquée dans la recette, d'environ ⅛ à ¼. Faites attention à ne pas trop faire cuire les légumes, gardez un œil attentif. Pour la plupart des légumes, aussitôt que la marmite atteint son niveau de pression optimal (environ 15 lb) et que le régulateur à pression (le petit poids sur le dessus du couvercle) commence à bouger, les légumes devraient être à point. Faire refroidir la marmite immédiatement en laissant couler un filet d'eau froide pour réduire la pression. Les artichauts, les betteraves, les pommes de terre et tous les légumes coupés en gros morceaux prendront plus de temps à cuire. N'essayez pas d'enlever le régulateur à pression tant qu'il reste de la pression dans la marmite. Pour vérifier, pousser légèrement le régulateur de gauche à droite. S'il se produit un sifflement, c'est que la pression est encore élevée. Dans ce cas, laisser refroidir la marmite plus longtemps, ou pour accélérer le processus, la placer sous l'eau courante.

La marmite à pression est également très utile pour la cuisson de certaines céréales et haricots. Ne jamais remplir la marmite à plus de la moitié de sa capacité.

Certaines légumineuses ou céréales, telles que le boulghour, les pois cassés, les lentilles rouges et l'avoine, ne se prêtent pas à ce mode de cuisson, car elles forment une mousse qui obstrue le conduit qui permet à la pression de s'échapper.

— Un outil également utile dans la cuisine, est la marmite à cuisson lente. Elle est très indiquée dans la cuisson des haricots qui requièrent un temps de cuisson assez long. Pour faire cuire les haricots dans ce récipient, bien les laver et les faire tremper toute une nuit. Égoutter, puis mettre les haricots dans la marmite à cuisson lente et faire cuire à feu vif pendant une ou deux heures, en rajoutant de l'eau, si nécessaire. Réduire la chaleur à feu doux et poursuivre la cuisson de 6 à 8 heures. Les haricots cuiront sans besoin de les surveiller, et il ne restera plus qu'à les assaisonner à votre goût, à votre retour à la maison.

— Un repas d'aliments cuits à la chinoise au wok est toujours très rapide à préparer. De plus, il n'est pas nécessaire d'utiliser une grande variété de légumes pour faire un bon plat. Quand les légumes sont cuits, les pousser sur les côtés du wok où ils se garderont au chaud pendant que vous confectionnez la sauce dans le centre du wok.

— Ayez confiance en vous. Apprenez à faire la cuisine sans mesurer. Après avoir essayé les recettes une fois, vous devriez pouvoir les transformer selon vos goûts. Il n'y a pas de secret ni de miracle pour réaliser une cuisine réussie. Le plus important est de se procurer de bons ingrédients de base, et de ne pas détruire leur saveur et leur valeur nutritive en les faisant trop cuire, ou en y ajoutant trop de matières grasses ou d'épices qui masqueraient leur goût naturel.

Boulghour aux pois chiches et aux légumes

(4 portions)

Cette recette se prête à de multiples variantes, en y substituant d'autres légumes, suivant les saisons et le contenu
de votre réfrigérateur.

2	c. à soupe d'huile
1	oignon moyen, haché
2-3	carottes, tranchées en fins bâtonnets
2	petites courgettes, tranchées ou 1 grosse
3	gousses d'ail, émincées
1	c. à thé de basilic
½	c. à thé d'origan
250	mL (1 t.) de boulghour
500	mL (2 t.) d'eau
250	mL (1 t.) de pois chiches
2-3	c. à soupe de shoyu (selon le goût)
1-2	c. à soupe de jus de citron
125	mL (½ t.) d'arachides ou de noix de cajou, hachées et légèrement rôties

Dans une grande marmite, faire rissoler l'oignon et les
carottes à feu très vif dans l'huile chaude pendant 2 à 3
minutes.

Réduire la chaleur et couvrir la marmite. Laisser mijoter
et préparer les courgettes et l'ail pendant ce temps.

Ajouter les courgettes, l'ail, le basilic et l'origan. Remuer
une minute ou deux, puis verser le boulghour et remuer
une autre minute. Ajouter l'eau, ainsi que les pois chiches.
Couvrir et faire cuire jusqu'à ce que l'eau soit absorbée,
environ 15 minutes.

Aromatiser de shoyu et de jus de citron, selon votre goût.

Garnir de noix hachées.

Boulghour « Pilaf » aux arachides

(De 3 à 4 portions)

1 c. à soupe d'huile
1 oignon, haché
3 gousses d'ail, émincées
750 mL (3 t.) de carottes, en tranches d'environ
0,5 cm (¼″) d'épaisseur
1 c. à thé de thym
½ c. à thé de cumin
250 mL (1 t.) de boulghour
450 mL (1¾ t.) d'eau ou de bouillon de légumes
½ c. à thé de sel de mer
500 mL (2 t.) de pois mange-tout ou de petits
pois congelés
125-175 mL (½-⅔ t.) d'arachides rôties non salées

Faire chauffer l'huile dans une grande marmite. Y faire rissoler l'oignon, l'ail, les carottes, le thym et le cumin à feu modérément vif pendant quelques minutes.

Réduire le feu, couvrir la marmite et poursuivre la cuisson de 3 à 5 minutes de plus. Remettre à feu vif et incorporer le boulghour à la préparation en remuant pendant une minute. Ajouter l'eau et le sel. Remuer et couvrir. Mettre à feu moyen et laisser mijoter de 10 à 12 minutes.

Ajouter les pois, mais sans remuer. Remettre le couvercle et faire cuire jusqu'à ce que le liquide soit absorbé et les pois d'un vert brillant, de 3 à 5 minutes environ.

Incorporer les arachides, remuer et servir.

Fricassée de riz et de haricots

(De 2 à 4 portions)

Cette recette sans prétention revient fréquemment faire les honneurs de notre table. Inspiré d'un mets typique des paysans de l'Amérique du Sud, et joliment décoré, ce plat possède un aspect visuel très attirant, ainsi qu'un goût exquis. Si vous disposez de haricots et de riz cuits à l'avance, quelques minutes de préparation suffiront à composer ce petit festin !

500	mL (2 t.) de haricots Pinto ou de haricots rouges, cuits
2	c. à soupe de shoyu (suivant le goût)
1	gousse d'ail ou plus, pressée
1	c. à thé de basilic
1	c. à thé de poudre chili (ou moins, selon le goût)
½	c. à thé de cumin
¼	c. à thé d'origan
	Une pincée de cayenne (facultatif)
1	tomate moyenne, hachée (facultatif)
1-2	c. à soupe d'huile d'olive (facultatif)
500-750	mL (2-3 t.) de riz brun cuit, chaud

Garniture :

3	échalotes, hachées
125	mL (½ t.) de persil, haché
½	poivron rouge ou vert, haché
1	petit avocat, tranché (facultatif)

Mélanger les haricots cuits avec le shoyu et les épices. Faire cuire quelques minutes pour permettre aux saveurs de se fondre les unes aux autres. Ajoutez un peu d'eau si les haricots semblent trop secs. Les haricots doivent cuire assez longtemps pour que le liquide se transforme en sauce.

Ajouter l'huile d'olive et les tomates (en saison seulement). Faire cuire de façon à bien réchauffer la préparation mais ne pas laisser cuire, ce qui rendrait les tomates trop liquides. Rectifier l'assaisonnement suivant le goût.

Servir sur un nid de riz chaud, dans des assiettes individuelles. Disposer joliment les garnitures.

Accompagner d'une large salade verte, et laisser les convives aromatiser d'une sauce bien épicée et piquante, selon leur goût ou leur bravoure !

Variante : une jolie présentation de ce mets : après avoir disposé les garnitures, verser une large cuillerée de crème sure au centre de chaque assiette et décorer d'une olive noire.

Galettes de maïs et de fromage

(2 portions)

200 mL (¾ t.) de semoule de maïs de mouture moyenne
1 œuf
125 mL (½ t.) de fromage cheddar fort, râpé
100 mL (⅓ t.) de lait

Battre tous les ingrédients.

Faire frire sur une plaque légèrement huilée, à la manière des crêpes américaines (petites et épaisses).

Servir avec une soupe et une salade verte de votre choix.

Épinards en sauce au tofu

Sans produits laitiers.

1	c. à soupe d'huile
1	petit oignon, haché
300	g (10 oz) d'épinards, lavés et hachés
450	g (1 lb) de tofu mou*
75	mL (¼ t.) d'eau
75	mL (¼ t.) de miso jaune**
1	c. à thé de basilic
½	c. à thé d'origan
100-125	mL (⅓-½ t.) de noix de Grenoble ou de pacanes, hachées

Dans une grande marmite épaisse, faire rissoler l'oignon dans l'huile. Ajouter les épinards et remuer. Couvrir et faire cuire jusqu'à ce que les épinards soient tendres.

Au robot culinaire ou au mélangeur, battre le tofu, l'eau et le miso jusqu'à l'obtention d'une consistance très crémeuse et lisse. Ajouter les assaisonnements et les noix. Verser cette crème sur les épinards.

Chauffer la préparation, mais ne pas laisser cuire.

Servir sur un nid de riz ou de millet, sur du pain grillé ou des pâtes, avec une jolie salade de carottes.

* Si vous utilisez du tofu ferme, ajouter plus d'eau pour obtenir la consistance désirée.

** Le miso jaune est disponible dans quelques marchés d'aliments sains et dans tous les magasins d'alimentation japonais. Il rehausse vraiment le goût de cette recette, mais à défaut de pouvoir s'en procurer, remplacer le miso par du sel, au goût.

Fromage feta jardinier

(4 portions)

500-750 mL (2-3 t.) de haricots verts, coupés en
        tronçons de 3 cm (1″)
    1 c. à soupe d'huile
    1 oignon moyen, haché
    2 branches de céleri, hachées
    3 petites courges d'été jaunes ou des
      courgettes, en morceaux
    1 c. à thé de graines d'aneth (ou moins, selon
      le goût)
    1 c. à thé de basilic
    1 ou 2 tomates (en saison seulement)
375 mL (1½ t.) de fromage feta, émietté

Faire cuire les haricots verts à la vapeur jusqu'à ce qu'ils soient tendres. Mettre de côté.

Faire rissoler l'oignon et le céleri dans l'huile pendant quelques minutes. Ajouter les courges, les graines d'aneth et le basilic. Couvrir et poursuivre la cuisson jusqu'à ce que les légumes soient tendres. Ajouter les haricots verts.

Si l'on utilise des tomates, les couper en gros morceaux, et les incorporer à la dernière minute de cuisson, en même temps que le fromage feta. Remuer et réchauffer mais sans laisser cuire la préparation.

Servir sur un nid de riz, de millet, de pâtes ou sur du pain grillé.

Haricots de Lima au blé

Une recette simple qui mijotera toute la journée dans votre marmite à cuisson lente et sera prête à déguster dès votre retour à la maison.

> **250 mL (1 t.) de haricots de Lima, secs**
> **250 mL (1 t.) de grains de blé entier, mou**
> **2 c. à soupe de shoyu (suivant le goût)**
> **2-3 gousses d'ail, pressées**
> **125 mL (½ t.) de persil, émincé**
> **4 échalotes, hachées**
> **1 c. à soupe d'huile d'olive**

Laver les haricots de Lima et les faire tremper pendant une nuit. Le lendemain, rincer et égoutter les haricots et les déposer dans une marmite à cuisson lente ou une grande marmite ordinaire.

Laver soigneusement les grains de blé et ajoutez-les aux haricots. Couvrir d'eau de façon à ce que les grains soient recouverts d'environ 4,5 cm (1½″) d'eau.

Modes de cuisson :

— *Marmite à cuisson lente*
Faire cuire le mélange de haricots et de blé à feu vif pendant une heure ou deux. Réduire la chaleur à feu doux et poursuivre la cuisson de 8 à 10 heures. Ajouter le reste des ingrédients, et de l'eau si la préparation devient trop épaisse. Rectifier l'assaisonnement.

— *Marmite ordinaire*
Amener le mélange de haricots et de blé additionné d'eau à ébullition. Réduire la chaleur et faire mijoter à feu moyen pendant 1-1½ heure, jusqu'à ce que les grains soient tendres.
Surveillez la cuisson à l'occasion, et rajouter de l'eau si nécessaire, la consistance voulue étant celle d'un

ragoût épais, non d'une pâte sèche ou collante. Ajouter le reste des ingrédients et rectifier l'assaisonnement.

Servir avec une large salade verte.

Gratin d'avoine et de haricots

(De 2 à 3 portions)

  2 c. à soupe d'huile
  1 oignon moyen, haché
  ½ poivron vert, haché
  ½ c. à thé de gingembre, râpé
  ½ c. à thé de thym
  ¼ c. à thé de cumin
250 mL (1 t.) de flocons d'avoine
250 mL (1 t.) d'eau
  2 c. à soupe de shoyu
375 mL (1½ t.) de haricots doliques à œil noir, cuits
125 mL (½ t.) de chapelure de pain de grain entier

Dans l'huile chaude, faire rissoler les oignons, le poivron et les assaisonnements. Ajouter les flocons d'avoine et faire griller jusqu'à ce qu'ils soient légèrement brunis, en remuant constamment.

Verser l'eau et le shoyu sur le mélange d'avoine et de légumes. Brasser le tout.

Retirer la marmite du feu. Couvrir le dessus avec les haricots cuits, puis parsemer de chapelure de pain.

Cuire environ 15 minutes au four à 180°C (350°F) jusqu'à ce que l'eau soit absorbée et les saveurs confondues.

Mettre sous le grill quelques minutes afin de dorer le gratin.

Haricots de Lima aux légumes

   1 c. à soupe d'huile
375 mL - 500 mL (1½-2 t.) de légumes variés
      hachés (ex. : oignon, céleri et brocoli ou
      poivron rouge, etc.)
   2 gousses d'ail
   1 c. à thé de thym
  ½ c. à thé de sarriette
500 mL (2 t.) de macaroni, en spirale ou en
      coquille, peu importe, mais toujours fait
      de blé entier
250 mL (1 t.) de fèves de Lima, cuites

Sauce :

200 mL (¾ t.) d'eau
   1 c. à soupe d'arrowroot
   2 c. à soupe de tahini
   2 c. à soupe de jus de citron
   2 c. à soupe de shoyu

Dans un grand poêlon ou un wok, faire revenir les légumes et les fines herbes à l'huile chaude de sorte qu'ils soient tendres mais encore croustillants.

Pendant ce temps, faire cuire les pâtes à l'eau bouillante salée.

Ajouter les fèves de Lima aux légumes, et réchauffer la préparation.

Mélanger les ingrédients de la sauce.

Égoutter les pâtes, les incorporer aux légumes. Verser la sauce sur le tout et laisser mijoter tout en remuant délicatement jusqu'à ce que le mélange épaississe.

Lentilles et blé germés

(2 portions)

> 1 c. à soupe d'huile (ou moins, suivant le besoin)
> 1 petit oignon, haché
> 1 carotte, taillée en fins bâtonnets
> 1-2 gousses d'ail, émincées
> ½ c. à thé de thym
> 250 mL (1 t.) de germes de lentilles, germées pendant 3 jours
> 500 mL (2 t.) de germes de blé, germés pendant 2 jours
> 75 mL (¼ t.) d'eau
> 1 c. à soupe de miso (suivant le goût)
> 2 c. à soupe de persil, émincé

Faire chauffer l'huile dans une casserole, et y faire rissoler l'oignon, la carotte, l'ail et le thym pendant quelques minutes.

Ajouter les germes de lentilles et de blé, remuer et poursuivre la cuisson pendant 2 minutes.

Ajouter l'eau et couvrir la casserole. Faire cuire à feu doux jusqu'à ce que les germes et les carottes soient tendres, mais encore croustillants.

Retirer la casserole du feu. Incorporer le miso puis le persil. Servir immédiatement.

Macaroni rapide

(De 2 à 4 portions)

500 mL (2 t.) de macaroni de blé entier, cru, en forme de coquille ou de spirale
2 c. à soupe d'huile d'olive
3 courgettes moyennes, brossées et tranchées
3 gousses d'ail, émincées
1 c. à thé de basilic
½ c. à thé de thym
250 mL (1 t.) de fromage Ricotta
2 tomates moyennes, hachées
4 échalotes, hachées
½ c. à thé de sel de mer
175 mL (⅔ t.) de yogourt

Mettre l'eau à bouillir pour la cuisson du macaroni.

Pendant ce temps, chauffer l'huile et y faire revenir les courgettes, l'ail, le basilic et le thym jusqu'à ce que les courgettes soient tendres.

Retirer la casserole du feu et ajouter le reste des ingrédients. Remettre à chauffer à feu doux mais sans laisser cuire.

Égoutter les pâtes et les mélanger aux autres ingrédients.

Servir avec une large salade verte.

Note : le shoyu ou le tamari peuvent enrichir la saveur de ce plat, mais sûrement pas sa couleur. Placer plutôt le tamari sur la table, et laisser les convives doser à leur guise.

Variante : pour en faire un mets plus léger, omettre les pâtes et le yogourt.

Omelette en croûte

Ce plat nourrissant et délicieux est d'une préparation facile et rapide. Excellent moyen d'utiliser les restes de pain sec.

1-2	c. à soupe d'huile
1	petit oignon, émincé
450	mL (1¾ t.) de chapelure de pain
4	œufs.
½	c. à thé de thym
½	c. à thé de sel de mer
75	mL (¼ t.) de lait ou d'eau
	Fromage râpé, au goût

Faire chauffer l'huile dans une poêle de 23 cm à 25 cm (9″-10″) de diamètre. Utiliser la quantité d'huile nécessaire pour empêcher l'omelette de coller.

Faire rissoler l'oignon à la poêle une minute ou deux. Ajouter la chapelure de pain et bien mêler. Étendre la préparation également au fond de la poêle.

Battre les œufs, le thym, le sel et le lait ou l'eau.

Verser lentement sur la croûte de chapelure. Saupoudrer de fromage râpé, si désiré.

Cuire à feu moyen, jusqu'à ce que les œufs soient pris.

Plier l'omelette en deux, couper et servir.

Potée de haricots « Vickoureuse »

1 L (4 t.) de haricots blancs, préalablement trempés toute une nuit et germés pendant deux jours (environ 500 mL (2 t.) de haricots secs)

1 L (4 t.) d'eau

250 mL (1 t.) d'oignon, haché

3 feuilles de laurier

1 c. à thé de basilic

600 mL (2½ t.) de champignons, tranchés

125 mL (½ t.) d'hijiki, trempé et rincé (facultatif)

250 mL (1 t.) de macaroni de blé entier

1 petite boîte de pâte de tomate (284 mL - 10 oz)

Tamari ou shoyu (au goût)

Placer les haricots germés dans une large casserole remplie d'eau. Couvrir et cuire à feu doux pendant environ 1 heure, jusqu'à ce que les haricots soient tendres.

Ajouter les oignons, les feuilles de laurier et le basilic. Laisser mijoter encore 15 minutes.

Ajouter les champignons, l'hijiki et le macaroni. Quand celui-ci est cuit et juste tendre, incorporer la pâte de tomate et le tamari (ou le shoyu).

Servir avec du pain de grain entier, une salade verte et votre sauce piquante préférée.

Sarrasin marmiton

(4 portions)

- 2 c. à soupe d'huile
- 1 oignon, haché
- 1 branche de céleri, hachée
- 250 mL (1 t.) de sarrasin, lavé et égoutté
- 750 mL (3 t.) de courge jaune d'été ou de courgettes, tranchées
- 500 mL (2 t.) de maïs en grains, frais ou congelés
- 1 c. à thé de basilic
- 1 c. à thé de thym
- ½-1 c. à thé de cumin
- 450 mL (1¾ t.) d'eau bouillante
- 450 g (1 lb) de tofu, coupé en petits cubes
- 4 c. à soupe de tamari
- 3-4 échalotes, coupées

Dans une grande marmite, faire rissoler l'oignon et le céleri dans l'huile préalablement chauffée. Ajouter le sarrasin et poursuivre la cuisson pendant 2 à 3 minutes. Ajouter la courge, le maïs, les épices, ainsi que l'eau bouillante. Couvrir et laisser mijoter à feu doux environ 20 minutes, jusqu'à ce que l'eau soit absorbée.

Ajouter le tofu et bien réchauffer la préparation. Verser le tamari et les échalotes.

Note : pour rendre ce plat encore plus savoureux, faites d'abord mariner et griller le tofu* avant de l'ajouter à la recette. Dans ce cas, réduire la quantité de tamari suivant le goût.

Servir avec une salade verte.

* Voir la recette « Tofu au gingembre » (p. 243).

Tempeh aigre-doux aux légumes

(De 2 à 4 portions)

2 c. à soupe d'huile
225 g (½ lb) de tempeh
1 oignon, tranché
2 branches de brocoli (peler les tiges et les couper en allumettes, briser les fleurettes en morceaux d'une bouchée)
3 carottes moyennes, tranchées en allumettes
2 gousses d'ail, émincées (rectifier selon le goût)
1 c. à thé de thym

Sauce :

250 mL (1 t.) d'eau
2 c. à soupe d'arrowroot
2 c. à thé de pâte d'umeboshi ou deux prunes umeboshi, dénoyautées
ou 2 c. à soupe de jus de citron
3 c. à soupe de tamari
1 c. à thé de miel
Un soupçon de poivre de Cayenne ou de harissa (facultatif)

Dans un wok ou un large poêlon, faire frire le tempeh en remuant constamment jusqu'à ce qu'il soit légèrement bruni (de 10 à 15 minutes).

Ajouter les légumes, l'ail et le thym. Remuer, puis couvrir et faire cuire de sorte que les légumes deviennent tendres mais encore croquants, en remuant fréquemment.

Composer la sauce. Battre au mélangeur si l'on utilise des prunes entières.

Verser la sauce sur le tempeh et les légumes. Remuer et faire cuire jusqu'à ce que la préparation épaississe.

Tofu aux champignons

Cette recette facile peut servir de base à une foule de repas rapides, en variant les légumes suivant le goût ou le contenu de votre réfrigérateur.

2	c. à soupe d'huile (ou moins, selon le besoin)
1	gros oignon, haché
1	poivron rouge ou vert, coupé en dés
3	gousses d'ail, émincées
500	mL (2 t.) de champignons, tranchés
1	c. à thé de thym
2	c. à soupe de farine de blé entier
75	mL (¼ t.) de tahini
350	mL (1⅓ t.) d'eau
500	mL (2 t.) de tofu, coupé en cubes de 1,2 cm (½")
3	c. à soupe de miso
2	c. à soupe de levure alimentaire
3	c. à soupe de persil haché
1-2	c. à soupe de jus de citron

Dans une grande marmite, faire revenir l'oignon, le poivron et l'ail dans l'huile. Ajouter les champignons et le thym. Faire cuire jusqu'à ce que les légumes soient tendres.

Incorporer la farine. Réduire la chaleur et verser le tahini. Ajouter l'eau graduellement et remuer continuellement jusqu'à ce que le liquide soit bouillant. Ajouter le tofu, et remuer doucement jusqu'à ce que la préparation épaississe.

Retirer la marmite du feu, et ajouter le reste des ingrédients.

Servir sur un nid de riz, de millet, de pâtes alimentaires ou sur du pain grillé.

Tofu à la Hongroise de Dominique

(4 portions)

2 c. à soupe d'huile
1 oignon moyen, coupé en tranches très fines
4-6 carottes, taillées en fins bâtonnets
450 g (1 lb) de tofu, émietté
1 L (4 t.) de grains de blé mou, mis à germer
    pendant 3 jours*
½ c. à thé de graines d'aneth
1 c. à thé de thym
250 mL (1 t.) d'eau
2 c. à soupe d'arrowroot
2 c. à soupe de shoyu

Dans une grande casserole ou un wok, faire rissoler les oignons et les carottes dans l'huile chaude. Faire cuire en remuant fréquemment, jusqu'à ce que les légumes soient presque tendres.

Ajouter le tofu, les germes de blé, les graines d'aneth et le thym. Poursuivre la cuisson pendant 5 minutes.

Mêler l'eau, l'arrowroot et le shoyu. Verser ce mélange sur le tofu et les légumes. Cuire en remuant jusqu'à ce que la sauce épaississe.

Servir avec du pain fait à la maison, et accompagner d'une salade verte.

* Le procédé de germination est expliqué p. 144.

Tofu « à la reine »

(1 portion)

1 large tranche de tofu d'environ 1,2 cm (½″) d'épaisseur
2 c. à thé de miso
2 c. à soupe de tahini
1 c. à soupe de levure alimentaire
2 c. à soupe d'eau chaude (approximativement)
1 gousse d'ail, écrasée (facultatif)
1 épaisse tranche de pain de grain entier
Persil, émincé, si désiré

Faire griller le tofu dans une rôtissoire ou au four pendant quelques minutes, jusqu'à ce que le tofu commence à brunir. Retourner les tranches de tofu et faire griller de l'autre côté.

Pendant que le tofu cuit, confectionner la sauce en mélangeant ensemble le miso, le tahini et la levure. Verser lentement l'eau sur ce mélange, en utilisant la quantité nécessaire pour obtenir la consistance désirée. Ajouter l'ail (au choix).

Faire griller la tranche de pain des deux côtés et y placer la tranche de tofu. Napper de sauce et garnir de persil émincé, si désiré.

Un déjeuner rapide et satisfaisant, accompagné d'une bonne salade verte.

Note : cette sauce peut également servir de vinaigrette. Dans ce cas, utiliser de l'eau froide et ajouter un peu de jus de citron.

Fettucini et brocoli à la sauce aux tomates

(4 portions)

450 g (1 lb) de brocoli frais
240 g (8 oz) de fettucini ou de spaghetti
ou
750 mL (3 t.) de macaroni, ou des pâtes en forme de spirales ou de coquilles
1 recette de sauce aux tomates, au tofu et au fromage (voir p. 361)

Laver le brocoli et peler les tiges. Couper en morceaux d'une bouchée. Faire cuire à la vapeur jusqu'à ce qu'il soit tendre.

Cuire les pâtes à l'eau bouillante.

Pendant que le brocoli et les pâtes cuisent, confectionner la sauce aux tomates et au tofu.

Égoutter les pâtes et les mélanger avec la sauce. Servir sur des assiettes individuelles et les recouvrir de brocoli.

Omelette de Pékin

(1 portion)

1 c. à soupe d'huile
75 mL (¼ t.) d'oignon, finement haché
2 œufs
75 mL (¼ t.) de riz
2 c. à soupe de persil, haché
1 c. à thé de shoyu (ou plus, selon le goût)

Faire rissoler l'oignon dans l'huile préalablement chauffée.

Battre les œufs et les mêler au reste des ingrédients. Verser cette préparation sur l'oignon. Cuire sur un feu à chaleur moyenne jusqu'à ce que l'omelette soit ferme. Couvrir la casserole durant les dernières minutes de cuisson.

Sauce aux tomates, au tofu et au fromage

(4 portions)

Facile, rapide, légère et nourrissante !

        450 g (1 lb) de tofu
        250 mL (1 t.) de fromage Ricotta
          2 tomates mûres, hachées
          2 gousses d'ail
        ½ c. à thé de sel de mer
          1 c. à thé de basilic
          1 c. à thé d'origan

Battre tous les ingrédients au robot culinaire ou au mélangeur (dans ce dernier cas, en petites quantités à la fois), jusqu'à l'obtention d'une consistance lisse et crémeuse.

Mêler cette sauce à des pâtes de grain entier cuites et encore chaudes. Garnir avec des légumes de votre choix. Cette sauce sert également de base à la recette de « Fettucini et brocoli à la sauce aux tomates » (p. 360).

Ragoût libanais

2 c. à soupe d'huile d'olive
1 oignon moyen, haché
1 petite aubergine, tranchée et coupée en morceaux
2 gousses d'ail (ou plus selon le goût)
1 c. à soupe de cumin
75 mL (¼ t.) de graines de céleri
1 pincée de cayenne
325 mL (1¼ t.) de pois chiches, cuits

Sauce :

2 c. à soupe de jus de citron
3 c. à soupe de tahini
75 mL (¼ t.) de yogourt
125 mL (½ t.) de persil frais, haché
2 c. à soupe de tamari

Dans une grande marmite, faire rissoler l'oignon dans l'huile chaude pendant une ou deux minutes. Ajouter l'aubergine, l'ail, le cumin, les graines de céleri et la cayenne. Remuer au-dessus d'un feu vif environ 1 minute. Réduire la chaleur et couvrir la marmite. Poursuivre la cuisson jusqu'à ce que les légumes soient tendres, en remuant de temps à autre. Ajouter les pois chiches et bien réchauffer.

Confectionner la sauce en mélangeant tous les ingrédients ensemble. Retirer la marmite du feu et y verser la sauce. Réchauffer lentement en ayant soin de ne pas laisser cuire la préparation.

Servir avec des nouilles de grain entier, du riz ou du millet.

Desserts

Les desserts

Les desserts sont toujours associés à des moments de plaisir, de célébrations, de réunions familiales ou amicales. Ils détiennent une place spéciale dans l'alimentation et semblent transformer une petite fête en véritable festin. Les souvenirs d'enfance les plus vivaces concernent souvent un certain gâteau d'anniversaire, l'odeur des tartes aux pommes de Noël, la mémorable tarte aux petites fraises d'un pique-nique estival, la tire dorée et caramélisée de la Sainte-Catherine...

Il y a quelques générations, les desserts étaient réservés aux grandes occasions, on les considérait avec indulgence comme d'innocentes et inoffensives douceurs, un petit cadeau rare et précieux. De nos jours, la consommation du sucre est devenue problématique, car on retrouve le sucre partout (dans les produits de conserve, les céréales, le pain, etc.) et l'Américain moyen a plus que doublé sa quantité de sucre ingérée par année : maintenant 152 g (⅓ lb) par personne *par jour*.[1] Avec les conséquences que l'on sait. Nous connaissons tous l'effet néfaste du sucre pour les dents ; dès l'âge de deux ans, un bébé sur deux souffre d'une carie dentaire.[2] Les problèmes d'obésité que subit le peuple américain y sont reliés directement, car le sucre nous remplit de calories, mais sans apporter de qualités nutritives réelles. La consommation de sucre accroît aussi la fragilité de notre organisme aux maladies infectieuses, car elle affecte la capacité des globules blancs de détruire les bactéries, empêche l'assimilation de certains

---

1. *Diet for a Small Planet*, 10th Anniversary Edition, Frances Moore Lappe, Ballantine Book, N.Y., p. 126.
   Les quantités de sucre achetées et utilisées dans les foyers n'ont pas tellement changé à travers les années. C'est le sucre caché, dans les conserves, vinaigrettes, nourriture de bébé, enfin, tout aliment produit commercialement, qui fait la différence.
2. *Nutrition for Vegetarians*, Agatha Moody Thrash, M.D. and Calvin L. Thrash, M.D., Thrash Publications, Seale, Alabama, p. 39.

éléments nutritifs, comme le fer[3], et augmente les besoins de l'organisme en thiamine et probablement aussi en chrome[4]. L'abus de sucre conduit également à des problèmes d'hypoglycémie, de diabète et d'arrêts cardiaques.

J'arrête ici ce tableau, car la plupart des gens savent que trop de sucre nuit à la santé. Cependant, comme il est difficile de se séparer de certaines habitudes, même mauvaises, et si l'on tient malgré tout à offrir ou consommer une sucrerie après le repas, autant préparer des desserts nourrissants, entiers et sains, en essayant de limiter leur contenu en gras et en sucre au minimum, tout en créant une douceur invitante et délectable.

Les desserts végétariens peuvent servir de bonne introduction à ce mode d'alimentation, car aucune personne ne saurait résister, par exemple, à un fabuleux gâteau au fromage (au tofu), à la belle croûte de blé entier et de fraises fraîches en garniture. Cette même personne, ancrée dans ses habitudes carnées, n'aurait peut-être jamais daigné goûter un plat principal cuisiné contenant du tofu. Les temps changent, ainsi que nos habitudes alimentaires heureusement, et notre conception du dessert, dont les ingrédients doivent être entiers et sainement dosés, et qui sera savouré joyeusement, sans culpabilité, et surtout, avec parcimonie.

Toutes les raisons expliquées précédemment m'ont conduite à écrire un livre précédent, « 150 délicieux desserts », pour offrir des alternatives saines et nouvelles dans la préparation de merveilleuses douceurs, qui restent pourtant faibles dans leur contenu de gras, de sucre, et de calories. Puisqu'une grande variété de desserts est offerte dans « 150 délicieux desserts », le présent ouvrage n'en contient que quelques-uns. À la demande de mes amis, j'y inclus quelques dernières découvertes, et trois reprises, devenues des classiques, tirées de « 150 délicieux desserts ».

---

3. *Ibid*, p. 40.
4. *Diet for a Small Planet*, 10th Anniversary Edition, Frances Moore Lappe, Ballantine Book, N.Y., p. 126.

Biscuits à l'avoine

(Donne environ 15 biscuits)

75 mL (¼ t.) de beurre
75 mL (¼ t.) de miel
1 c. à thé de cannelle
125 mL (½ t.) de farine de blé entier à pâtisserie
250 mL (1 t.) de flocons d'avoine
250 mL (1 t.) de raisins secs
1 œuf, battu

Battre le beurre et le miel en crème. Ajouter le reste des ingrédients.

Laisser tomber par cuillerée à thé comble sur une plaque à biscuits préalablement huilée. Aplatir chaque biscuit à l'aide d'un fond de verre, d'abord trempé dans l'eau pour empêcher la pâte de coller.

Faire cuire au four à 190°C (375°F) de 10 à 12 minutes.

Retourner les biscuits une fois en milieu de cuisson.

Note : j'ai donné ici une recette de base très simple, que vous pourrez enrichir en suivant vos goûts personnels. Voici quelques suggestions :
— garnir le dessus de chaque biscuit d'une moitié de noix de grenoble ou de pacane ;
— remplacer les raisins en entier ou en partie par dattes, pommes séchées, abricots, autres fruits secs ;
— ajouter de la noix de coco râpée ou des noix hachées (environ 125 mL - ½ t.) à la pâte ;
— substituer la cannelle par la même quantité de vanille ;
— aromatiser d'une cuillerée à soupe de zeste d'orange ;
— sucrer avec du sirop d'érable ou de la mélasse à la place du miel.

Barres aux figues

(Donne 40 morceaux de 8 cm × 5 cm ou 1¾″ × 3″)

Cette recette donne une grande quantité, idéale pour une réception ou la vente. Toutefois, elle se divise facilement en deux ou en trois pour régaler une petite famille !

Garniture :

1,5 kg (3 lb) de figues
375 mL (1½ t.) d'eau (plus 125 mL (½ t.) si nécessaire)

Pâte :

750 mL (3 t.) de farine de blé entier à pâtisserie
500 mL (2 t.) de farine de riz brun
1 c. à thé de muscade
200 mL (¾ t.) d'huile
1 œuf
125 mL (½ t.) de miel
2 c. à thé de vanille

Garniture : cuire les figues dans l'eau, à couvert, jusqu'à ce qu'elles soient tendres. Réduire en purée au mélangeur (en petites quantités à la fois) ou au robot ménager. Ajouter plus d'eau si nécessaire, de façon à obtenir une texture semblable à celle de la confiture ou du beurre de pommes. Mettre de côté pour préparer la pâte.

Pâte : mêler les farines et la muscade. Incorporer à l'huile en travaillant avec les mains. Battre l'œuf avec le miel et la vanille et mélanger à la farine, en remuant avec une fourchette. Diviser la pâte en deux. À l'aide d'un rouleau à pâtisserie, étendre la moitié de la préparation directement sur une plaque à biscuits non huilée de 29 × 44 cm (11½″ × 17½″).

Couvrir de la garniture de figues.

Rouler le reste de la pâte entre deux morceaux de papier

ciré jusqu'à l'obtention d'un rectangle de grandeur voulu. Enlever délicatement le papier du dessus et étendre la pâte sur les figues. Ôter le deuxième papier.

Couper la pâte du dessus en rectangles de 4 × 7½ cm (1¾″ × 3″) et piquer chacun 3 fois avec les dents d'une fourchette.

Placer sur la grille du centre du four et faire cuire à 180°C (350°F) pendant 20 minutes.

À la sortie du four, trancher complètement la pâtisserie. Laisser refroidir avant de retirer de la plaque.

Carrés au millet et à la noix de coco

(Donne environ 30 carrés de 3 cm ou 1″ de côté)

500 mL (2 t.) de noix de coco fraîche, râpée
250 mL (1 t.) de millet, cuit
125 mL (½ t.) de farine de riz
100 mL (⅓ t.) de sirop d'érable
1 c. à thé de vanille
75 mL (¼ t.) d'huile
2 œufs
100 mL (⅓ t.) de lait de noix de coco ou de jus de fruits

Mélanger tous les ingrédients.

Étendre la préparation dans un moule rectangulaire de 29 × 19 cm (11½″ × 7½″), préalablement huilé.

Cuire au four à 180°C (350°F) pendant 35 minutes.

Si désiré, faire dorer sous le grill quelques instants.

Couper en carrés. Faire refroidir légèrement avant de retirer du moule.

369

Friands aux amandes et aux dattes

(Donne 16 biscuits de 5 cm (2″) de côté)

Les dattes serviront à sucrer naturellement ces biscuits, faciles à préparer, surtout si vous possédez un robot culinaire.

> **125 mL (½ t.) d'amandes, entières**
> **125 mL (½ t.) de dattes, dénoyautées, bien tassées**
> **125 mL (½ t.) de farine de riz brun**
> **1 c. à thé de vanille ou d'extrait d'amande**
> **1 gros œuf**
> **16 amandes, entières**

Moudre les amandes, les dattes et la farine au robot culinaire, jusqu'à l'obtention d'une mouture très fine. Ajouter la vanille (ou l'extrait d'amande) et l'œuf. Continuer de moudre. Terminer en mélangeant avec les mains, si nécessaire.

Presser le mélange au fond d'un moule à gâteau de 24 cm × 24 cm (8″ × 8″) légèrement huilé. Marquer la pâte légèrement au couteau de façon à former le dessin de carrés de 5 cm (2″) de côté. Presser une amande sur le milieu de chaque carré.

Faire cuire au four sur la grille du haut à 180°C (350°F) pendant 15 minutes. Si le dessus des biscuits n'est toujours pas doré après ce temps, régler le bouton du four à grill, pour quelques secondes. Poursuivre la cuisson jusqu'à ce que les biscuits soient dorés. Bien surveiller.

Tailler en 16 carrés de 5 cm (2″) suivant le dessin préétabli.

Mode de préparation au mélangeur : moudre les amandes au mélangeur. Hacher les dattes le plus finement possible à l'aide d'un couteau bien aiguisé. Opérer le mélange de tous les ingrédients et poursuivre selon les indications précédentes.

Biscuits croquants au caroube de Marie-Claude

(Donne 4 douzaines de gros biscuits. Cette recette se divise facilement en deux, si l'on désire une quantité moindre de biscuits.)

    1 L (4 t.) de flocons d'avoine
  450 mL (1¾ t.) de farine de blé entier à pâtisserie
   75 mL (¼ t.) de farine de soya
    1 c. à thé de poudre à pâte
  250 mL (1 t.) de graines de tournesol
  250 mL (1 t.) de beurre
  250 mL (1 t.) de miel
    2 œufs, battus
    1 c. à thé ou plus de vanille
  500 mL (2 t.) de capuchons de caroube, non sucrés
    1 c. à thé de cannelle
    ½ c. à thé de muscade
  ¼-½ c. à thé de clou de girofle, moulu

Mélanger les ingrédients à la cuillère de bois, en suivant l'ordre indiqué.

Laisser tomber 2 c. à soupe à la fois du mélange sur une plaque à biscuits préalablement badigeonnée d'huile. Aplatir un peu chaque biscuit avec le dos d'une cuillère.

Faire cuire au four à 180°C (350°F), 10 à 12 minutes.

Gâteau aux carottes du Pommier fleuri

Ce gâteau était un grand favori des clients à l'époque où je cuisinais pour « La terrasse du Pommier fleuri ». Il a l'avantage d'être aussi délicieux mais moins riche que la recette du gâteau aux carottes expliquée dans « La grande cuisine végétarienne ».

500 mL (2 t.) de farine de blé entier à pâtisserie
  2 c. à thé de poudre à pâte
½ c. à thé de bicarbonate de soude
  1 c. à thé de cannelle
½ c. à thé de muscade
¼ c. à thé de clou de girofle moulu
125 mL (½ t.) d'huile
  2 œufs
125 mL (½ t.) de miel
100 mL (⅓ t.) de lait de beurre
375 mL (1½ t.) de carottes râpées
250 mL (1 t.) de raisins secs

Tamiser ensemble deux fois la farine, la poudre à pâte, le bicarbonate et les épices. Bien enfariner les raisins.

Battre l'huile avec les œufs, en les ajoutant un à la fois. Ajouter le miel tout en remuant, puis y incorporer le lait de beurre et les carottes.

Faire le mélange des ingrédients secs et des liquides. Battre légèrement, juste assez pour humecter les ingrédients secs.

Verser la pâte dans un poêlon de fonte bien huilé et faire cuire au four à 180°C (350°F) pendant environ 35 minutes, jusqu'à ce que le gâteau ne marque pas et reprenne sa forme quand on le touche, et qu'un cure-dent inséré au centre du gâteau ressorte propre.

Glaçage au fromage

(Pour le gâteau aux carottes)

1 paquet (250 g - 8 oz) de fromage à la crème
2 c. à soupe de miel
1 c. à thé de vanille

Garniture :

Moitiés de noix de pacanes

Fouetter ensemble le fromage et le miel, puis ajouter la vanille.

Étendre sur un gâteau aux carottes refroidi. Décorer de noix de pacanes.

Glaçage au beurre d'arachide

125 mL (½ t.) de fromage à la crème
125 mL (½ t.) de beurre d'arachide
1 c. à thé de vanille
75 mL (¼ t.) de miel
2 c. à soupe de lait (approximativement)

Mélanger le fromage, le beurre d'arachide et la vanille. Ajouter le miel. Incorporer le lait, en quantité nécessaire pour obtenir la consistance désirée.

Étendre sur un gâteau caroubanane refroidi (p. 375).

Biscuits aux abricots et au tahini

(Donne de 18 à 20 biscuits)

Garniture :

> 125 mL (½ t.) d'abricots, séchés
> 75 mL (¼ t.) d'eau
> 2 c. à soupe de concentré de jus d'orange, non dilué

Pâte :

> 125 mL (½ t.) de tahini
> 2 c. à soupe d'huile
> 75 mL (¼ t.) de miel
> 1 c. à thé de vanille
> 250 mL (1 t.) de farine de blé entier à pâtisserie (environ)

Garniture : faire cuire les abricots dans l'eau environ 10 minutes, dans une casserole munie d'un couvercle. Ajouter le concentré de jus d'orange et battre le tout au mélangeur. Mettre de côté jusqu'au moment de s'en servir.

Pâte : battre en crème le tahini, l'huile, le miel et la vanille. Incorporer peu à peu la farine jusqu'à la formation d'une pâte épaisse et ferme. Pétrir légèrement environ 10 fois pour amalgamer plus de farine, mais faire attention de ne pas assécher la pâte en en ajoutant trop.

Rouler la pâte en une vingtaine de boulettes de la grosseur d'une noix de Grenoble, et les mettre sur une plaque à biscuits badigeonnée d'huile. Façonner un puits au centre de chaque biscuit en y enfonçant le pouce. Laisser tomber environ 1 c. à thé de la garniture à l'abricot dans chaque cavité ainsi formée.

Faire cuire à 180°C (350°F) pendant 15 minutes, sur la grille du haut du four.

Si le fond des biscuits cuit trop rapidement, tourner le bouton du four à grill pour quelques secondes. Surveillez attentivement la cuisson des biscuits pour éviter qu'ils ne brûlent.

Variante : remplacer les abricots par des dattes. Dans ce cas, augmenter la quantité d'eau à 125 mL (½ t.).

Gâteau caroubanane

(De 8 à 10 portions)

750 mL (3 t.) de farine de blé entier à pâtisserie
 75 mL (¼ t.) de poudre de caroube
  3 c. à thé de poudre à pâte
  2 bananes, écrasées en purée (200 mL ou ¾ t.)
125 mL (½ t.) d'huile
125 mL (½ t.) de sirop d'érable
  3 œufs
200 mL (¾ t.) de lait ou d'eau
200 mL (¾ t.) de noix hachées

Tamiser ensemble la farine, la poudre de caroube et la poudre à pâte.

Battre les bananes, l'huile, les œufs, le sirop et le lait (ou l'eau).

Incorporer les ingrédients secs aux ingrédients liquides. Ajouter les noix en pliant la pâte.

Verser le mélange dans un moule à gâteau de 19 × 29 cm (7½″ × 11½″) préalablement badigeonné d'huile et tapissé de papier ciré.

Faire cuire au four à 180°C (350°F) de 40 à 45 minutes, jusqu'à ce qu'un cure-dent inséré au centre du gâteau ressorte propre.

Note : cette recette est tirée d'un volume précédent, « 150 délicieux desserts », également paru aux Éditions Stanké. J'ai décidé de le reproduire ici car c'est un de mes gâteaux préférés, et qui s'est avéré très populaire chez mes lecteurs. Essayez-le accompagné d'un glaçage au beurre d'arachide (recette en page 373).

Gelée de fruits tropicale

    1 boîte de 398 mL (15 oz) d'ananas tranchés,
       non sucrés
  500 mL (2 t.) d'eau ou de jus d'ananas (dans ce
       cas, omettre le miel)
    1 bâton d'agar-agar, brisé en petits morceaux
  250 mL (1 t.) de jus d'orange, fraîchement
       pressé
       Jus d'un demi-citron
    3 c. à soupe de miel
    1 c. à thé d'extrait de citron naturel
    2 bananes, tranchées
  125 mL (½ t.) de moitiés de noix de Grenoble
       ou de pacanes

Égoutter les tranches d'ananas, mettre le jus dans une casserole avec l'agar-agar et l'eau ou le jus. Amener à ébullition, réduire la chaleur et cuire jusqu'à ce que l'algue soit dissoute.

Mêler cette préparation avec le jus d'orange, le jus de citron, le miel et l'extrait de citron.

Verser ce liquide dans un plat rectangulaire de 18 × 28 cm (7″ × 11″), qui a été préalablement plongé dans l'eau très froide. Réfrigérer pendant environ 30 minutes, jusqu'à ce que le liquide commence à prendre.

Hacher les tranches d'ananas, les incorporer au liquide avec les bananes et les noix. Réfrigérer jusqu'à ce que la gelée soit complètement prise.

Gelée de poires et de petits fruits

(6 portions)

750 mL (3 t.) de nectar (jus) de poire (de
     marque « Lakewood »)
  1 bâton d'agar-agar
375 mL (1½ t.) de bleuets
250 mL (1 t.) de framboises

Briser l'agar-agar en petits morceaux et placer dans une casserole avec le jus de poire. Amener le liquide à ébullition, puis réduire la chaleur, couvrir et faire mijoter jusqu'à ce que l'algue soit dissoute, environ 10 minutes.

Verser le liquide dans un moule préalablement trempé dans l'eau froide. Réfrigérer jusqu'à ce que le mélange commence à prendre. Y mélanger les fruits en remuant légèrement. Réfrigérer jusqu'à ce que la gelée soit complètement prise.

Démouler et couper en carrés.

Servir avec la « Garniture crémeuse au tofu », expliquée p. 378.

Variante : remplacer le jus de poire par du jus de pomme. Utiliser tout autre fruit en saison à la place des framboises et des bleuets.

Pouding aux noix de cajou

(2 portions)

1 c. à soupe d'huile
2 c. à soupe de farine de riz
250 mL (1 t.) de lait aux noix de cajou*
125 mL (½ t.) de raisins secs
Une pincée de muscade

Faire chauffer l'huile dans une petite casserole. Ajouter la farine de riz et mêler.

Verser lentement le lait de noix de cajou dans la casserole, tout en remuant vigoureusement. Faire cuire en remuant constamment jusqu'à ce que la sauce épaississe.

Ajouter les raisins et la muscade. Verser le pouding dans des bols individuels et réfrigérer. La préparation épaissira en refroidissant.

* Suivre les indications de la recette indiquées à la page 49 en réduisant les quantités selon vos besoins. Pour la préparation du pouding, 75 mL (¼ t.) de noix de cajou et 250 mL (1 t.) d'eau seront suffisants.

Garniture crémeuse au tofu

(Donne environ 375 mL ou 1½ t.)

250 mL (1 t.) de tofu, écrasé
2-3 c. à soupe de tahini
75 mL (¼ t.) de miel
1 c. à thé de vanille
1 c. à soupe d'eau (ou plus, suivant le besoin)

Fouetter tous les ingrédients au mélangeur jusqu'à l'obtention d'une consistance lisse et crémeuse. Il faudra peut-être battre assez longtemps pour arriver à ce résultat, et rajouter de l'eau au besoin pour parvenir à la consistance voulue.

Servir sur tartes, gâteaux, fruits frais ou desserts en gelée. Particulièrement délicieux avec une tarte à la citrouille.

« Truffes » de millet aux fruits

(Donne environ 20 boulettes de la
grosseur d'une noix de Grenoble)

250 mL (1 t.) d'amandes
200 mL (¾ t.) de raisins
200 mL (¾ t.) de figues
  1 c. à soupe de zeste de citron
  1 c. à thé de vanille
250 mL (1 t.) de millet, cuit
  Graines de sésame, noix de coco râpée ou
  noix hachées

Si vous possédez un robot culinaire, cette recette sera des plus faciles à préparer.

Mettre les 5 premiers ingrédients dans la jarre du robot culinaire et moudre avec la lame appropriée, jusqu'à ce que les ingrédients soient bien hachés. Ajouter le millet, continuer à moudre quelques instants pour l'incorporer parfaitement au reste du mélange.

Façonner en boulettes. Rouler celles-ci dans des graines de sésame, de la noix de coco râpée ou des noix hachées.

Conserver au réfrigérateur.

Au mélangeur : moudre les amandes. Hacher les fruits très finement à la main. Mêler au reste des ingrédients. Façonner en boulettes et enrober de la garniture désirée.

Variante : ajouter environ 75 mL (¼ t.) (ou moins) de pollen d'abeilles à la recette.

Tarte crémeuse aux fraises

(Pour une tarte de 25 cm (10″) de diamètre)

- 1 recette de croûte de tarte à l'avoine (p. 381)
- 250 mL (1 t.) d'eau
- 125 mL (½ t.) de sirop d'érable
- ½ bâton d'agar-agar, déchiqueté ou 2 c. à soupe combles de flocons d'agar-agar
- 250 mL (1 t.) de tofu en purée
- 1 c. à soupe de zeste d'orange
- 1 c. à thé de vanille
- 125 mL (½ t.) de crème sure (ou la même quantité de yogourt)

Garniture :

- 375 mL (1½ t.) de fraises tranchées
- 100 mL (⅓ t.) d'eau
- 1 c. à soupe de miel
- 1 c. à thé bien pleine de flocons d'agar-agar

Amener l'eau, le sirop d'érable et l'agar-agar à ébullition. Réduire la chaleur, laisser mijoter à couvert jusqu'à ce que l'algue soit dissoute, environ 10 minutes.

Au mélangeur, battre le tofu avec le zeste d'orange et la vanille. Ajouter le mélange d'algue et continuer de battre jusqu'à l'obtention d'une consistance très crémeuse.

Incorporer la crème sure à la préparation et mêler parfaitement. Verser sur une croûte de tarte cuite de 25 cm (10″) de diamètre.

Réfrigérer jusqu'à ce que le mélange soit ferme, ce qui requiert au moins une heure.

Disposer les fraises sur le dessus de la tarte. Amener l'eau, le miel et les flocons d'agar-agar à ébullition. Verser lentement sur les fruits.

Réfrigérer de nouveau pour permettre à la garniture de prendre.

Croûte de tarte à l'avoine

(Donne 1 croûte de 25 cm (10″) de diamètre)

375 mL (1½ t.) de flocons d'avoine
200 mL (¾ t.) de farine de blé entier à
        pâtisserie
 75 mL (¼ t.) d'huile de tournesol
  3 c. à soupe d'eau (approximativement)

Opérer le mélange des flocons d'avoine et de la farine. Pour sauver du temps, préparer cette recette directement dans l'assiette à tarte qui servira à la cuisson.

Ajouter l'huile et travailler à la fourchette jusqu'à ce qu'elle soit parfaitement amalgamée aux ingrédients secs.

Incorporer l'eau, un peu à la fois de façon à obtenir un mélange qui se tient.

Répartir la pâte également sur le fond et les bords de l'assiette à tarte.

Faire cuire au four à 190°C (375°F) environ 20 minutes, jusqu'à ce que la croûte soit légèrement brunie.

Note : cette croûte peut aussi cuire en même temps que la garniture désirée, suivant les indications de la recette.

Figures « Grand Soleil »

18 à 20 grosses figues brunes
Jus de pomme, au besoin
250 mL (1 t.) de pacanes, moulues au
mélangeur électrique
75 mL (¼ t.) de noix de coco non sucrée,
finement moulue
2-3 c. à soupe de miel
1 c. à thé de coriandre
18-20 noix de pacane, coupées en moitiés

Si les figues sont bien fraîches et tendres, inutile de les faire tremper. Sinon, il serait préférable de les laisser macérer dans du jus de pomme la veille.

Couper la queue des figues. En utilisant vos doigts, ouvrez les figues pour former une sorte de poche.

Mêler les noix de pacane moulues, la noix de coco, le miel et la coriandre.

Remplir les figues de ce mélange et garnir chacune d'elles d'une moitié de noix de pacane.

Bière au gingembre

Une boisson hautement rafraîchissante, et sans doute supérieure à celle qui nous est proposée dans les marchés commerciaux !

       2 c. à soupe de gingembre, fraîchement râpé
     500 mL (2 t.) d'eau bouillante
      75 mL (¼ t.) de miel
      75 mL (¼ t.) de jus de citron
       1 bouteille d'eau Perrier de 680 mL (23 oz),
          bien froide

Verser l'eau bouillante sur le gingembre et laisser en attente, 10 à 15 minutes.

Égoutter. Ajouter le miel et le citron à l'infusion de gingembre. Bien mêler et réfrigérer.

Lorsque le liquide est bien refroidi, ajouter l'eau Perrier.

Servir immédiatement, avec des glaçons, lorsque le Perrier est encore pétillant.

Achevé   Imprimerie
d'imprimer Gagné Ltée
au Canada Louiseville